JN048819

岩波講座　世界歴史　8

西アジアとヨーロッパの形成

八〜一〇世紀

岩波講座

世界歴史

08

西アジアとヨーロッパの形成

八〜一〇世紀

岩波書店

第8巻【責任編集】大黒俊二
林佳世子
【編集協力】大月康弘
清水和裕

目次

問題群 | *Inquiry*

コラム｜*Column*

展　望 | *Perspective*

展望 Perspective

ユーラシア西部世界の構成と展開

大月康弘
清水和裕

本講座での大きな特徴のひとつは、ヨーロッパや西アジアを地域別ではなく、ユーラシア大陸西部のひとつの括りある世界として叙述しようとすることにある。前三―七世紀を扱う第三巻は、「ローマ帝国と西アジア」として、地中海周縁のローマ帝国と、アルシャク(アルサケス)朝パルティア・サーサーン朝ペルシア帝国を、その関係性に目配りしつつ論じている。そしてこの第八巻では、その関係性を前提として成立したヨーロッパ世界とイスラーム世界の成立と変容を取り扱う。

その際、重要であるのは、地中海世界とメソポタミア世界、そしてイラン高原から中央アジア西部世界を一体の視点で眺めることである。それぞれの地域は、確かに地理的環境によって大まかな区分をすることが可能であり、それが政治的・社会的・文化的状況に大きな影響を与えた。しかし、ヘレニズム世界が北アフリカから中央アジアにおよぶ大きな文化的一体性やまとまりを生み出したことからもわかるように、また、それ以前にメソポタミアで生まれた文明がイラン・エジプト・地中海東岸からギリシアに至る諸文明に波及したように、この地中海・メソポタミア・イラン・中央アジアは緩やかな一体性をもった世界として胎動を続けていた。本巻で扱う時代においては、これらの地域は、ヨーロッパ・ビザンツ(東ローマ)帝国・イスラーム帝国といった政治態をとりつつ、セム的一神教の枠組み(ユダヤ的神話世界)が急速に浸透し、共通の世界観をもって連動した世界として動き始めていたのである。

この「展望」において私たちは、ヨーロッパ世界と初期イスラーム世界が、その周縁世界をも含め、別個の存在ではなく相互に連動し、ひとつの歴史を紡ぐものとして理解されねばならない、と考えている。その連動性があるからこそ、本巻が扱う八―一〇世紀のひとつの帰結として、双方を巻き込んだ「十字軍」運動という動きも生じたのである。

こうした連動性のなかに、ヨーロッパと西アジアの両地域にとって、本巻が扱う時代(「八〜一〇世紀」と題している が、それ以前を含む)は重要な転換期となった。この時代に、それぞれの地域が自律的な動きを始め、ヨーロッパ文明、イスラーム文明、という用語で私たちが理解する社会の歩みが、まさに実体あるものとして立ち現れ始めると見て取れるからである。本巻は、そのゆえんを紹介することを役割のひとつとし、また各地域の独自の歩みを概観することをねらっている。所収の諸論文を通して、ヨーロッパから西アジアにかけて展開し、今日に至っている諸社会の原風景を知りたいと思う。そして、各地において歩みを始めたそれぞれの「新しい社会」が相互に切り結んだ関係についても理解の一端が得られればと思う。

一、地中海世界にとっての八―一〇世紀

地中海世界の古代末期

本巻で考察する歴史の舞台は「地中海＝ヨーロッパ」である。現代の私たちが通常思い描くアルプス以北の西北ヨーロッパはもとより、南欧、東欧、また地中海地域の東側、そして南側が考察対象に含まれる。地中海南岸は、今日では北アフリカという地域概念で語られることも多いが、ここでは、西北ヨーロッパをも含めて総じて「地中海世界」として観察する視座が有効と考えている。この地中海世界が、まさに古代末期に政治的・社会的変動を経験した。

そのなかから、自律的な存在としての西北ヨーロッパ、南欧、東欧、アラブ・イスラーム世界が胎動していった。

古代末期とは、歴史学、特に西洋史の文脈での時代呼称である。一般には、二—八世紀という比較的長い時間枠を想定しており、一体性をもった「地中海世界」の秩序が弛緩して、それぞれの地域が個性をもって独自の歩みを始めた時代、と認識されている。この同じ時代は、一八世紀のE・ギボン以来「ローマ帝国の崩壊」として、いわば衰退の歴史の文脈で語られてきた。近年の「古代末期」という用語法には、かつてのこの時代認識への批判、ないしアンチテーゼとしての建設的創見が含意されている。

今日「古代末期」は、それ自体に価値を含む、地中海世界各地の形成史として認識される。古代帝国が瓦解し、古代的諸価値が没落した、とする古典的理解に対し、P・ブラウン、E・パトラジアンなどは、その文明の遺産を母胎として新来の諸民族、とりわけゲルマン諸部族が台頭して新しい国家・社会の建設を始めた時代と理解している。

二世紀以来、ローマ帝国はヨーロッパの西北辺でゲルマン人と出会う。ローマ人は、やがて彼らを服属させ、あるいは同盟関係のもとに包摂して自らの構成員とし、軍団の兵士や地方官吏として任用していく。才能ある「蛮族」の者は、やがて宮廷要人にまで昇り詰めていった。第三巻で論じられたように、西ローマ皇帝の宮廷には、多くの「蛮族」出身者がいて、活躍した。ローマ帝国が自らの支配機構に包摂していった「蛮族」の中でも重要だったのはゴート族出身者であり、そして若干のフランク族やヴァンダル族出身者がいた。そして五世紀初頭になると、彼らが権力の中枢を握るようになっていたのである。ローマ帝国の崩壊とされる事件は、西ローマ宮廷における「蛮族」出身者の活躍が前提にされなければ理解することができない。

ゲルマン諸部族国家の世界

二世紀以来歴史の舞台に登場したゲルマン諸部族は、地中海＝ヨーロッパ世界における政治社会のあり方を変容さ

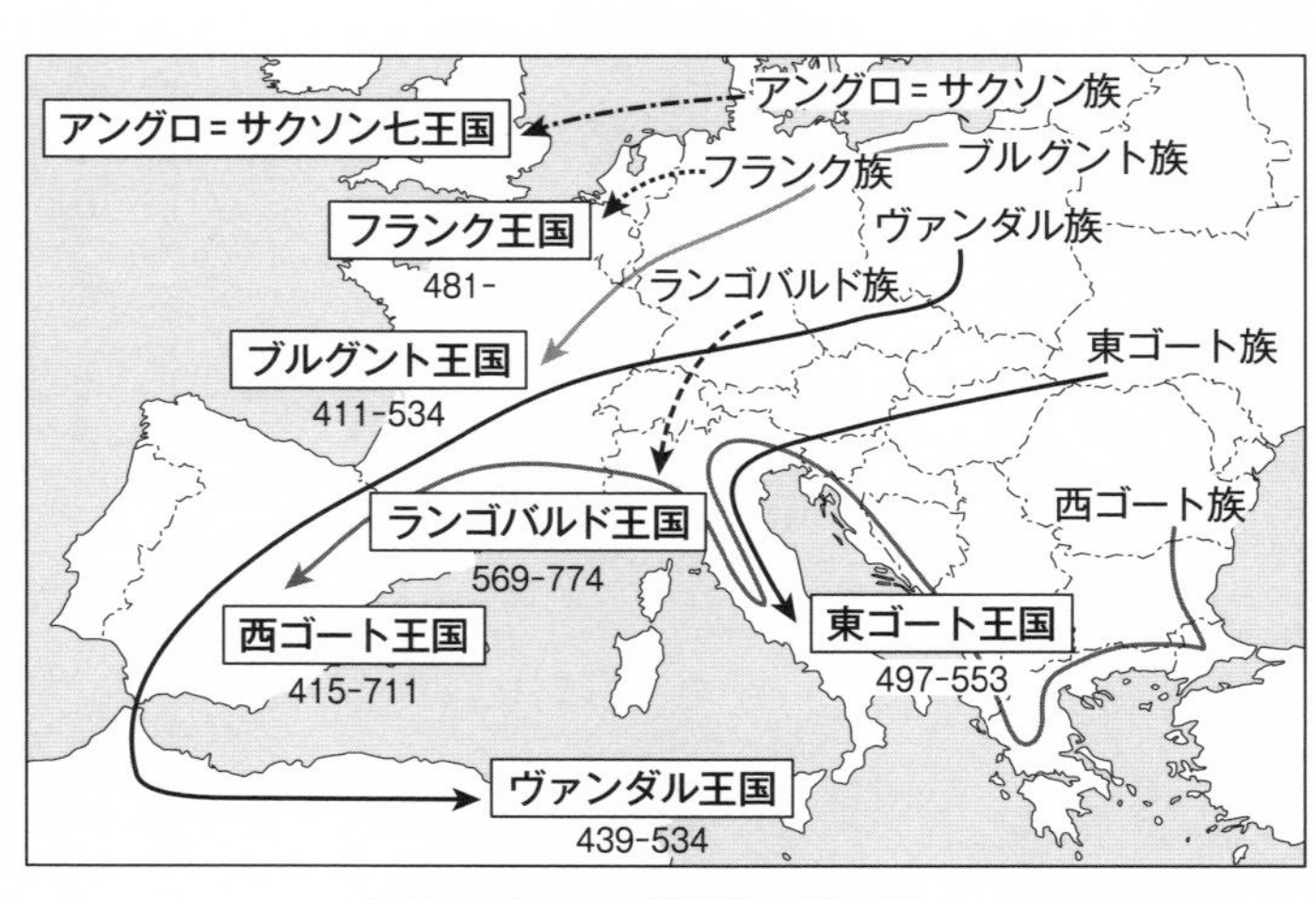

図1　ゲルマン諸部族国家の興亡

せた。東西ゴート族、ヴァンダル族、ブルグント族、フランク族、そしてランゴバルド族。彼らは、ローマ帝国の文明と触れ合い、融合し、またキリスト教化されることで、各々の定住先地域で王国を建設した［**図1**］。

　イタリアでは、五世紀末にビザンツ皇帝ゼノン（在位四七四―四九一年）の誘致によってテオドリック（在位：東ゴート王四七一―五二六年、イタリア王四九三―五二六年）に率いられた東ゴート族の王国が建設されたが、ユスティニアヌス一世（在位五二七―五六五年）のイタリア再征服活動による長期のゴート戦役を経て、五五三年までに滅亡した。テオドリック大王は、コンスタンティノープルにいる皇帝の権威を尊重しながらイタリア統治を行ったものの、他方で自らの肖像を刻んだ貨幣を発行し、ローマ法を遵守しながらもゴート独自の法制を整えるなど独自の国家経営を行った。

　ブルグント王国は四一一年、西ローマ皇帝ホノリウス（在位三九三―四二三年）から休戦協定の代わりにローヌ川流域に土地を与えられたことによって成立した。彼らは帝国の「同盟部族」foederati の地位を与えられたものの、なおも帝国領を侵し、将軍アエティウスの画策したフン族の攻撃によって四三七年に一度滅ぼされた。四四三年に、ウァレンティニアヌス三世（在位四二五―四五五年）によって再び同盟部族となり、四五一年にはカタラウヌムの戦いでフン族と交戦している。この戦いは、アエティウス率いるローマ帝国軍とフランク、ブルグント、西ゴートが提携して、アッティラ率いるフン族を打倒した戦闘だった。ブルグント王は西ローマ皇帝との同盟を強めたが、西ローマ皇帝が断絶すると、周辺諸部族王国、特にフランクとの関係を模索し、婚姻関係を重ねた。最終的には五三四年にフランク王国(メロヴィング朝)に攻められ、滅亡した。

ヴァンダル族は、ガイセリック王のもと四二九年頃から艦隊を建造し、ジブラルタル海峡を渡って北アフリカに進出した。現在のアルジェリアの地中海沿岸地域に進んだところで西ローマ宮廷から領土を与えられたが、さらに東進し、四三九年、ローマ帝国の穀倉地帯だったカルタゴ(現在のチュニジア)を占領した。ローマ艦隊を組み入れて、一大海軍力を形成し、シチリア島、サルディニア島、コルシカ島、バレアレス諸島等を征服、四五五年には都市ローマを占領し、略奪した。ガイセリック王の死去後、彼らは尚武の気質を失っていく。六世紀、ローマ帝国の復興を企図したユスティニアヌス一世は将軍ベリサリオスを派遣し、五三四年に王国は滅亡した。

西ゴート王国は、西ローマと連携して、イベリア半島にいたヴァンダル族、スエヴィ族を討ったことで、四一八年にホノリウス帝からアクィタニア(アキテーヌ)の一部を与えられ成立した。当初トゥールーズを首都としていたが、ヴァンダル族がイベリア半島からアフリカに退去したことでイベリア半島に入植、五六〇年以降トレドを首都とした。八世紀初頭になって北アフリカからウマイヤ朝のアラブ族が侵入し、グアダレーデ川の戦いで最後の王となるロドリックが敗死、西ゴート王国は七一一年に滅亡した。西ゴート族はローマ帝国と早くから交流をもち、ローマ法とゲルマン的な慣習法による法令をしばしば発布した。七世紀にはセビーリャ大司教となるイシドールス(五六〇頃—六三六年)が出て、ラテン教父の歴史に重要な足跡を残している。西ゴート族は当初アリウス派を信仰していたが、五八九年の第三回トレド教会会議で公式にカトリックに改宗した。

スラヴ人のバルカン半島への侵入

いわゆる「蛮族」の侵入は、西ローマ帝国領内へのゲルマン諸族ばかりではなかった。六世紀には、バルカン半島でビザンツ領内にスラヴ諸部族が侵入していた。

コンスタンティノープルに視点を置いてながめれば、西北に位置するドナウ川の境界線に沿って、ゲルマン諸部族、フン族、スラヴ諸部族が押し寄せている光景が広がっていた。最西端にはランゴバルド族がいて、四八八年以来ノリクムの東部に定住していた。五一二年にはエリュル族が国境線内部(パンノニア第一属州)に定住した。五二八年には、エリュル王グレペスがコンスタンティノープルに来訪し、洗礼を受けている。彼らは「同盟部族」となり、シンギドゥヌム(現在のベオグラード)などパンノニア第二属州の土地を与えられた。その代償として帝国軍に部隊を派遣する義務を負った。このほかにバルカン各地には、ゲピド族、スクラヴィニ族、ブルガール族、アント族らが展開していた。

同時代の歴史家プロコピオスによると、五四〇年頃、「蛮族」の侵入はより頻繁に行われるようになり、また激しさを増していった。ブルガール族は大集団でバルカン地域(トラキア、マケドニア)に侵入し、イリュリクムにおいて三二の要塞と防備を施された町や地域を破壊した。ブルガール人部隊の一部はコンスタンティノープルまで脅かしたという。これらの急襲後ユスティニアヌス一世は、トラキア、イリュリクムで六二〇もの砦を建設ないし再建させている。しかし情勢はもはや改善することはなかった。ブルガール族、スクラヴィニ族らの侵入は、同地域のその後の社会のあり方を規定することとなった。

第三巻が扱った「古代―古代末期」の時期から、本巻が扱う八―一〇世紀までのあいだの時代には、ゲルマン、スラヴの諸部族が地中海周辺諸地域に流入し、定住していった歴史が横たわる。スラヴ諸部族についての情報は、もっぱら同時代のビザンツ帝国側ギリシア語史料に記録されていた。七世紀になると、この民族移動の群れにさらにアラブ族が加わる。記録された出来事また人びとは、それぞれの地域にあってその後の歴史を刻んでいった。ゲルマン、スラヴ、アラブ。ヨーロッパ＝地中海世界に定住していった彼らは、まさに古代末期を通じて、現代に至る彼らの歴史の起点をもった。そして、それぞれの地域に根ざした社会の基層をかたち創っていったのである。

二、転換期としての七世紀

西暦六二二年、イスラームの預言者であるムハンマドは、彼に従う者たち(ムスリム)とともに、アラビア半島のメッカからメディナに移住した。この出来事(ヒジュラ、聖遷)によってイスラーム共同体である「ウンマ」が形成され、ここにイスラーム社会・国家が誕生した。西アジアで生成したイスラーム国家の展開については後段で清水和裕が概観するが、八－一一世紀の地中海＝ヨーロッパ世界を考える上で、このアラブ・イスラーム国家の出現が大きなモーメントとなったことをあらかじめここでも簡単に確認しておく。

イスラーム勃興以前の東地中海世界

六世紀の東地中海世界は、東ローマ(ビザンツ)帝国とサーサーン朝ペルシア帝国が覇を競い、領土争いをする構図のなかにあった。

ユスティニアヌス一世期に、第一次(五二八－五三二年)、第二次(五四〇－五六二年)と二度にわたるペルシア戦争が行われた。第一次戦争は、カワード一世(在位四八八－四九六年、四九八－五三一年)が自身の後継者として息子のホスロー一世アノシャルヴァン(「不死の魂を持った者」の意)を指名したものの、東ローマ皇帝がこれを承認しなかったこと、またラジカ(黒海東端のコーカサス地方の一部)の領有をめぐって起こった。一部の戦線で東ローマ側が勝利を収めたものの、多くの戦線で膠着状態が続き、カワードが没して休戦協定が結ばれることとなった。

第二次戦争のイニシアティヴは、第一次戦争後に結ばれた「永久平和」の間に権力基盤を固めたホスロー一世に握られた。ホスロー一世アノシャルヴァンは若く、行動力がある人物だった。彼は、帝国の富の略奪を求めて開戦の機会をうかがい、五四〇年に戦端を開いていた。この時の交戦ではホスロー優位に進捗し、交渉を重ねてユスティニアヌス一世は五年間の平和(休戦)を得て、金二〇〇〇リブラ(一リブラは約三二六グラムなので、総量六五二キログラム)を支払っている。この休戦協定は更新され、その時もビザンツ側は金を支払っている。その後ビザンツ勢力が盛り返し、五五七年に結ばれた新たな休戦協定での賠償金はなく、そして平和領域がラジカにまで押し広げられた。この条約は、五六一年には五〇年間の休戦というかたちで決着し、ペルシア側はラジカをあきらめ、ビザンツ側が毎年三万ソリドゥスを支払うこととなった(ソリドゥスはビザンツでの金貨の呼称。一リブラの金から七二枚のソリドゥス貨を造った。一ソリドゥスは約四・五グラム)。

七世紀におけるイスラーム勢力の地中海進出

四世紀末以来、ローマ帝国の東方国境は古代アルメニア王国との境を越えていた。この古代アルメニアの大半はペルシア＝アルメニアに、四分の一ほどがローマ領の西アルメニアになっていた。これより南部では、ニシビス、また属州メソポタミアの一部が、三六三年にペルシア帝国の支配下に入っていた。ユーフラテス川の南側、トランスヨルダンの砂漠を横切る国境線 limes に沿って、ラフム朝のアラブ王国がペルシアの属国としてあり、他方、ガッサーン朝アラブがビザンツの属国となっていた。

アラブ諸部族は、このように四―六世紀においてすでにローマ帝国の東方国境に存在していた。当時の彼らは、キリスト教化された東ローマ(ビザンツ)帝国とサーサーン朝との緩衝地帯にあって、両帝国と交渉しつつ、彼らのために動いていた。ローマ＝ビザンツの側から見れば、戦闘を繰り返していたサーサーン朝との外交上、アラブ人諸部族を利用していたというのが実情だった。年金を渡して懐柔し、手勢として戦闘に加勢させ、また外交交渉にすら当たらせていた。アラブの諸部族・首長たちの立場から見れば、ビザンツとサーサーン朝の緩衝地帯にあって両帝国の境域を行き交い、時機に応じて双方から年金を得、それぞれの帝国のために働いていた、ということになる。

七世紀におけるアラブ国家建設は、ビザンツ帝国のあり方を変えさせた。ローマ帝国の基本構造とローマ意識はそのままに、しかし現実の政治環境の変化に伴い帝国は変質せざるをえなくなった。そして、ビザンツ帝国の政治・経済・社会にわたる仕組みの変更と連動して、イタリア、またアルプス以北の西北ヨーロッパ地域でも、新しい時代を画する動きが出てくるのであった。

七世紀ビザンツ国家のイスラーム勢力への対応

ヘラクレイオス帝(在位六一〇–六四一年)没後、その子コンスタンティノス三世がローマ皇帝となったが、宮廷内で帝位をめぐる抗争が生じ、この争いの中でコンスタンティノス三世は没してしまう(毒殺説が有力)。騒動の末にコンスタンティノス三世の子フラビオスがコンスタンス二世として一一歳で帝位に就いた(在位六四一–六六八年)。しかし、当初幼少だったので元老院や宮廷の中央軍長官ヴァレンティノスが実権を握り、特にヴァレンティノスは全軍を統率し、並ぶ者のない実力者となって、六四四/六四五年にはコンスタンス二世から帝位を簒奪しようとすらした。しかしこれはコンスタンティノープル市民と総主教ら有力者たちの反対で挫折し、彼は殺害されている。

東方のアラブ・イスラーム国家が台頭したのは、ビザンツ宮廷内が落ち着かなかったこの時期のことだった。新興勢力に対してビザンツ軍は対外戦略を展開、シリア沿岸部の一部(六四四年)、また六四二年以来イスラーム勢力に占領されていたエジプトを一時奪回した(六四五年)。しかし戦略上の失敗もあってエジプトからは六四六年に完全撤退せざるをえず、その後この地をビザンツ側が奪回することはなかった。

東地中海圏の政治変動に呼応して、西方でも動きが起こった。六四七年、カルタゴ総督だったコンスタンス二世の叔父グレゴリオスが反乱を起こし、同地で対立皇帝となった。ただ、同年イスラーム軍がカルタゴに侵入、戦闘のうちにグレゴリオスは敗死し、イスラーム軍がやがて撤退したので同地は引き続き帝国領に留まっている。

地中海世界の全体を巻き込んだ国際事情の急変と、ビザンツ宮廷内の目まぐるしい動きに特徴づけられる七世紀半ばにあって、ビザンツの歴代皇帝は引き続き「ローマ皇帝」として振る舞った。「世界」の秩序回復を自らの当為とし、東方での事態の変化に軍団を率いて対抗したのであった。

コンスタンス二世は自らたびたび遠征を行っている。アルメニアは、現在のアルメニア共和国とはちがい、タルススを含むアルメニア人の本拠地キリキア地方を含む地域の呼称だが、まずは同地方に遠征した(六五一年)。しかし同地は、彼の奮闘むなしくやがてイスラームの支配下に入っていく。アラブ側のシリア総督ムアーウィヤは、艦隊を建設し(六四九年)、キプロス島、アラドス島を攻略した。ムアーウィヤのアラブ海軍は、以後も地中海進出を積極的に推し進め、ビザンツ領を激しく侵食していく。

帝都コンスタンティノープルすら、七世紀以後アラブ・イスラーム艦船の攻撃を受けるようになった。近年の小林功の史料検討によれば、帝都攻撃の嚆矢は六五四年だった(小林 二〇二〇:第四章)。アラブ勢力による帝都の攻囲は、東方辺境部からわき起こった「部族反乱」的事象が帝都への脅威にまで成長したことを象徴的に示す大事件だった。

コンスタンティノープルは、三方(北東南)を海に囲まれた天然の要害である。町の西側には、五世紀末までの段階で延長七キロメートルにもわたって高さ一二メートルを超える堅牢な城壁(内壁)が建造されていた。四〇―六〇メートルほどの間隔で建てられた高さ二〇メートルの塔は計九六に及ぶ。この内壁の前に、さらに高さ八―九メートルほどの外壁が巡らされ、その前(西側)には幅二〇メートルほどの壕が掘られていた。この難攻不落の都市を攻撃するには海から攻めるしかなかった。ムアーウィヤは南および東の海上から帝都を攻撃したことになる。

イスラーム艦隊は、本拠地から次第に西進し、じきにリュキア地方(現在のトルコ南沿岸アンタルヤ県とムーラ県の地域)にまで及んだ。六五四年夏には、コンスタンス二世が自ら遠征して、このリュキア沖でアラブ・イスラーム艦隊と交戦している(マストの海戦)。この海戦は、アラブ艦隊との決戦の位置づけだったが、ビザンツ側は敗北、コンスタンス二世は命からがら敗走し、直後の六五四年に最初の帝都攻囲が行われたのだった。

アラブ・イスラーム国家の動きとビザンツ帝国

他方、アラブ側では、六五六年以降ムアーウィヤとアリー(第四代正統カリフ)との間でカリフ位をめぐる内戦が起こった。これにより、ムアーウィヤとビザンツ側の和平が成立し、両勢力間には一時的な平穏がおとずれることになる。東方情勢が安定すると、コンスタンス二世の遠征は西方にも向かった。バルカン半島に侵入していたスラヴ人を平定し、一部を捕虜として小アジアに移住させて、減少した地域人口の回復を図った。六六一年には、帝都を出立してイタリアに向かい、アテネに滞在したのち南イタリアに上陸、六六三年六月にローマ教皇ウィタリアヌス(在位六五七―六七二年)と会談している。その後シチリアのシュラクサ(シラクサ)に入り、六六八年に暗殺されるまでこの地に滞在した。

アラブ社会では、六六一年にムアーウィヤによるウマイヤ朝が成立していた。この出来事は、地中海世界の動勢に小さからぬ影響を及ぼすことになる。同朝の成立により、ビザンツ帝国事情にも変化が生じてくるのだった。

ビザンツ側でアラブ勢力に対抗できる海軍力を準備し、反転に出るようになるのは六七〇年代になってからのことである。コンスタンス二世がシュラクサで没し、その子で後継者となったコンスタンティノス四世(在位六六八―六八五年)が、父帝の後を継いで帝国艦隊を率いて活躍した結果であった。東地中海圏はすでにアラブ勢力の支配下にあり、コンスタンティノープルで新艦隊を建造することは困難だった。コンスタンティノス四世が率いた艦隊は、父コンスタンス二世がシチリアで創設した新艦隊であった。

ビザンツ側が反転攻勢に出られるようになるのは、六七二／六七三年以降である。そのとき両勢力の艦隊がシュライオン沖(小アジア南部リュキア地方アンタリア近傍)で戦い、この海戦に勝利したことでビザンツ海軍は帝都周辺からアラブ軍を追い払うことができた。これまで六七四―六七八年と考えられてきたアラブ勢力による帝都の攻囲についても、現在、六六七―六六九年だったと推定されている。

六七〇年代はむしろビザンツ軍が守勢から攻勢に転じた時期だった。この時期、大規模な第三回コンスタンティノーブル全地公会議も開催された(六八〇―六八一年)。シリア、エジプトを失っていたとはいえ、帝都に三〇〇人もの主教が集まった。六七〇年代から公会議の準備が始まっていたとされ、大規模な教会会議の開催自体、帝国内外の政治的安定がもたらされていたことを示している。

他方、ムアーウィヤは六六一年にウマイヤ朝を創始してからも、ビザンツ帝国征服の「野望」を捨てず、六七九年には再び軍を送ってロードス島を制圧した。しかし、このような長期間にわたる大作戦はウマイヤ朝にとって大きな負担となっていた。六八〇年にムアーウィヤが没すると、後継者ヤズィード一世(在位六八〇―六八三年)はビザンツ側と和約を結び、ロードス島からも撤退、シリアの防衛体制の強化に専念することとなる。

ムアーウィヤの世界観

ムアーウィヤが抱いたビザンツ帝国に対する「野望」とはどのようなものだったのか。ビザンツ帝国は理念的には「ローマ帝国」そのものだった。国家の担い手が「ギリシア人」になったこと、また四世紀末以来キリスト教化された点が、以前のローマ帝国とは異なっていたが、国家意識としての「ローマ理念」は引き継がれていた。帝国民は「ローマ人」としての自己認識をもっており、そのようなものとして、自らの帝国を「世界に君臨するローマ人の皇帝」が統べる国家として了解していた。一〇世紀のコンスタンティノス七世ポリフィロゲニトスが編んだ『帝国の統治について』に見られる世界観である(三六頁)。

ところが、このキリスト教ローマ帝国理念は、五世紀以降、周辺部でわき起こった諸部族の興隆・攻勢の前に動揺する。西方ではゲルマン諸部族が帝国西半部の宮廷で実力をもち、やがて各地に独自の王国をもつようになった。そして東方では、七世紀以降、アラブ人がイスラームの信仰と理念を掲げ、自らの国家建設に入ったのだった。

この世界理念を理解した上で、現実のローマ帝国と周辺世界との関係を分析する視点は、本巻の枢要といってよい。後述する西方のカール大帝、オットー一世(大帝)の政治・軍事行動の背後には、この「世界に君臨するローマ人の皇帝」観念をかいま見ることができる(二二二―二二四頁)。むしろ、ビザンツ的世界理念が西方キリスト教世界の政治文化の底流において共有されていた、と言った方がよい。

この観点からすると、アラブ諸部族がイスラームの信仰のもとに自らの国家建設に入ったとき、彼らの脳裏にあった「世界」観念がどのようなものであったかは問題となる。少なくともムアーウィヤが帝都コンスタンティノープルの支配を欲したとき、彼もまた「神の恩寵を受けた地上の支配者」というキリスト教的なローマ皇帝のイメージを自らに重ねあわせようとしていた可能性は否定できない。ムアーウィヤの軍事行動の背後に「ローマ皇帝権」への意欲、ないし「ローマ帝国の遺産相続人」たらんとする願望があったとすれば、アラブ人指導者における世界観、政治理念は汎地中海的な観念だったことになるだろう。

しかしムアーウィヤの願望は挫折する。これ以降、イスラームのカリフたちは独自の文明の創造に向かっていく。ないし向かっていかざるをえなかった。彼らがサーサーン朝ペルシアの後継者でもあったことが、アラブ人の国家に独特な性格を刻み込んでいった。

三、カロリンガーのフランク王国

ゲルマン諸部族国家の建設、また消長についてはすでに祖述した。ビザンツ帝国と密接な関係をもった東ゴート族。彼らから分派して、最初はトゥールーズ、次いでイベリア半島のトレドに都を置いた西ゴート族。現在のフランス・ブルゴーニュ地方に落ち着き、その地域名を遺すことになるブルグント族。イベリア半島を経てジブラルタルを渡り現在のチュニジアに至って王国を築いたヴァンダル族。そして、現在のドイツ・ロートリンゲン地方からフランス、ベルギーにまたがるフランドル地方を本拠としたフランク王国。

これらのゲルマン諸部族国家は、西北ヨーロッパ(ガリア)から北アフリカに展開し、ローマ文明を身に帯びたローマ帝国の貴族の末裔を王宮スタッフに迎え、またローマの元老院身分だった家門出身の高位聖職者たちの影響のもとに、やがて独自の文化を発展させ、キリスト教化していった。ゲルマン諸部族の王たちは、セナトール貴族(ローマ貴族の出身者)との連携の中で、やがてキリスト教の守護者として各地域社会の中心となっていく。ゲルマン人と各地に残存したローマ人たちとの融合は、キリスト教化したゲルマン諸部族の王のもとに凝集して、それぞれにまとまりのある集団をかたち創っていった。

クローヴィスのカトリック改宗

ゲルマン諸部族国家のうち、後代に命脈を保ったのはフランク国家だった。

サリー族メロヴィング家の王クローヴィス(在位四八一―五一一年)が、四九六年、王妃クロティルダの勧めでカトリックに改宗した。このことは、フランク族社会にカトリック信仰の守護者としての自覚を芽生えさせ、その後の西北ヨーロッパ地域の歴史にとっても重要な転機となった。

すでに西ゴート族やヴァンダル族はキリスト教に改宗していた。しかし、その宗派はアリウス派であった。当時のガリア住民は大部分カトリックであったため、クローヴィスのカトリック改宗はガリア領内のローマ市民との絆を強化するものであったといえる。ニカイア派キリスト教徒たるクローヴィスは、受洗によりカトリック信仰に依拠する権力保持者の一人となった。この改宗はゲルマン諸王の中で初めて行われたカトリックへの改宗であり、これによって旧西ローマ帝国貴族の支持を得て、領内のローマ系住民との関係も改善されていった。なお、王妃クロティルダは、ブルグント王キルペリクス二世(在位四七三―四九三年)の娘であり、後にブルグント王国を併合する要因となった。

カロリンガー王国とピピンの寄進

アラブ・イスラーム勢力の地中海進出は、西北ヨーロッパにも及んだ。北アフリカを西進したイスラーム勢力(ウマイヤ朝軍)は、やがてイベリア半島に進出、七一一年にトレドを占領して西ゴート王国を滅亡させた。彼らはやがてガリア地方にも侵攻し、ボルドーからロワール川流域の重要都市トゥールにまで迫った。この時、フランク軍を指揮してイスラーム勢力の侵攻を食い止めたのが、宮宰カール・マルテルであった。七三二年一〇月一〇日、トゥール・ポワティエ間の戦いで両者は激突し、ウマイヤ朝軍を指揮していたイベリア知事アル・ガーフィキーは戦死。アラブ勢力の主力軍はピレネー山脈の西側に退却した。

マルテルはトゥール・ポワティエ間の戦い後も積極的な外征を行った。もっとも、ガリア南部(プロヴァンスやセプティマニア)に残っていたアラブ勢力の抵抗も手強く、しばらくは一進一退の状態が続いている。

メロヴィング家の王テウデリク四世(在位七二一―七三七年)が後継者指名をしないまま亡くなり、王国は王位空白期となった。既に王国の実権は完全にマルテルの手中にあったが、彼も七四一年に没する。マルテルが死去すると、宮宰職は二人の息子、兄カールマンと弟ピピン(三世)に継承された。兄カールマンがアウストラシアの宮宰、弟ピピンはネウストリアの宮宰を務め、彼らは七四三年に、メロヴィング家のキルデリク三世を国王に擁立する(在位七四三―七五一年)。その後、七四七年に兄カールマンがアウストラシア宮宰を辞したため、王国宮宰としての全権がピピンの手に握られることとなった。

王国の実権を掌握したピピンは、ローマ教皇ザカリアス(在位七四一―七五二年)にその是非を問いかけたという。「実権を持つものが王となるべき」との回答を得て、七五一年一一月、ソワソンでフランク族の貴族たちによって王に選出された(ピピンのクーデタ)。マインツ大司教ボニファティウスによって塗油され、ここにカロリンガー王国(カロリング朝)が誕生した。

ピピンは王国を拡大することに努力した。その結果、ピピンの権威はクローヴィス以来最も高揚していくことになる。特にイタリアのランゴバルド王国(五六九―七七四年)を征服し、支配領域に収めたことは、彼の権力と権威の上昇に大きく作用することとなった。

ランゴバルド王国にはラヴェンナが含まれており、同地はビザンツ帝国のイタリア統治の拠点として四〇二年以来、総督府が置かれていた都市だった(東ゴート王国時代はその首都となったが、王国滅亡後、五五三年に再び東ローマ皇帝の支配下に戻っていた)。つまりラヴェンナ領内は、ローマ司教(教皇)の管轄から独立しており、ビザンツ皇帝の宗主権の下にあったのである。ローマ教皇ザカリアスは、ランゴバルド族の脅威を排除するために、ラヴェンナ総督府を通じてビザンツ皇帝に期待していた。

ところが、七五一年、ラヴェンナはランゴバルド王アイストゥルフ(在位七四九―七五六年)によって占領され、ビザンツ側の総督府は消滅してしまった。ランゴバルドの脅威に対し、ローマ教皇はカール・マルテルにイタリア介入を要請してきた経緯があったが、カール・マルテル時代は、ランゴバルド王との同盟を優先してフランク王のイタリア遠征は実現しなかった。しかし、七五一年のピピンのクーデタに教皇ザカリアスが正当性を与えたことで、そしてまた七五三年にはザカリアスの後継教皇ステファヌス二世(在位七五二―七五七年)がピピンのもとを訪れたことで、ピピンの遠征が実現する。七五四年、教皇ステファヌス二世はピピンをローマ貴族(パトリキ)とした。そしてパリまで赴き、サン゠ドニ大聖堂で塗油を施している。

ローマ教皇による一連の行動により、ピピンの権威はさらに増すこととなった。これへの見返りとして、ピピンはアイストゥルフによって支配されていた旧ラヴェンナ総督領(エミリアロマーニャ、ペンタポリス)とローマ公国領を占領し、七五六年にこれらの土地を教皇に寄進した。ピピンの後を継いだカール(シャルルマーニュ、在位七六八―八一四年)も、七七四年に改めて寄進を行っている。

カールの戴冠

『ローマ教皇伝 *Liber Pontificalis*』によれば、七九九年四月二五日に教皇レオ三世(在位七九五―八一六年)が、ローマで反対派の暴漢に襲われる事件が起こった。教皇によって奪われた影響力を取り戻そうとするローマ貴族による仕業と考えられている。鼻をそがれ命からがら脱出したレオ三世はアルプスの北に逃れる。カールは七月末にパーダーボルンでとレオと会談、これにより五度目のアルプス越えをすることになった。

『ローマ教皇伝』は、教皇が麗々しくローマに帰還し、レオ三世が復職して教皇の権威には何の変化も生じなかったと伝えている。もっとも、果たしてローマ市民がレオの帰還を歓迎していたかどうかは、実は不明といわなければならない。レオ三世についての不正の噂や姦通の疑いを指弾する声が止まなかったことも知られ、そういった指弾の声がローマ市民の中にあるという事実を前に、アルクインは八〇〇年に入ってからの書状でカールに執拗に働きかけ、フランク王権の発展の結果、王国は帝国になるのであり、その本質的な使命は教会を防護することにあると述べている。ともあれ、パーダーボルンでの会見によって実現したカールのイタリア遠征は、翌年八〇〇年一二月二五日、ローマの聖ペテロ聖堂での皇帝戴冠においてクライマックスを迎えることとなる。

『フランク王国編年史 *Annales regni Francorum*』には、その日の模様がこう書かれていた。「聖なるクリスマスの日に、国王がミサのために、至福の使徒ペテロの墓前での祈りから立ち上がったとき、教皇レオは冠を彼の頭に戴せた。そして、彼はすべてのローマ人民により歓呼された。至聖なるカール、神により戴冠されたる偉大にして平和を許すローマ人の皇帝に命と勝利を！」と。そして、「讃歌ののち、彼は教皇から古き皇帝の慣行に従った崇拝をうけ、爾来、彼はパトリキウスの称号を止めて、皇帝と呼ばれた」。

カールの戴冠はビザンツとの軋轢(あつれき)を生んだ。エインハルドゥス『カール大帝伝』(『カロルス大帝伝』)は「東ローマの皇帝たちが、これに腹をたてた」と伝えている。カールは、ビザンツ皇帝らにたびたび使節を送って問題の解決を探った。外交上のこの問題は、ビザンツ女帝エイレネとカールとの結婚話まで持ち出されて解決策が模索されたが、折り合いを付ける方向で動き出したのは、エイレネ廃位後のニケフォロス一世(在位八〇二―八一一年)の治世になってからであり、最終的に落ち着くのはミカエル一世(在位八一一―八一三年)の治世になってからだった。ミカエルは、アーヘンからの使節を受け入れ、彼らが帰還するのに特使を同行させた。この使節団は、アーヘンでカールに接見して和平証書を受け取り、同地の聖堂でギリシア語で讃歌を歌い、カールを「皇帝」imperator et basileus と呼んだ。彼らはコンスタンティノープルへの帰途、ローマで教皇レオ三世からもこの和平証書についての確認を得ている。

フランク王国とビザンツ帝国、そして聖画像破壊運動の影響

八世紀は、フランク国家の統治と運営において王と貴族の関係が変化した時代だった。ゲルマン古来の考え方によれば、貴族は王の従属者というより王の協力者だった。有力者は、王にあまり奉仕せず、自らの利益(領土拡大等)を

追求することがほとんどで、王の側も彼らの忠誠を買おうとして土地をその所有権ごと与えることが多かった。征服によって得られた王領地、つまり旧ローマ帝国領の多くがこうして貴族層の手に渡っていた。

カロリング家は、メロヴィング朝の諸王のもとでこうして領地を拡大し、多くの家臣団をもって実力を蓄えた家門だった。やがてカロリング家は、王国の実権を握り「ピピンのクーデタ」を実行することとなる。ピピンがゲルマン古来の王と貴族の関係、つまり王国の社会政治的・政治的関係を変更させたとき、大きな役割を果たしたのがキリスト教会との関係構築だった。王権に超越的な神権的性格を与えることで、王そのものの存在を同輩者中の第一人者の地位から超越的な地位に引き上げることに成功した。ローマ教皇による塗油の儀式が、王のこの超越的地位を担保した。

八世紀後半のビザンツ帝国では、聖画像破壊運動(イコノクラスム)がなお収束していなかった(この点については中谷功治論文で詳述する)。イサウリア朝の初代皇帝レオン三世(在位七一七―七四一年)が七二六年に偶像崇拝禁止令を発布して以来、同朝の歴代皇帝はこの政策を維持してきた。この政策は、聖画像(イコン)を布教の要具としてきた西欧の教会にとっては大きな問題となっていく。ピピンの治世に入ってから、フランク王国はイタリアとの関係が深まる中で、イサウリア朝の歴代皇帝によるこの聖画像禁止令と対峙することになった。レオン三世の後を継いだコンスタンティノス五世(在位七四一―七七五年)は、父帝よりも厳格な聖画像破壊論者だったが、帝位をめぐり義兄弟と対立し同盟者を求めていたので、教皇ザカリアスの巧みな外交で両者は融和した。他方ザカリアスは、宮宰ピピンにフランク王位継承の正当性を与えてカロリング家と同盟関係を結んでいた。

フランク王ピピンとローマ教皇との同盟はランゴバルド族への牽制となったものの、やがてローマ教皇はランゴバルド族の侵略を受けるようになる。ザカリアスの後継教皇ステファヌス二世はフランキアに赴き、ピピンにパトリキウスの爵位を与え、ランゴバルド討伐の要請をした。コンスタンティノス五世は、事態がローマ教皇側のイニシアティヴであることを理解していたが、両者の連携に対し武力による介入はせず、フランク宮廷に三度にわたり使者を派遣して、ピピンを懐柔しようとした。しかし、ビザンツ側の思惑のようにはならなかった。

イタリアでのビザンツ帝国の立場は次第に悪化していった。教皇選出の結果は、長いことコンスタンティノープルの皇帝に通知し、その承認を受けることとなっていたが、その通知が行われたのはグレゴリウス三世(在位七三一―七四一年)が最後となる。ローマは、パウルス一世(在位七五七―七六七年)の教皇即位を、コンスタンティノープルの皇帝にではなくフランク王に知らせた。ハドリアヌス一世(在位七七二―七九五年)の在任期に入ると、さらに深刻な方針転換を示す事態が生じる。従来、教皇庁が発給する文書にはビザンツ皇帝の在位年を記載するのが通例だったが、慣例に沿った文書は七七二年をもって最後となった。その後九年間にわたり文書事例は確認されないが、七八一年発給の文書では、皇帝への言及はなかった。ハドリアヌス一世は、貨幣にも皇帝の名ではなく自分の名前を刻ませた。

コンスタンティノス六世が幼少にしてビザンツ皇帝となり(在位七八〇―七九七年)、母后エイレネが摂政を務める時代になると、エイレネが聖画像崇敬論者だったこともあり、七八一年にアーヘンの宮廷に使者が送られ、カールの娘ロトルードとコンスタンティノス六世の結婚も計画された。

融和の方向にあった両宮廷であったが、七八七年に関係は悪化する。カールの軍勢が南イタリアに進みベネヴェント公を服属させたことで、ビザンツ側が硬化したのである。南イタリアへの宗主権を主張するビザンツ側にとって、フランク王による同地の実効的支配は自らの伝統的支配権を侵害することだった。事態をうけて、コンスタンティノス六世とロトルードの婚約は直ちに破棄された。

フランク勢力との関係が硬化しているなか、七九七年、ビザンツ宮廷内でクーデタが起こった(八月一九日)。摂政エイレネが、息子コンスタンティノス六世を廃位し自ら帝位に登ったのだった(在位七九七年八月一九日―八〇二年一〇月三一日)。

以後、ビザンツ帝国とフランク王国との緊張関係もゆるんでいく。エイレネはすでに七八七年に第二ニカイア公会議を召集してイコン崇敬復活を宣言していた。ただ、この会議はキリスト教世界の各地(全世界)から主教(司教)を召集する全地公会議として開催されたものの、フランクの司教が招聘されなかったから、フランク教会はその決議に異論を唱えていた。カールの名のもとに七九一―七九二年に作成された『カールの書 *Libri Carolini*』は、明らかにビザンツへの対抗措置であった。ここには、フランク王とその周辺の意識が明瞭に示されていた。

フランク宮廷で高まった帝国意識

『カールの書』は、国王勅令のかたちを採って「この上なく高名にして秀逸、尊敬すべき、神の恩寵によりてフランク人の王」カールの立場を伝えていた。

フランク王は「ガリア、ゲルマニア、イタリアおよび隣接する地域を統べる者」であった。この称号に含まれる地理的表現がローマ帝国西半部の多くを覆っていることにより、カールが「世界」を統治する皇帝たるにふさわしい存在との自意識が表明されていた。同書には、カールの宮廷で共有されていた「帝国」理念が表明されている。『旧約聖書』(「ダニエル書」七章など)に典拠をもつ「四世界帝国継起論」(四世紀のエウセビオスの解釈によれば、アッシリア、メディア・ペルシア、ギリシア、ローマで、最後の帝国ローマが滅んだとき「世界」もまた滅ぶとする説(三佐川亮宏論文で詳しく言及される))にもとづき、ローマ以前の帝国が、無信仰、偶像崇拝、残忍さによって滅んだとする。そして、ビザンツ帝国が皇帝礼拝という偶像崇拝を行っているとする。第二ニカイア公会議がギリシア諸教会の地方会議であったのに全地(全世界)を標榜することに疑義を呈し、ビザンツを《ギリシア人の帝国》と呼び、その普遍性を認めないのである。他方、カールは「新ダビデ」として人びとを霊的生活に導く役割を神から与えられたとされる。

ゲルマン語には「帝国」という語は存在しなかった。richiという語が「王国」と「帝国」の概念を併せもつものとして使われた。他方「皇帝」casereは、ギリシア語、ラテン語からの移入語であった。帝国、皇帝という語は、キリスト教的な世界観におけるローマ帝国理念と不可分に結びついていた。これは、四－六世紀のビザンツ帝国で鍛え上げられた観念であったが、フランクの宮廷人にも概ね「キリスト教的文明共同体」の意味で受けとめられている。キリスト教徒の帝国という観念は、『カールの書』のなかでその地理的枠組みとともに語られている。ビザンツ帝国はキリスト教会の防衛において十分に働いていない。これに対し、カールの支配する地域は、本来のキリスト教ローマ帝国の伝統に近い。他方、カールの呼称にも、八〇〇年の戴冠前後で変化が認められ、八〇一年五月に書かれた文書では「神により戴冠されたる皇帝」「ローマ帝国の統治者」「神の慈悲によりてフランク人とランゴバルド人の王」と記されていた。

フランク王国で、ビザンツ帝国との緊張関係に伴い文化意識が高揚したことは、王都アーヘンでの宮殿とビザンツ様式を模倣した礼拝堂の建設にも見いだせる。長らく移動宮廷に暮らしてきたフランク王にとって、アーヘンは不動の居所として構想された。

九世紀のフランク王国

大帝Magnusと称されたカールは、八一四年一月二八日、アーヘンの宮廷で死去した（享年七一歳）。カールの時代は、西ローマ帝国の故地と支配領域がほぼ重なった点でも、世界統治理念が醸成された点でも、カロリング朝フランク王国にとってばかりでなく、ヨーロッパ世界の形成を考える上で大変重要な画期になったといってよい。

彼の後継者たちの時代にあっても、フランク王国には「世界」の秩序を護持する使命を帯びたローマ帝国として自任する努力が見られた。しかし、フランク社会の均分相続慣習によって、この社会は常に分裂の契機をはらんでおり、八七一年には最終的に東と西の両王国に分裂してしまう。分裂傾向のうちに展開した九世紀の状況も瞥見しておこう。

カールの後継者には、末子でアキテーヌ王ルートヴィヒ(ルイ)が指名された(在位八一四―八四〇年)。敬虔帝と称される彼は信仰心が篤く、当初修道士になろうとしたほどだったが、兄二人があいついで死去したことで父帝カールから帝国全体の後継者とされた。フランクの相続慣習では、領土を均等に分割することになっていた。しかしカールは『王国分割令』(八〇六年)で帝国の一体性を保持すべく配慮しており、均分相続と帝国の一体性に折り合いをつける努力はルートヴィヒにおいてもなされている。

八一七年、ルートヴィヒは『帝国整備令』を発布して帝国の行く末を規定する。ここでは、長子ロータルが皇帝位および帝国を承継する唯一の者とされた。アキテーヌ王の次男ピピンはその地位にとどまり、もう一人の息子ルートヴィヒはバイエルン王となり、すべての兄弟はそれぞれの領土を与えられながらロータルの高権に服すものとされた。ところが八二三年になって、敬虔帝に末子カール(シャルル)が誕生する。カールを溺愛したルートヴィヒ敬虔帝は、八二九年に末子カールへの領土分割を決める。これに兄弟たちが反発し、八三三年にルートヴィヒ敬虔帝は一度廃位されてしまう。復位した後もカールへの相続に執着し、八三八年にピピンが死去したこともあり、領土争いはさらに激しくなった。

ルートヴィヒ敬虔帝が八四〇年に死去すると、領土をめぐる兄弟の対立は激しくなり、八四一年、フォントノワの戦いでロータル、ルートヴィヒ、カールが会戦するまでになった。王国全土を領有せんとするロータルに対し、ルートヴィヒとカールが同盟を結び、ロータル軍を撃破したのである。翌八四二年、ストラスブールの誓約で二人は同盟関係を再確認して、ロータルに国土の分割を迫った。その結果、八四三年八月一〇日、ルートヴィヒとカールはヴェルダンにおいて、王国を三分する案をロータルに承諾させた。

ロータルは、中部フランクとイタリア北部、また皇帝位を得た。皇帝ロータル一世を名乗ったものの、王国／帝国全体の宗主権は失った。ルートヴィヒは東フランク王国を支配し、ルートヴィヒ二世(ドイツ人王)を名乗り、カールは西フランク王国を獲得してシャルル二世(禿頭王、カール二世)となった。中部フランクは、ロタリンギアと呼ばれるようになる地帯、またアルザス、ロンバルディア、ブルグントから構成されたが、ロータルの死後、この地を巡って領土問題が再燃する。メールセン条約(八七〇年)でロタリンギアが東西両国に分割され、またイタリア王国の宗主権を東フランク王が得た。

イスラーム勢力の地中海進出と「ヨーロッパ世界の誕生」

われわれが想定するヨーロッパとは、一義的にはアルプス以北の西北ヨーロッパである。しかしこの「展望」においても見てきたように、「ヨーロッパ」は古代ローマ帝国の支配領域の規模で考えるべき歴史像であった。つまり、キリスト教世界とほぼ同じ広がりをもつヨーロッパ理解に立つとき、コンスタンティノープルを中心として展開したビザンツ帝国もヨーロッパ世界の一員であり、むしろ汎ヨーロッパ世界にとっての政治経済的中心は、四世紀以降、東方にあったといってよい。われわれが認識する狭義のヨーロッパ(西北ヨーロッパ)は地中海規模大の汎ヨーロッパ世界の一部にほかならず、独自の世界として自律的歩みを始めるのは、九世紀半ばからだった。

ベルギーの歴史家アンリ・ピレンヌは、その名著『ヨーロッパ世界の誕生――マホメットとシャルルマーニュ』(原著は一九三七年刊)でこの歴史認識を明快に示していた。ムハンマド(マホメット)の出現によってビザンツ皇帝が東地中海での対イスラーム戦線に注力した結果、イタリア半島情勢に国力を割くことができず、ランゴバルド族のイタリア侵入、ローマ略奪等を防ぐことができなかった。その結果、ローマ教皇座は、自らのパトロンをビザンツ皇帝からフランク王に変えた、と説明される。

ピレンヌは、西北ヨーロッパは経済社会としても九世紀半ばに独自の自律的な世界を営むようになったと説いた。九世紀前半までは、西北ヨーロッパも地中海世界の広域経済ネットワークの一環として包摂されていたが、この時期に同地域が地中海世界から切り離されて、独自の自律的な経済社会を形成していったという。

例えば、シリア山岳地帯に広がるオリーブ・プランテーションは地中海交易によって広く販路を得て、活況を呈していた。当時、キリスト教会の灯明はオリーブ油からとっていた。ところが、アルプス以北の聖堂管理者が残した記録によれば、まさに九世紀半ばからオリーブ油を調達できず、ロシアにつながる北の交易路に活路を見いだし、蜜蠟を灯明の燃料とするようになっていった。これには、アラブ・イスラーム勢力のシチリア進出が関係していた[図2]。八三一年パレルモ占領以降、彼らは南イタリア各地を攻撃し、古来ビザンツ領だった諸都市を占領していった。

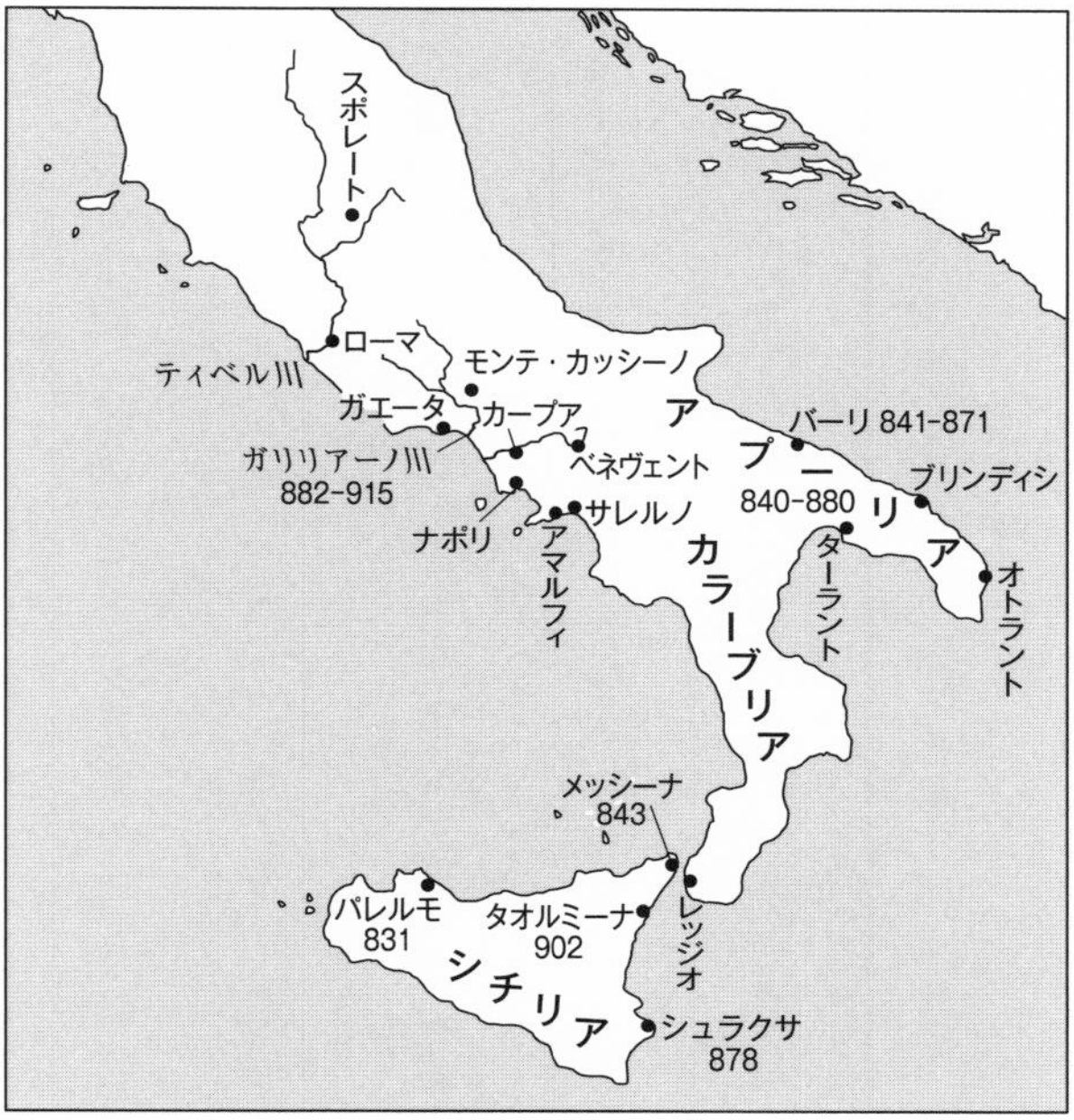

ピレンヌの説く「ヨーロッパ世界の誕生」とは、アルプス以北の人びとが、環地中海の交易世界から離れて、独自の生活圏を営み始めたことを指し示していた。アラブ・イスラーム国家の勃興は、ビザンツ世界と、ガリア地域との交易路の衰退をも招来した。これによって、ガリア中北部の経済生活は九世紀に地中海交易から遮断され、以後、地域内で自給自足的な封建制的農業社会に転成していったというわけである。

図2 9世紀末-10世紀初頭の南イタリア，シチリア
(記入年代はアラブによる占領期間を示す)

四、ザクセン朝のフランク王国

西フランク王シャルル二世が皇帝位を帯びた例外はあったが、皇帝の称号を承継したのは東フランク王だった。ところが、東フランク王国におけるカロリンガーの血統は、九一一年に途絶えることになる。一〇世紀は、諸侯のなかから新たな家門がフランク王位また皇帝位を担う時代を迎え、ザクセン公から出たオットー朝期へと展開していく。

ハインリヒ一世の国王即位

リウドルフィング家は、東フランク王ルートヴィヒ二世により王国東部辺境の防衛を委託され、八四四年ザクセン公とされたリウドルフを始祖とする。同家は、対ノルマン、対スラヴの防衛で功績をつみ、やがてザクセン地方最大の勢力を持つ貴族となっていった。王家との姻戚関係をも背景に次第に領土を拡大し、九世紀末には王国内で半ば独立した存在となっていた。

九一一年、ルートヴィヒ四世(在位八九九―九一一年)の死去により東フランク王国カロリング朝の王統が途絶えた時、同国の有力者たちはルートヴィヒ四世の甥だったコンラディン家のフランケン公コンラートを新王に選出した。ザクセン人であるリウドルフィング家のオットー貴顕公もこの新王の即位に賛成したものの、テューリンゲン地方の領有をめぐってフランケン人と衝突していたこともあり、王に服従することは拒んだ。

オットーの嗣子ハインリヒは、コンラート王と距離をとりつつ、独自に対スラヴ人防衛活動を展開して支配領域を拡大していった。この時期、東フランク王国では、ほかの大公領も独自の動きを示して各分国に解体しかねない状況が見られた。ロートリンゲン公領は、カロリング朝断絶(九一一年)に際して、西フランク王シャルル三世(在位八九三

—九二二年)に帰順したし、シュヴァーベンでも最有力貴族ブルカルトがほぼ独立的な頭領的地位を築いていた。このような政治状況下、コンラート一世が対バイエルン戦でうけた傷がもとで死去した(九一八年一二月二三日)。彼には後嗣がなく、死の床にあってオットーの後継者ハインリヒを王とするよう遺言する。王国内の最大勢力となっていたザクセン公に王位を継承させ、王国の分裂を避けるためだった。こうして九一九年五月、ハインリヒは諸侯により国王に選出された(在位九一九—九三六年)。フランケン人以外の出自をもつザクセン朝が開かれたことは、フランク王国の国制にとって大きな転機となった。

前述のようにロートリンゲン公領は、シャルル三世に帰順していた。この重要分国に対しハインリヒは、九二三年と九二五年に同地に進軍、公領を再び東フランク王のもとに取り戻した。王国を構成する各部族がそれぞれの政治単位として独自の動きを示しつつ、これ以後、東フランク王国には、フランケン、ザクセン、シュヴァーベン、バイエルン、ロートリンゲンの五大公領が帰属することとなった。フランケン人以外の王であったハインリヒは、自らを「同輩中の首位者」primus inter pares と称した。

この時期、東の境域にいたマジャール(ハンガリー)人が、騎馬により王国内をしばしば襲撃していた。彼らの目的はあくまで略奪だったが、これにより辺境領(オストマルク)は壊滅した。ハインリヒは当初侵入者たちに有効な手段をとれなかったが、やがて九年間の休戦協定の間に堅固な砦を建設し、騎兵を強化し、ザクセン領を東方に延ばしてエルベ川沿いのマイセンに城を築いた。そして九三三年、全部族の連合軍を率いて遠征を行い、リアデの戦いでマジャール軍に大勝した。この戦勝は、ハインリヒの王としての権威を高め、部族間の同胞意識を高めることとなった。ここに「ドイツ民族」としての意識が醸成され、共有されることとなった(三佐川論文を参照)。

オットー一世の時代

ハインリヒ一世は、九三六年七月二日に、メムレーベン Memleben の宮廷で死去した。ハインリヒの後継者はその指名により次男のオットーとされ、アーヘンの宮廷聖堂で国王選挙と即位の儀式が行われた。その模様を伝えるコルヴァイのヴィドゥキントによれば、オットーは聖職者より塗油を受け、神権的支配者としての権威を内外に示したという。父ハインリヒとはちがい、単に有力者間の第一人者としてではなく、神意にもとづく神的権力の執行者として振る舞おうとした。アーヘンの王宮でカール大帝の玉座に昇ることで、オットーの王国こそカールのフランク王国の正統なる後継者であるとともに、王国がもはや分割可能な王家の支配する所有物ではなく、単一の王権のもとに統一されたかたちで存在すべき不可分の客観的形象であることを示したのである。

ところが、フランケン、ロートリンゲン、バイエルンの大公らは、オットーの異母兄タンクマールや、弟ハインリヒを旗頭に立てて反乱した。この内乱は九三九年までに平定され、弟ハインリヒは恭順した。しかし、王国内にはなお不穏な要素が残った。父ハインリヒ一世は諸侯のあいだにあって大公たちを同輩と呼んだが、オットーは諸侯の上位に君臨する王として振る舞おうとしたことへの反発だったといわれる。

当初王国内を親族で支配しようとしたオットーだったが、一連の親族間の紛争を収束させると、やがて教会を拠点とした統治を行うようになった。オットーは、九六二年に「皇帝」となったが、この帝国にあっては、皇帝の官房長官はケルン大司教、皇太子であるイタリア王の官房長官はマインツ大司教が務めた。そして、それぞれの大司教に皇帝の親しい親族が就いたのだった。

他方、オットーは東方でのマジャール人との戦いで、支配権を強めることとなる。九五五年、国内に侵入したマジャール人が撤退せず、レヒ河畔のアウクスブルクを攻撃するに及んだ。オットーは軍勢を率いてこの事態に対応した。戦局は当初不利に展開したが、女婿コンラート赤毛公が救援に駆けつけて、事態が好転する。このレッヒフェルトの

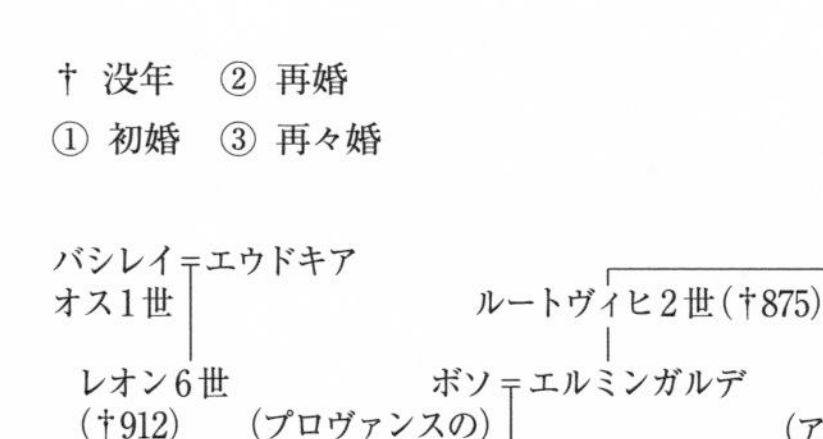

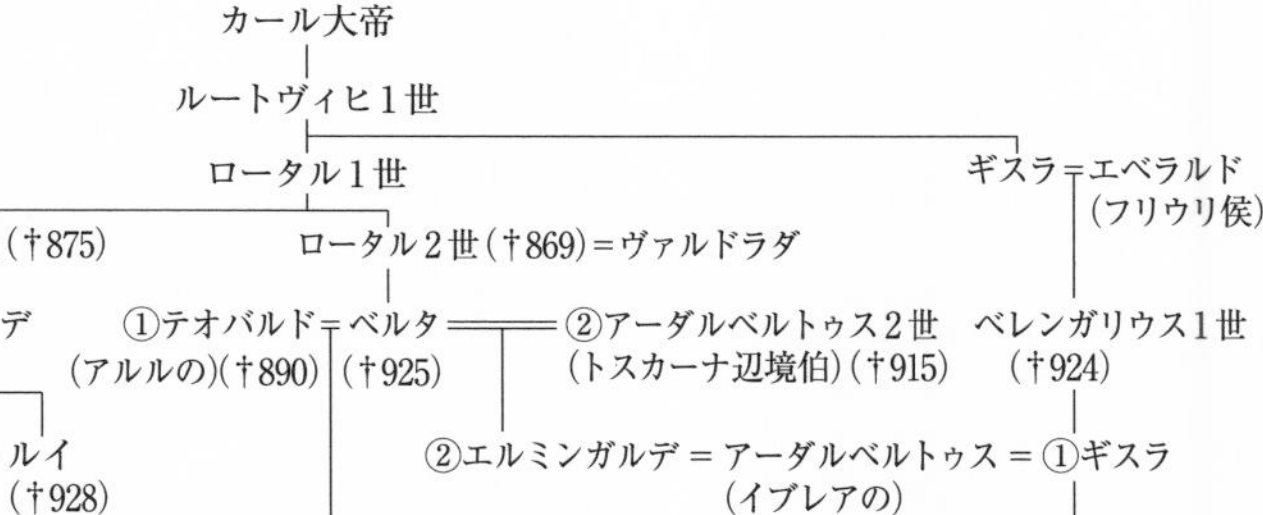

図3 9-10世紀イタリアをめぐる関係系図(Constantine Porphyrogenitus, *De Administrando Imperio, Vol. II: Commentary*, R. J. H. Jenkins (ed.), London, 1962. p. 84を補訂)

戦いにおける勝利でオットーは「キリスト教国を救った聖戦士」として称えられることとなる。それは、国内での王の威信を高めるとともに、結果として帝冠への大いなる一歩となった。

オットーの皇帝即位とイタリア事情

フランク王オットーは、九六二年二月二日に教皇ヨハネス一二世(在位九五五―九六二年)によって都市ローマで皇帝とされた。この戴冠に至るまでには、イタリア事情、そしてローマ皇帝の称号をめぐるビザンツ帝国との交渉を含む複雑な政治過程があった。

九世紀末から一〇世紀前半にかけて、イタリアでは王位をめぐる争いがあった。当時、イタリア王はフランク系の二つの家門から出ていた[**図3**]。九世紀末の段階では最終的に、フリウリ侯ベレンガリウス一世(九二四年没)が北東部の本拠地から出て、八九八年末までにイタリア王の地位を確保していた。他方、皇帝ルートヴィヒ二世(八七五年没)の孫であるプロヴァンスのルイ(ルイ三世、盲目王:九二八年没)がライバルとなったが敗北する。その後、ルイの従弟アルルのフゴが、教皇や貴族たちの協力によって王位に就く。フゴは九二六年から二一年間その地位を保持したが、九四七年、ベレンガリウス一世の孫であったベレンガリウス二世によって廃位される。ベレンガリウス二世は、自身を実質的な支配者としながら、フゴの息子ロータル(ロタリウス二世)を王位に就けた。ところが、ロータル二世が九五〇年に死去してしまった。こうしてベレンガリウス二世は、九五〇年一二月、息子アーダルベルトゥスとともに共同王として登位した。

オットーは、ロータル二世の寡婦アーデルハイダの懇請によりイタリアに遠征した。そして、ベレンガリウス二世とアーデルベルトゥスを打倒し、九五一年九月にパヴィーアで臣従礼を受けるとともに、アーデルハイダと結婚した。

他方、この時期の教皇たちは、都市ローマの貴族とローマ教会の高位役職者とからなる緊密で小さなサークルから選出され、また頻繁に入れ替わっていた。八八二年のマリヌス一世から九一四年のヨハネス一〇世までの三二年間に一五名、ヨハネス一〇世の死んだ九二八年からマリヌス二世の死んだ九四六年までの一八年間に六名の教皇を数えた。九二〇年代以降、ローマ市と教皇庁は、次第にテオフュラクトゥス家の支配のもとに置かれるようになっていた。同家の娘マロツィアは、父テオフュラクトゥスの指示で数度の結婚をする。相手は、スポレート公アルベリクス、トスカーナ辺境伯グイスカルドゥス、そして最後にイタリア王であるアルルのフゴであった。マロツィアとスポレート公との息子アルベリクス二世は、ローマ市をほぼ思いのままに支配していた。

九五四年にアルベリクス二世が死去すると、彼の息子オクタヴィアヌスが教皇ヨハネス一二世(在位九五五―九六四年)となった。ところが彼は、北からローマに進出したベレンガリウス二世と組んだ内部の敵に取り巻かれ、オットーに援助を求める始末であった。オットーはこれに応じて九六二年二月にローマに南から入城し、同二日、この教皇より皇帝として戴冠されたのだった。

オットーはその後イタリアに滞在してその経営に腐心した。イタリア南部には、ランゴバルド、スポレート、サレルノ等ランゴバルド系の諸公侯国があった。伝統的にこれらの諸公侯はビザンツ皇帝の支配下にあった。しかし、オットーはこの地域に進軍し、九六八年三月には南イタリアにおけるビザンツ側の守備隊が駐屯する都市バーリを攻囲する。このとき膠着した戦局の打開を図るために、クレモナ司教リウトプランドの使節が帝都コンスタンティノープルに派遣され、ビザンツ皇女の降嫁を打診した。このときの交渉は不首尾に終わったが、九七二年、ヨハネス一世ツィミスケス(在位九六九―九七六年)の姪テオファノがオットー二世(在位九六七―九八三年)の后としてアーヘンに降嫁した。両者の息子オットー三世(在位九八三―一〇〇二年)は、古代ローマ帝国の復興を夢見て長らくイタリアに滞在して活動したが、マラリアに罹り二一歳で亡くなった(三佐川論文、一九一―一九二頁)。

他方、オットー一世の意欲は、ザクセン東北部にも広がっていた。かねてよりの悲願であったマクデブルク大司教座の設立を準備し、九六八年にこれを実現させている。

ビザンツ帝国との関係

オットーが、カール大帝と同様「ローマ皇帝」の称号を帯びたことは、長いことビザンツ人の不満となっていた。「ローマ皇帝」の称号は、古代ローマ帝国の唯一の正統なる後継者たるビザンツ皇帝(バシレウス)のものだったからである。一〇世紀初頭から半ばに至るまで、イタリア周辺の諸王がこの称号を帯びることはなくなっていた。アルルのフゴもフリウリ侯ベレンガリウス二世も皇帝を僭称することはなかった。ところがオットーは、軍事的脅威となるほどの実力をもち、実際に皇帝称号を帯びることとなった。

オットー一世の名代としてコンスタンティノープルに赴いたリウトプランドが、ビザンツ宮廷で受けた冷遇には、この皇帝称号問題へのビザンツ宮廷人の態度が反映されていた(『コンスタンティノープル使節記』)。ビザンツ皇帝はまた、都市ローマとイタリアの諸公侯に対して宗主権を持つと考えていた。しかし、ザカリアス以降、ローマ教皇も東方の影響から離れていった。これらは、ローマ＝ビザンツ間の結び付きが脆弱になったことの反映であった。「ローマ皇帝」としてローマに迎え入れられた皇帝は、六六四年のコンスタンス二世(在位六四一―六六八年)が最後となっていたのである。

五、一〇世紀のビザンツ帝国と地中海世界

マケドニア朝のビザンツ帝国

ビザンツ帝国の歴代皇帝は、自らを一貫して「ローマ人の皇帝」と称した。国家も、観念としては「ローマ帝国」以外のなにものでもなかった。ビザンツ帝国なる国家は、キリスト教の要素と結びついた以外は、古来のローマ理念を継承していた。

九―一〇世紀のビザンツ帝国は、対アラブ戦を継続しながらも相対的な安定期を迎えていた。国内ではマケドニア朝(八六七―一〇五七年)の諸皇帝が統治したが、その呼称は、創始者バシレイオス一世(在位八六七―八八六年)がバルカン半島南部マケドニア地方の出身であったことに由来する。

ビザンツ社会におけるローマ皇帝位は、いわば実力主義で担われていた。帝都コンスタンティノープルで元老院と軍団の支持を得る。宮殿に隣接した馬車競技場で市民の歓呼を受ける。一連の手続きを経て即位する皇帝は、実態としては専制君主的に振る舞いながら、ローマ民主制の遺制のなかにあった。しかし、多くの皇帝がクーデタで失脚したことから知られるように(八六名のうち四三名がクーデタで失脚)、流動性の高い社会でもあった。バシレイオス一世や六世紀のユスティニアヌス一世のように、農民出身でありながら帝都に上り、立身出世して皇帝になる事例も散見される社会だったのである。血統による帝位継承はむしろまれで、運と才覚に恵まれた者が皇帝になりうる社会だった。

ビザンツ社会では、有力者が取り巻きを引き立てることが多かった。武勇に秀でたバシレイオスも幾人かの有力者

のもとを渡り歩き、最終的に皇帝ミカエル三世(在位八四二―八六七年)の側近となり帝国の高位官職にも就いていた。高位官職に昇った頃には、彼自身も一団を抱えるパトロンとなっていた。自らの取り巻きが関与してクーデタを起こし、九六三年に主人ミカエルを暗殺し、帝位を奪っている。バシレイオスは生粋の軍人だったが、文人たちの保護にも意を払い、マケドニア朝ルネサンスと呼ばれる時代をひらいた。

バシレイオス一世の息子レオン六世(在位八八六―九一二年)は、多くの典礼詩や世俗詩、演説などを残して「哲人」Philosophosと綽名(あだな)された。『ローマ法大全』のギリシア語改訂版『バシリカ法典』や、コンスタンティノープルの商工業者組合に関する法令集『総督の書』などの編纂を命じたことは、時代を彩る偉業となった。他方、対外関係ではいくつかの失敗をした。九〇二年にシチリア島での最後の拠点タオルミーナを失い、八九六年にはブルガリアに敗北、毎年貢納金を支払う条件で和平を結ぶことになった。

レオン六世没時(九一二年)、息子のコンスタンティノス七世はまだ六歳だった。生母ゾエが摂政となったが、九一七年ブルガリアとの戦いに敗れ、摂政ゾエの権威が失墜する。この機に海軍司令長官ロマノス・レカペノスがクーデタを起こし(九一九年三月)、ゾエは追放された。ロマノスはアルメニア人農民の子として生まれ、その点でバシレイオス一世と同様の出自だった。クーデタ後、娘エイレネをコンスタンティノスに嫁がせてその義父となり、九一九年には共同皇帝となり帝国の実権を掌握した(在位九二〇―九四四年)。そして九二〇年一二月、自ら正皇帝として即位し、コンスタンティノス七世を共同皇帝に格下げした。以後二四年間、コンスタンティノスは帝国経営の実務から遠ざけられた。即位後のロマノスは、巧みな婚姻策によって貴族との結びつきを強化し、レカペノス家による帝位の世襲化を図ったものの、親子間の争いから帝位世襲化の試みは挫折した。こうして九四五年、コンスタンティノスが正皇帝として復位した。

マケドニア朝ルネサンス

コンスタンティノス七世は以後、五四歳で没するまでの一四年間、帝国の実権を握った。ただ、ロマノス一世に宮廷の実権を握られ、青年期より有職故実に親しむばかりで実務経験がなかったから、実際の統治には向かなかったようだ。この単独統治の時代も、実質的差配はロマノス一世の娘で皇后となっていたエイレネのほか数名の高官に握られ、彼が関心をもって取り組んだのは、外交、とくに外交使節を迎えての儀式だった。

コンスタンティノス七世は、自らも書物を執筆した文人皇帝だった。代表作『帝国の統治について』『儀礼について』には「皇帝」なる存在に関する彼の理解が示されている(大月 二〇二〇：一四〇―一六九頁)。皇帝は、諸民族を束ねる政治的支配者、「蛮族」たちをキリスト教徒へと導く神の代理人とされた。そこには諸民族の歴史と現状も記された。コンスタンティノープルには実際、周辺地域から帝都に多くの外交使節が到来し、華麗な外交交渉が繰り広げられた。キエフ大公ウラジーミル一世(在位九七八―一〇一五年)の祖母オリガが滞在し、キリスト教徒に改宗したのもこの時期だった。

東地中海圏でのビザンツの攻勢

マケドニア朝の正統なる血筋は、コンスタンティノス七世の息子ロマノス二世(在位九五九―九六三年)をもって中断する。ロマノスの夭逝後、若き后テオファノは、幼子三人(後のバシレイオス二世(在位九七二―一〇二五年)、コンスタンティノス八世(在位一〇二五―二八年)、キエフ大公ウラジーミルに嫁ぐアンナ)を連れて、練達の軍司令官ニケフォロス・フォーカスと再婚した。ニケフォロスは、一世紀にわたってアラブ勢力下にあったクレタ島を九六一年に奪取した英雄で、九六三年八月に帝都に入城した(在位九六三―九六九年)。

ニケフォロス麾下のビザンツ軍は、その後もアラブ勢力に攻勢をかけ、九六九年一〇月、三〇〇年にわたってアラブ支配下にあったヘレニズムの古都アンティオキアを奪還した。アンティオキアの再征服は、キプロス島の奪還とともに、ニケフォロスの軍事的偉業であった。ニケフォロスと彼を殺害して帝位を奪ったヨハネス一世ツィミスケス(在位九六九―九七六年)、またバシレイオス二世(在位九七六―一〇二五年)の治世は、ビザンツ中期が到達した軍事的にもっとも輝いた時代となった。

当時、シリア地方にはハムダーン朝があった。モースルから興ってアレッポを拠点としてアナトリアにまで支配を及ぼし、キリキア地方にかけてビザンツ勢力と覇を競っていた。フォーカス一族が東方の軍事指揮権を掌握したのと同じ頃、サイフッダウラ Sayf al-Dawla(「王朝の剣」の意、在位九四五―九六七年)として知られる有名な大公アリー・イブン・ハムダーン ʻAlī ibn ʻAbd Allāh ibn Ḥamdān のもとで、アレッポに創始された政治権力体であった。サイフッダウラは、九四七年から九六七年に没するまで、ビザンツにとっての東方における最大の敵だった。九五四年のハダット戦のように幾度となく勝利を収めていた。しかし、ニケフォロス・フォーカスがビザンツ軍司令官になると、形勢が変わることとなる。九六二―九六五年、ビザンツ側はキリキアの重要拠点アダナやタルソスを相次いで陥落させ、北シリアの支配権を次々と奪っていった。サイフッダウラが没すると、ビザンツはさらに東方戦線に注力し、九六九年にアンティオキアを奪取すると、アレッポの後継太守もビザンツに臣従することとなった。

六、古代末期の西アジア、北アフリカ

古代末期と初期イスラーム帝国

古代末期という概念は、第一節で大月康弘の示すようにヨーロッパ史研究の文脈で顕在化した時代区分である。ロ

ーマ帝国史の再検討のなかで「三世紀の危機論」とも連動して提出されたこの議論は、ローマ帝国の継承国家としての性格を持つ初期イスラーム帝国のあり方とも関わっている。特に、二〇〇年頃から八〇〇年頃とされる「古代末期」は、そのままイスラームの成立期とウマイヤ朝・アッバース朝初期までを含みこんだ時期であり、エジプト・シリアにおけるイスラーム社会は、佐藤彰一が「問題群」で西ヨーロッパ世界に関して論じるポスト・ローマ時代的状況を共有していた可能性が高い。このようななかで一九八〇年代以降、西アジア・初期イスラーム史研究においても、この時代を古代末期と規定し、前イスラーム社会とイスラーム社会の継続と断絶を論じる傾向が強まった。

一方で、従来から、イスラーム史研究においては、一般に時代区分論から距離をとる姿勢も強く見られる。すなわち「古代」「中世」「近世」といった時代区分については、漠然とそれらの呼称を用いつつも、それぞれの時代の定義に関する議論は、意図的になされていない。それは西アジア史・イスラーム史をヨーロッパ史の文脈で理解することを避け、独自の観点から研究しようとする態度の現れであった。これが意図的なものであるのは、例えばJ・バーキーがその通史的概説書において、中世という言葉を避け、中期 the Middle period という言葉を採用していることなどに端的に現れている(バーキー 二〇一三：二三一、三五一頁)。また蔀勇造は一般向けの概説書において「アラビア半島の古代末期」を論じているが、この古代末期はローマ帝国史と微妙に接続しない独自の概念として採用されている(蔀 二〇一八：一四一、一四二頁)。

この意味において、初期イスラーム史を古代末期の文脈で語ることには、ヨーロッパ史研究とイスラーム史研究の微妙な緊張関係が反映することとなろう。イスラーム成立期から初期イスラーム帝国期の社会をポスト・ローマ社会として検討する課題は、イスラーム研究者のローマ帝国史に対する理解が十分でないこと、双方の研究者の研究領域の断絶などもあり、まだ端緒についたばかりであるといえる。

同時に、この観点はローマ史・ヨーロッパ史の問題を離れて、西アジア史としてのオリエント史とイスラーム史の接続の問題とも関連する。古代ペルシア帝国の継承者、ヘレニズム世界の継承者としてのイスラーム帝国の性格を、ローマ帝国論としての古代末期論といかに整合させていくか、という問題もまた、今後の大きな課題となるであろう。

「前イスラーム時代」としての六世紀

「転換期としての七世紀」から九世紀にかけてはイスラームが成立しイスラーム帝国が形成された時代であり、この時代をイスラーム研究者は「初期イスラーム時代」と呼称する。この時代概念はヨーロッパ史における古代・中世とは独立して、イスラーム時代のスタートから現代に至る歴史を構想することから発生するものであり、厳密な時代区分や時代分析とは無関係に使われる、いわば叙述のための道具に過ぎない。

一方で、この概念はいやおうなく「前イスラーム時代」という概念を生むわけであるが、これはイスラームという宗教に内在的な「ジャーヒリーヤ」という時間概念と親和性が高い。日本では仏教用語を転用しつつ「無明時代」などとも翻訳するが、本来は「無知である人」「無知である状態」を意味する言葉から派生した単語である。イスラーム以前の時代・社会が「無知蒙昧な時代・社会」であることを示すこの概念は、「イスラームの登場によって真の歴史が始まる」という世界観を反映したものであるが、「初期イスラーム時代」「前イスラーム時代」という歴史学的な概念と結びついたときには、歴史学研究の在り方に無自覚的な影響を及ぼすため、注意を払う必要がある。

さらに問題を複雑にするのは、宗教としてのイスラームの歴史が、ジャーヒリーヤとは別の「イスラーム前史」をもつことである。すなわち「天地創造」以来の、セム的一神教の歴史観と、そのうちに組み込まれたペルシア帝国・ヘレニズム帝国を対象とする歴史観である。アッラーによる天地創造とアダムの創造から始まる「人類」の歴史は、ノア、アブラハム、モーセ、ダビデ、ソロモン、イエスという、イスラエルとアラブの歴史として語られる。これはアッラーによって啓示を受けたアブラハムの共同体の歴史であって、決してアラビア半島の「無知(ジャーヒル)」な世界の歴史ではない。そしてノアの子孫であるセム、ハム、ヤペテを祖とする人類の歴史は、ギリシアからアレクサンドロスの帝国と伝承、さらにはペルシア諸帝国・諸皇帝の歴史と伝承として語られる。それらは「イスラーム以前」の歴史でありつつ、イスラームを生み出すための歴史であって、必ずしも「ジャーヒル」なものではない位置づけとなる。このようなイスラームの歴史観と、研究者による時代区分的な時代概念の重層的な交錯には、常に意識的である必要があろう。

さて、それらに自覚的でありつつ、イスラーム成立直前の時代を概観すれば、第三巻でも扱われているように、西アジアの特にエジプト、シリア、メソポタミア地域はビザンツ帝国とサーサーン朝ペルシア帝国という二大パワーの係争の地となっており、両者の緊張関係の中で、従来ガッサーン朝、ラフム朝として知られていたジャフナ朝、ナスル朝などのアラブの緩衝勢力群も成立した。一方、アラビア半島もまた両帝国の係争と無縁ではなく、サーサーン朝が東部から半島南部ハドラマウトに勢力を伸張させるのに対して、ビザンツ帝国と連携したエチオピアのキリスト教国家アクスムがその軍事力を紅海沿岸から同じくアラビア半島南部に進め、総督アブラハの下でその地に植民的な勢力を配置した。

このような国際環境下にあって、大きく注目されるのが、この時代の宗教環境である。そもそもP・ブラウンの古代末期論自体が末期ローマ帝国における宗教の変容を大きなテーマとしており、キリスト教の下での社会の変容とその創造力を大きく評価するものであった。カルケドン公会議の結果を受け容れたカルケドン派か、受け容れなかった非カルケドン派かを問わず、ローマ帝国やペルシア帝国の支配する各地でキリスト教の諸共同体が時代の変化に伴う運動を行っていたが、それは主にペルシア帝国支配下のメソポタミア地域に展開していたユダヤ教も同様であり、その影響はサーサーン朝勢力の伸張にも伴ってアラビア半島南部にも広がっていた。またイラン高原においてはゾロアスター教が、ユダヤ教徒・キリスト教徒と神学面においても実践面においても相互に影響を及ぼし合っており、ゾロアスター教の二元論的要素はユダヤ教・キリスト教に決定的に影響を与えつつ、ヘレニズム環境下においてグノーシス神学を生み出し、またゾロアスター教から生まれたマニ教は、西進して地中海沿岸・北アフリカまで浸透した。

J・バーキーは、このようなかで、宗教がアイデンティティを規定する社会が生まれ、西アジアから地中海沿岸にかけて、帰属する国家権力や言語集団、地縁・血縁集団、「民族」に由来するものとは異なった「宗教共同体」意識が社会の根幹と関わるものとして広がりつつあったことを指摘している(バーキー 二〇一三)。

イスラームの形成されたアラビア半島もまた、そのような「古代末期的」社会変容に組み込まれていた。

アラビア半島に従来存在した「異教」「多神教」は、巨石・樹木崇拝などと関わるものであった。同時に、それはメソポタミア・シリア地域の古来の自然神群信仰の影響も濃厚に受けたものであったと思われる。さらにそれらの発展形態ともいえるヘレニズム的信仰とも重層化しており、『クルアーン』(『コーラン』)に現れるウッザーは、アラブ系ナバテア人の下ではアフロディテと混交していたともいわれる。メソポタミアにおける前三〇〇〇年紀シュメール時代の大気神エンリル、天空神アン、太陽神ウトゥらの世界は、アッカド時代を経て、前二〇〇〇年紀にはバビロニアの最高神マルドゥクを生み、またシリアにおいては、マルドゥクは天候神ハダド、ダガンと習合する。これらの神々はギリシアの神々とも強い混交関係を持っていたが、さらにシリアのバアル神、バビロニアのイル神などの権威は、イル神と深い関わりの中で登場したセム的一神教の唯一神が登場しても、この地域に強い力を維持し続けた。アラビア半島の多神教も、シリア、メソポタミアの「異教」「多神教」世界の一部をなしていたと考えるべきであろう。そしてシリア・エジプトの多神教的環境から生まれたセム的唯一神が、ビザンツ・サーサーン朝両帝国の政治的・社会的影響力と関わりつつ、ユダヤ教、キリスト教に限らない形で、アラビア半島に地歩を築きつつあったのである。

具体的には、四世紀中頃からペルシア湾および紅海と接続するアラビア半島南部においてヒムヤルの支配層が一神教に改宗したことがうかがわれる(蔀 二〇一八：一五六―一八〇頁)。この地域における一神教の伝播は、ユダヤ教においてはパレスチナから隊商路を通じて南下したユダヤ教徒コミュニティの離散・移動によって、またキリスト教に関しては、カルケドン派・非カルケドン派双方の積極的な宣教によって進んだ。特に、エチオピアの非カルケドン派政権アクスム王国は、この地に積極的な進出を図ったため、これと対抗する地元支配層はユダヤ教に傾斜して、ユダヤ教を保護するサーサーン朝との連携を模索した。このため、ヒムヤルではたびたびキリスト教徒に対する迫害が生じるなど、一神教間の対立もみられた。またキリスト教内部においても、カルケドン派を正統とするビザンツ帝国と非カルケドン派諸派との対立があり、さらにその双方においても、キリストの神性・人性を中心とした「本性」と「位格」に関する見解の違いから、多様なキリスト教分派や集団が生じた。これらのうちでも非カルケドン派ネストリウス派はユダヤ教とおなじくサーサーン朝とのつながりを深め、イラク・イランそしてさらに東方へとその布教を進め、海路を通じてアラビア半島南部にも影響を及ぼした。一方、アラビア半島の外では、エチオピアのアクスム王国をはじめ、ビザンツ帝国支配下のエジプト、シリアにも、支配階層のカルケドン派と並行して、エジプトにはコプト教、シリアにはヤコブ派といった非カルケドン派が根を張っており、カルケドン派支配階層と緊張関係を保っていた。

　アラビア半島の一神教に関して、さらに注目すべきは、ユダヤ教・キリスト教と共通する伝承概念がおそらく多神教徒をも含みこむ形で広がっていた可能性である。このような、セム的伝承を自らのアイデンティティと結びつけつつ、一神教的な概念を受け入れていたアラビア半島の人々を、M・ワットは「漠然とした一神教徒」と呼び、現在の研究者の間では、「ハニーフ」というイスラーム教の用語で呼んでいる(ワット 一九七〇:四七頁)。彼らハニーフは、「アラブ」をアブラハムの息子であるイシュマエルの子孫ととらえ、同じくアブラハムの息子であるイサクの子孫「ユダヤ」のアイデンティティと連続させる伝承をもっていた。彼らは、同時に唯一神による最後の審判や預言者召命と啓示の概念を共有していたとみられる。このようなハニーフの存在、そしてその背景となるセム的伝承が、ある程度アラブの多神教徒間にも共有されていたことは、ムハンマドのイスラーム召命にあたって、その活動が急速にメッカやメディナの人々の間に、（肯定的姿勢であれ否定的姿勢であれ）理解されたこと、すなわち、その概念が人々にとって全く異質なものではなく、すくなくとも既知の概念を基盤としていたものであったことからもうかがわれる。そして、より広くは、ムハンマドの生前から死後にわたってアラビア半島の各地において、イスラーム史料からは「偽預言者」と呼ばれる活動家たちが一神教的概念にもとづく共同体形成活動を行っていたことからもうかがうことができる。これら「偽預言者」たちの活動はメディナ政府軍によって制圧されたが、元々は、アラビア半島各地のアラブ部族に共有されたハニーフ的な宗教・世界観をもとに、各地で花開いたものである。ムハンマドを中心としたメッカとメディナのクライシュ族の運動は、それらの中でもっとも有力かつ成功を収めたものであったと理解できる。

七、イスラームの成立と「蛮族」アラブによる帝国の形成

多様な宗教混在下におけるイスラームの登場

前節で述べたように、「古代末期」の社会はビザンツ帝国、サーサーン朝ペルシア帝国ともに、多神教、セム的一神教、ゾロアスター教の多重性・多層性のなかで、個人が、帝国や「民族」「部族」による政治的・社会的・経済的規制を受けつつ、急速に宗教へとアイデンティティを傾斜させていく時代であったという歴史像を描くことができる。イスラーム共同体は、まさしくそのような国際的な社会環境の中で結実したものである。そして、それは同時に、ローマ帝国にとっての「蛮族」のひとつであるアラブの拡大エネルギーと結びつくことによって、巨大なイスラーム帝国を生み出し、旧ビザンツ帝国領東南部とペルシア帝国領を結びつけた、新たな「アレクサンドロスの帝国」を現出させた［**図4**］。

イスラームを胚胎したメッカ社会・メディナ社会もまた、このような多重・多層的な環境に置かれた社会であった。

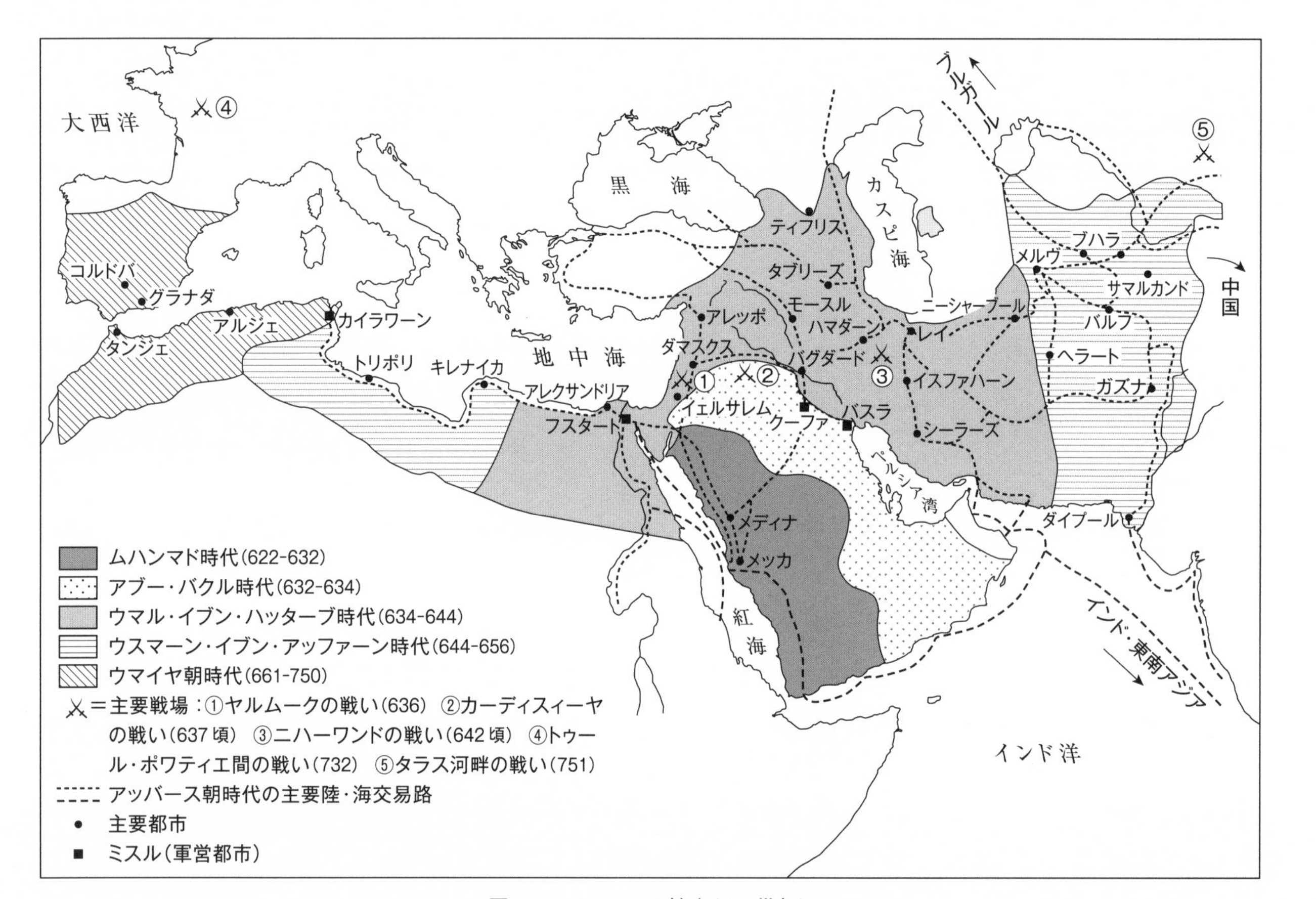

図4　イスラームの拡大(7-8世紀)
(大塚和夫ほか編『岩波 イスラーム辞典』2002年，1106頁より一部改変)

すなわち多神教を中心とした強力なアラブ的血統意識と、キリスト教・ユダヤ教の強い影響、そしてハニーフ的なセム的一神教に共通する系譜意識が重層化・混在化し、そこにビザンツ帝国、サーサーン朝、またアクスム王国の政治的・経済的影響力が時期的な強弱はありつつも力を及ぼす社会である。

メッカは、アラビア半島西部に成立した巡礼都市であり、カアバ神殿とその巡礼に際して設けられる市を中心として成立した。カアバ神殿は多神教のある神に捧げられたものであったが、その神の名はアッラーとは別の名でも伝えられていた形跡がある。アッラーという名がアラビア語定冠詞アルと普通名詞化したイル神の名の合成である可能性が高いことからしても、この神殿には、イスラーム以前からの、この地の多神教とシリア・メソポタミアの神々、そしてセム的一神教の重層性を垣間見ることができよう。そしてこのメッカを支配していたクライシュ族は、北アラブの一員として、アブラハムとアダムに遡る系譜をもった多神教信者であった。預言者ムハンマドはこのクライシュ族ハーシム家の一員として生を受けている。

イスラーム成立期からアッバース朝成立期までの史実については、近年、イスラーム伝承史料の史料性をめぐって盛んに議論されているところであり、ムハンマドの伝記についてもその史実性について様々な議論が展開されている。こういった最新の研究動向については、本巻で亀谷学が扱っている。ここでは、その問題には深く立ち入ることなく、ムハンマドについては標準的な理解に従って、触れておきたい。

メッカ社会において重要なのは、イスラーム成立の数世代前から始まったシリアとの隊商路の確立と、多神教的な血統社会としての社会性であるとされる。ムハンマドをはじめとした多くのメッカ市民が隊商交易と関わりをもっており、その結果として富の偏在などの社会問題が発生した。また、同時に、血統を中心とした「氏族」アイデンティティが多神教の祖先崇拝と相まって、自らの男性系譜・血統を中心とした政治・社会集団、圧力集団を作り出し、これらの集団がさらに奴隷、外来者とのパトロン＝クライアント関係を構築するようになって、強固な利益集団化したとも言われている。そして、このような状況に対する批判として、イスラームは生まれたとされるのである(ワット一九七〇、後藤 一九九一)。

一方で、このような社会状況がイスラームとして結実する契機としては、ムハンマドという個人の状況にも目を向ける必要があるであろう。メッカ社会を支配していた強力な男性中心的血統原理のなかにあって、生まれる前からの「孤児」であり、かつ遂に男児にも恵まれず、直系血統から切り離されていたムハンマドは、メッカ社会においては広い意味での社会的弱者であり、少なくとも「寂しい成人」であった。妻ハディージャ、伯父アブー・ターリブやハムザ、そして養い子であるザイドやアリーといった親族には恵まれつつも、メッカに生きる成人男性としてのムハンマドには、社会的な弱さがあったことが否めない。このことを、イスラームにみられる、弱者への強い共感と関連させてみた場合、イスラームの成立には、ムハンマドの置かれた社会的苦境と、それを生み出す社会的圧力への抵抗と異議という側面を見て取るべきであろう。

いずれにせよ、重層的な宗教アイデンティティの交錯する西アジア・地中海世界の環境の中で、メッカの社会状況はセム的一神教と結びつき、新たなイスラームという共同体およびアイデンティティを生み出したのであり、それは、メッカにおける多神教徒との対立から、メディナという別天地を見出して、ウンマ・イスラーミーヤ(umma Islāmiya イスラーム共同体)という具体的な共同体・政治体を生み出すこととなった。

アラブという「蛮族」による大征服活動

前述のように、三世紀以降のローマ帝国では、西ヨーロッパ、スラヴ世界、そして地中海における「蛮族」の侵入が、その帝国としての構造を大きく揺るがせたが、その「蛮族」侵入の七世紀における最大の局面が、アラブ・イスラーム勢力という「蛮族」の侵入であろう。少なくとも、ローマ帝国に視点を置く限りにおいては、イスラーム帝国の成立は、そういった諸集団の移動と侵略・定着のサイクルの中に位置づけることができるに違いない。

この視点を、ユーラシア史の文脈に置き換えてみると、それは主に中央ユーラシアを震源として繰り返される、遊牧民集団の拡大と帝国・国家形成という流れに呼応しているとみることもできる。史上、スラヴ系、テュルク系、モンゴル系の遊牧民は、自然環境の変化など様々な要因によって、周縁諸地域を呑み込み巨大国家形成を行ってきた。最も名高いモンゴル帝国の形成は、チンギス・カンという中心人物の出現によって、モンゴル諸部族のエネルギーが集中することによって達成されたと考えられるが、アラビア半島を震源とするアラブ・イスラームの征服活動もまた、アラビア半島の「アラブ」と称される遊牧集団が、メディナ政府という凝縮点とイスラームというアイデンティティを獲得することによって、その他社会への侵食力を爆発させたものであったといえよう。

この現象を、中世アラブの知識人が自ら理論化している。すなわち、一四世紀にイブン・ハルドゥーンの著した『歴史序説』がそれである。イブン・ハルドゥーンは王朝形成の基本原理として、荒野と都市における人間集団の文化形態の違いを指摘する。荒野に住む遊牧民は過酷な環境で、傑出した指導者の下に「党派心(アサビーヤ ʻaṣabīya)」と呼ばれる強固な連帯心にもとづく武装集団を形成し、それが都市を征服して王朝を築く、しかし都市に居住して世代を交代する内に、文明的な環境の中でこのような党派心と闘争心は失われ、武装集団は解体して統治力を失う。そして三世代目になると王朝は滅び、その周辺の荒野にまた新たな党派心に統率された武装集団が現れる、というのである。これは、遊牧集団と都市を中心とした国家の関係を、明快に分析した理論である。重要なのは、これがまさしく遊牧性と都市性の対立を生活背景とする中東・北アフリカの知識人の、歴史的実感として提出されている事実であろう。

そもそも、アラブと称される人々は、ラクダを駆る遊牧民に対する他称であったようであるが、イスラーム以前からシリア・メソポタミア地域に広く進出し、ローマ帝国、ペルシア諸帝国の支配下で生を営み、時に政治体を構成して、それらの帝国と政治的関係を結んでいた。その代表的なものが、従来ラフム朝として知られていたナスル朝集団や、ガッサーン朝として知られていたジャフナ朝集団である(蔀 二〇一八:一五〇―一五五頁)。蔀勇造によればイラク南部の都市ヒーラを中心に数百年におよぶ支配を確立していたナスル朝はともかく、例えばジャフナ朝は、サーサーン朝の政治力を背景に繰り返されたナスル朝君主ムンズィルの劫略に対抗するために、ビザンツ帝国がシリア周辺のアラブであるガッサーン族の一部を利用したものであるという。サリーフ族など同様の事例を勘案すれば、両帝国の版図に重なって、イスラーム成立以前から多数のアラブ系諸部族がシリア、イラクに進出していたことが明らかである。そのうえで、それらの諸部族は、都市・農村を中心とする両帝国の間隙を縫う形で、両帝国と連携し、時に武力として利用され、また両帝国の力をを背景として勢力を伸張させていた。イスラームという「旗」を身につけたアラビア半島のアラブは、そのような両帝国定住民とアラブ諸部族の連携する地域に、新たなアラブの波として、突如として侵入を始めたのである。このような状況は、ヨーロッパ北方などローマ帝国の周縁各地でみられた諸「蛮族」と帝国の関係をそのまま彷彿とさせる。

ただ、他の「蛮族」と「ムスリム」アラブとの違いは、このアラブが独自の新たな宗教アイデンティティを御旗として掲げていたことであり、そのイデオロギーの元に、数百年にわたって同地域の住民が同化・吸収されて、新たな宗教共同体にもとづく帝国を形成したことであった。

イスラーム国家の指導権闘争と「大内乱」

いったん視点を、新たに形成されたイスラーム国家内部の政治状況に移そう。

イスラームは、古代末期の宗教共同体アイデンティティのるつぼの中から生まれた新たな宗教共同体であったが、極めて初期にそれは二重性をもったものとなる。すなわち、のちにスンナ派とシーア派と呼ばれるアイデンティティである。森山央朗と森本一夫の論考は、そのそれぞれがもつ問題性に切り込んだものとなっている。

そもそも、この分裂は政治的性格の強いものであったが、やがてその焦点は、息子のいないムハンマドの後継をどのように処理するかという問題を通じて、イスラーム共同体の統治のあり方そのものに関する路線対立、そして最終的には宗教的なパッションをまとった宗派対立へとシフトしていった。

預言者ムハンマド死後のイスラーム共同体には、単に宗教的な問題だけではなく、現に成立しているメディナの共同体が、政治的・経済的・対外的に生き残らなければならないという現実が存在した。このため共同体は、即時にムハンマドの愛弟子であるアブー・バクルを後継者(カリフ)に選出し、さらにウマル・イブン・ハッターブ、ウスマーン・イブン・アッファーンという、ムハンマドの活動を初期から支え続けていた弟子たちがそれに続いた。しかし、あまりに短期間に拡大したアラブ征服軍の版図を支えるにはメディナ政府の行政組織は未熟にすぎ、ウスマーンはその支配を支えるために自らの出身部族であるウマイヤ家に頼らざるを得なくなった。問題なのは、このウマイヤ家が、メッカにおいて最後までムハンマドに抵抗し続けた、いわば反イスラーム勢力のシンボルのような集団であったことである。ムハンマドに降伏し改宗することによってイスラーム共同体に受け入れられてはいたものの、イスラームに改宗した早さによって序列化されていたアラブ遊牧諸部族にとって、ウマイヤ家の政治的進出は受け入れがたいものがあった。

一方で、アラブ遊牧集団の拡大戦争である大征服活動において、決定的な意味をもっていたのは戦利品の獲得と分配であったが、この面においては、主に西方を担当し順調に征服を続けたバスラ駐留軍と、北方を担当し、カスピ海南西部の天険に阻まれて征服活動が難航したクーファ駐留軍には大きな格差が生じ、この問題が征服軍内部の対立要因となった。この結果として、クーファを拠点とする遊牧軍の一部がメディナ在住のウスマーンを暗殺する挙に出たのであった。

この事件は、クーデタ軍がカリフとしてアリーを推戴することによって、それまで地下に隠れていたイスラーム共同体の指導権を巡る対立を、表面化することとなった。

すなわち、ムハンマドの愛弟子たちの統治する現体制に批判的な集団の一部は、ムハンマドの従弟にして、ムハンマドの娘ファーティマを通じて、ムハンマドの孫ハサンとフサインの父であるアリーを推戴した。そしてこれは、ムハンマドと近いハーシム家の強力な血縁をもつ人々にこそ、イスラーム共同体の指導権があるという概念を呼び覚ますこととなった。この概念は、ムハンマドとの血縁が薄いアブー・バクルらの支配権に対する、有力な対抗原理となり得る性格をもっていた。

特に、過去、アブー・バクルはファーティマと、ムハンマドの遺産に関して対立した経緯があった。ファーティマがムハンマド家の財産であると主張した、ファダクという土地の所有権を、アブー・バクルはイスラーム共同体全体への遺産であるとして、収容したのである(医王 一九九三)。これは、単なる財産権の問題ではなく、ムハンマドの遺した「共同体統治の権利」が、ムハンマドの血縁者にあるのか、それとも、イスラーム共同体全体がそれを継承し、共同体が合意した人物に対してそれを付与するのか、という問題に敷衍されていく性格をもっていた。

こうして、カリフ権、すなわちイスラーム共同体の指導権をめぐって「イスラーム共同体の合意による指導権の付託」と「ムハンマドとの血縁による生得の指導権の保持」という二つの概念が表面化することになったのである。

一方、事態を複雑化したのは、ウスマーンの血の復讐を唱えるウマイヤ家ムアーウィヤとその支持者層がこの両者の対立に介入し、しかも、結果的に勝利を収めてしまったことである。この集団は、イスラーム以前から存在しウスマーンの下で拡大したウマイヤ家の既得権を死守することを目的としており、いわばイスラームというアイデンティティから遠く離れた利害によって自己形成した集団であった。「ムハンマドの愛弟子の流れをくむズバイルとタルハ」、「ムハンマドの血縁であるアリー、ハサン、フサイン」、「既得権保護の代表であるムアーウィヤ」の対立は、ムアーウィヤの勝利によるウマイヤ朝成立という事態を生むこととなった。

ウマイヤ朝によるイスラーム帝国化の試み

アラブの大征服運動は、古代末期におけるローマ帝国そしてペルシア帝国周縁地域における「蛮族」の移動と支配権確立の動きの、最大規模のものといえる。一方で、それは同時期における、宗教アイデンティティによる共同体形成の流れの最大規模のものでもあった。この二重の性格が、ヴェルハウゼンによる古典理論における「アラブ帝国」と「イスラーム帝国」という言葉にオーバーラップしている(Wellhausen 1960; 嶋田 一九七七)。

古典理論によれば、ウマイヤ朝は、マイノリティであるアラブが圧倒的多数である異民族・異教徒を支配する「アラブ帝国」であり、アラブという「民族集団」による支配帝国であるとされる。この性格は、次節にみる「イスラーム帝国」アッバース朝における非アラブ諸民族や異教徒の社会包摂や社会的地位上昇の動き、またイスラーム改宗の動きをみれば、確かに首肯できる部分が多い。イスラーム帝国が、本質的に征服国家としての性格を保持し続ける点も、そこで触れる。

ウマイヤ朝は、エジプト・シリア・イラク・イランをひとつの統治圏としてまとめ上げたという点においてアレクサンドロスの帝国の再現であり、それがアッバース朝を超えて「イスラーム世界」として定着し、中東・西アジアという地域概念の基盤を作り上げたという意味では、同帝国と同等かそれ以上の世界史的インパクトを与えた。それは、地中海から中央アジアに至る「古代世界」を最終的に変革する動きの一つであった。シリアなど旧ビザンツ帝国下のキリスト教徒が、アラブの到来を終末論的世界観で表現したのも、ある意味で間違いではなかったし、イスラームもまたそういったキリスト教・ユダヤ教の終末論的環境の強い影響下に成立したことが近年強調されている(Shoemaker 2018)。

ウマイヤ朝下における人々の生活もまた、初期には古代世界の延長としての側面を持った。税制、都市生活などに関しては、少数のアラブ・エリートによる支配は間接的なものであり、旧ビザンツ帝国領、旧サーサーン朝ペルシア帝国領の多くでは、従来の支配階層が温存されギリシア語、ペルシア語による行政が継続した。例えば、イラン農村部においては、地域支配階層であるディフカーンが村落の支配を続け、旧来の統治体制・税制を大きく変化させないまま、アラブ支配層に対する納税を仲介していたと考えられている。

一方、ムアーウィヤによる息子ヤズィードへのカリフ位の継承は、「イスラーム共同体の合意によるカリフ位の付託」という多数派の通念にも、「ムハンマドの血縁による統治」という少数派の概念にも反するものであり、これに挑戦したアリーの息子フサインとその郎党が、六八〇年にカルバラーの地でウマイヤ朝軍に惨殺されると、反ウマイヤ家の機運が急速に高まって第二次内乱が勃発した。この内乱では、第一次内乱の対立構図がそのまま反復され、ムハンマドの愛弟子ズバイルの息子アブドゥッラーがメディナでカリフ位を宣言し、またフサインの血の復讐を唱えるアリー家支持者ムフタールが、クーファで、アリーの息子ムハンマド(ハニーファ族の女性を母とする)を共同体統治者として担ぎ、これにウマイヤ家のカリフ、マルワーンが対抗することとなった。

結果としてまたもや勝利を手に入れたウマイヤ家は、しかし、その出自、政権獲得の経緯、そして何よりフサインの殺害という事実から、イスラーム的な支配の正当性を大きく欠如する状態に陥ったといえよう。

このためにマルワーンの息子アブドゥルマリク以降のウマイヤ朝カリフは、ウマイヤ家の下でのイスラーム性の強化に積極的に乗り出し、ウマイヤ家を「イスラームの守護者」と位置づける努力を行った。①岩のドームの建設をはじめとする、イェルサレムをイスラームの聖地として整備する事業、②イスラーム的貨幣の創出、③行政用語のアラビア語化などは、いずれもその努力の現れである。これらは、特にイェルサレムのイスラーム化に象徴されるように、西アジア古代の宗教世界・社会環境がイスラームを中心とした原理へと再編成される第一歩だった。

さらに注目すべきは、中央アジア・ソグド地域と北アフリカ、イベリア半島・アンダルス、またインド西部に対する征服活動の再開である。アンダルスについては佐藤健太郎論文が扱っているが、これらの征服／ジハード(聖戦)の再開は明らかにウマイヤ朝のイスラーム的正当性を顕示する活動であった。しかし、同時にこの結果として、イスラーム帝国は東においては中国およびインドと、西においてはヨーロッパ西部と支配域を競うこととなった。いわば、それぞれの領域が東西で他の帝国領域と接触し交流と対立、そして文化変容を生んだのである。これはビザンツ帝国領域という第一の接触領域に並ぶものであった。地中海・西アジアを一体の世界として歴史的に把握する上で、こういった周縁・接触領域がそれぞれの巨大文化圏と接触したことは、イスラーム文明の形成に極めて大きな意味をもった。

八、征服王朝としての「イスラーム帝国」とその変容

アッバース朝革命

初期イスラームの帝国における征服活動は、顕著なものとしてはウマイヤ朝をもって終了する。しかし、この帝国がアラブ帝国として成立しイスラーム帝国へと変容していく内部において、その支配エリート階層の形成、特に支配者と他者との関わりのあり方が、征服王朝における人身支配のあり方と大きく関わっていたことは注目されるべきであろう。

ウマイヤ朝末期の政治混乱からアッバース朝の成立に至る過程は、複雑な政治的・社会的関係が絡まり合ったものである。そこには主にイラク・イラン地域を中心とする、アラブ内部の主導権闘争、イラン系新規改宗者とアラブの関係性、そしてウマイヤ朝支配を批判するアリー家イデオロギーの活動が連関しており、それらの要素がイラン東部

ホラーサーン地方を舞台に、反ウマイヤ朝軍事力として糾合されたものであった。

大征服を主導したアラブ諸部族内に既得権を巡った対立があったことはすでに述べたが、ウマイヤ朝期になるとこれらのアラブは、ウマイヤ朝に親和的な北アラブと、そこから距離をおく南アラブという二つの系譜集団に整理されていった。これらは政治性が系譜として表現されたものであるといわれており、その系譜の歴史的事実性は薄弱であるとされる（高野 二〇〇八）。ウマイヤ朝の征服活動が始まると、これらのうち南アラブの一部が中央アジア征服にかり出され、さらにその前線基地であるホラーサーン地方に定住することとなった。これらの集団は、ウマイヤ朝と対立的な関係をもちつつ、現地イラン社会に溶け込み、系譜のみはアラブであるものの、言語・文化はイラン化しつつあった。

このような半イラン化したアラブと並行して、イラン・イラク社会には広範にイラン系住民のイスラーム改宗が進行しつつあった（Bullet 1979）。すなわち旧ペルシア帝国領域の住民に本格的なセム的一神教化の波が始まったのであるが、その状況には、①イラン系住民の社会的上昇意欲、②イラン系住民の被征服民としての地位、という互いに関連する問題が存在したと思われる。すなわち、イラン系住民は（他の被征服地域の住民も同様であるが）アラブ・ムスリムの支配下においては、被支配民の立場に置かれ、様々な権益から阻害された抑圧状態にあった。彼らは、征服戦争時に直接捕虜として奴隷化されることはなくとも、アラブから見れば自らのコントロールが可能な「準奴隷的存在」であったと考えて良い。

そのことを端的に表すのがマウラー（単数 mawlā）／マワーリー（複数 mawālī）という言葉である。この言葉は元来、ワラー walāʾ と呼ばれるパトロン＝クライアント関係をもつ上位者と下位者の双方を呼称する言葉であるが、ここでは混乱を避けるために下位者にのみ用いる。この言葉のもっとも一般的な意味は「解放奴隷」であった。すなわち主人に所有された奴隷が解放されると、自由身分を得つつも、主人のマワーリーとして主人の庇護下におかれるのである。

しかし、この時期には、この言葉が改宗者にも適用されるようになった。このことは、非アラブの改宗にあたってアラブの保護者＝保証人が必要であったからであるとも言われるが、より端的に言えば、改宗以前の征服地の非アラブは、アラブにとって隷属的な存在、事実上の奴隷であり、これが〈改宗という解放〉によって非アラブ・ムスリムという、アラブに従属的な自由人ムスリム、すなわち解放奴隷に限りなく近い存在となった、と考えるべきであろう。マワーリーという言葉が使用される限りにおいて、非アラブ改宗者は決してアラブ・ムスリムと対等な存在であったわけではない。ムスリムとして神の前では対等な存在であったとしても、奴隷身分のムスリムと同じく、社会的には従属的な存在であった。

しかし、それだからこそ、改宗してマワーリーとなることは被支配者である非アラブにとっては、社会的地位を上昇する手段であった。マワーリーとなることは、支配階層であるアラブとの個人的な紐帯を手にいれることであり、アラブに従属的ではあれ、抑圧された被支配者としての立場から抜け出すことを意味したからである。ウマイヤ朝中期から末期にはこのようなマワーリーが武力としてアラブに用いられる状況が顕著となる(嶋田 一九九六)。さらにアッバース朝期に入ると、これからみるように、これらのマワーリーは官僚などとして社会的上昇を遂げ、やがて政府の中枢に至る者を輩出する。これは、ローマ帝国において解放奴隷が権力の中枢にあったことと極めて類似した現象であった。ここにも、地中海・西アジアの政治的・文化的類縁性・一体性を見ることができる。

ホラーサーン地方において、イラン化した反体制アラブの下に多くのマワーリーの姿をも見ることができるのは、このような状況下においてである。この問題は従来「マワーリーの不満」問題として、税制の面のみから語られていたが(嶋田 一九七七)、租税問題にとどまらない社会全般に関わる諸側面から考える必要がある。そして、このような反体制軍いわゆるアッバース朝革命軍を組織し、アッバース朝建設を成し遂げたのも、アッバース家指導者イブラーヒームのマワーリーだったアブー・ムスリムという人物であった。

このようなウマイヤ朝に対して批判的な人々に、反ウマイヤ朝軍事力としての枠組みを与えたのが、最終的にアブー・ムスリムが主導したアッバース家プロパガンダである。

政治活動であったアリー家運動が「シーア派」という宗派に変容する大きな要因が、フサインの死去というカルバラーの悲劇と、その後のムフタールによる報復活動にあったことは間違いないであろう。この事件は、神に選ばれた特別な存在であるアリー家／ムハンマド家という概念を生み出すこととなり、これが「神意に反する政権」への反政府プロパガンダの根拠となった。

フサインの死後、この反政府プロパガンダの中心を担ったのはハサンの子孫たちであったとみられるが、一方で、ムハンマドの叔父アッバースの子孫たちもまた、反政府プロパガンダに乗り出し、「アリー家」より広義の「ムハンマド家」を称して、「ムハンマド家出身の指導者」への支持を呼びかけた。これは、意識的に、これまでのアリー家の活動を自らの活動の一部として取り込み、その延長線上に自らの運動を位置づけるものであったが、次項に見るようにアッバース朝成立後はアリー家の強い批判を浴びるものであった。

アリー家運動に比して、アッバース家運動が根拠の弱さにもかかわらず成功をみたのは、彼らがホラーサーン地方をプロパガンダの対象地に選んだことが主因であろう。この地のマワーリーは、改宗の一方で旧サーサーン朝文化とのつながりを維持しており、彼らのエネルギーと、在地の強力な反体制アラブ軍事力を、反体制的ムハンマド家プロパガンダの枠組みに取り込むことで、アッバース朝革命が成立したとみられる。

アッバース朝の成立とその性格

七四九年にクーファでカリフに即位した初代アブー・アッバースを継いで、アッバース朝国内体制の基礎を築いたのが、その兄の第二代マンスールである。マンスールは首都バグダードの建設、行政機関の確立、情報網の整備などで帝国の統治に安定をもたらした。
マンスールの施策には、サーサーン朝をはじめとするペルシア帝国の影響が強いと言われる。事実、ウマイヤ朝が、ビザンツ帝国の影響を色濃く残していたシリアを根拠地としたのに対して、アッバース朝の根拠地であるイラクは、サーサーン朝行政の中心地であり、ビザンツ帝国とサーサーン朝の長年にわたる係争地であった。そしてマンスールの建設した首都バグダードは、地理的にはサーサーン朝の首都テースィフォーン（クテシフォン）の近郊であり、そのテースィフォーンもまた、セレウコス朝の首都セレウケイア（セレウキア）とほぼ隣接した場所にあった。これら帝国首都の地理的意味については、第三巻所載の春田晴郎論文に詳しい。つまるところ、帝国としてのアッバース朝は、地理的にも行政機能的にもサーサーン朝やセレウコス朝の性格を継承しつつ、シリア、エジプトの旧ビザンツ領域を飲み込んだものだった。

このような特に行政における制度的・文化的性格のサーサーン朝からの継承性は、マンスールが占星術を重視したことにも表れているが（グタス 二〇〇二：三三―六〇頁）、この性格と密接に関わるのが、イラン系マワーリーの社会的進出である。前節で見たように被支配階層であったイラン系住民には、改宗という手段によってアラブとのパトロン＝クライアント関係を結び、社会的上昇を図る傾向が急速に拡大しつつあった。一方で、マンスールはこのようなマワーリーを大規模に宮廷や行政機構に登用したことで知られている。これはイスラーム史の画期として諸史料に記録されており、ウマイヤ朝におけるアラブ・エリート中心の支配体制からの大きな変革が生じたことがうかがわれる。イラン系官僚の代表であるイブン・ムカッファア（Ibn al-Muqaffaʿ）やアフガニスタンのバルフ出身の元仏教徒ハーリド・イブン・バルマク（Khalid ibn Barmaq）などはその代表であるが、解放奴隷出身で、ハーリドに対抗したラビーウ・イブン・ユーヌス（Rabīʿ ibn Yūnus）もまた好例であり、改宗者と解放奴隷が当時の支配階級にとって同列の存在であったことも示している。

マンスールのもう一つの大きな特徴は、彼自身が純血アラブではなかったことにある。彼の母はベルベル系の奴隷であり、これが、彼がカリフに即位するにあたって、純血アラブである弟アブー・アッバースに後塵を拝した理由であった。アラブの純血性はウマイヤ朝中頃から、エリートであるアラブ階層の間で大きな社会問題となった。それは、大征服活動の必然的な結果として、裕福な権力者などエリートであればあるほど奴隷女性を獲得する機会が多く、そのため奴隷との間に多くの子をもうけたからである。結果として、純血ではないアラブに対する偏見と、エリート層にある彼らの社会的地位とのギャップが意識され、混乱を招いた。マンスールはまさしくその象徴的な存在であったが、彼以前、ウマイヤ朝末期の短命なカリフにも同様の者がおり、さらには三七代におよぶアッバース朝カリフのうち母がアラブであったのはわずか三名であった。このような宮廷の女性のあり方については高野太輔論文の中心主題となっている。いずれにせよ、エリート層を中心に徐々に進んだアラブ性の希釈化、血統的・民族的多様性が、非アラブの改宗と相まって社会の構造自体を変化させていったのがアッバース朝の時代であった。そして、その多様性は、大征服の結果生み出された支配と被支配の構造が、時とともに変容していく過程で生じたのであり、このとき、彼らのアイデンティティを包括したのは、やはりイスラームという宗教共同体アイデンティティだった。それゆえにこそ、やはりこの帝国は「イスラーム帝国」と定義されうるのである。

一方でマンスールにとって大きな課題となったのが、ライバルであるアリー家、特にハサン家への対応であった。アリー家にとって、アッバース家は自らの長年にわたる反政府運動を横から乗っ取ったものであった。このため、ハサン家を指導するムハンマド・イブン・アブドゥッラーとイブラーヒームの兄弟は、マンスールにカリフ譲位の要求を突きつけるとともに、交渉が決裂すると反乱に踏み切った。ムハンマドは「純粋な魂」の美名で知られるが母系にはフサインの娘ファーティマの血を引くなど、ムハンマド家のサラブレッドであり、その名も預言者ムハンマド(イブン・アブドゥッラー)と同名であるなど、ムハンマド家、アリー家のカリフ位獲得運動を体現したがごとき人物であった。そのため、ムハンマドはマンスールが純血でないことを強調して、そのカリフとしての資格を問うたが、結局その反乱は潰え敗れ去った。これ以降、アッバース家はアリー家を厳重な監視下に置いた。両者の緊張関係が高まる中で、アリー家は、今度は反アッバース朝体制運動を体現するようになり、アッバース朝の支配の脆弱なイェメン、タバリスターンなどにその勢力を伸ばした。森本論文はこの状況からシーア派の歴史的性格に迫ったものである。

イスラーム化する先行文化と対外関係の緊張

八世紀後半から九世紀初頭にかけてアッバース朝は帝国としての支配体制を整え、その全盛期に向かった。このイスラーム帝国としての営みの中で、いわゆるイスラーム文明が開化することとなるが、そのもっとも重要な側面は、いわゆるイスラーム法の輪郭があらわれたことであった。四法学派に代表されるスンナ派法学派の確立にはさらなる時間を要したものの、八二〇年没のシャーフィイーが確立した「イスラーム法源論」は、イスラーム法の基盤を、「クルアーン」、「ハディース」(伝承)、「イジュマア」(合意)、「キヤース」(類推)の四法源に定めて、イスラーム法を議論する基礎を提供した。これによって、ウラマーと呼ばれるイスラーム学者たちは、従来以上に明確にイスラーム法の法理を論じ、また社会のあらゆる局面に適用されるイスラーム法の運用面について合意することができるようになった。

シャーフィイーとほぼ同時代のカリフ、ハールーン・ラシードが、ハナフィー派のアブー・ユースフを初めて大法官に任じて国家の法治性を強化したことや、この時代に国家的土地所有体制論を法学者に議論させることによって、国家による土地への課税を正当化し、安定した徴税体制を確立したことなどは、カリフを支えるためのイスラーム法による統治が目指された現れである。この方向性は、党派としての芽生えをみせていたスンナ派ウラマーに「ムスリム全体の合意に基づくイスラーム法による国家統治」という志向を生み出すこととなり、この概念に基づく「スンナ派」という意識を生み出し始めた。

一方で、アリー家活動から「神によって選ばれたムハンマド家のイマーム（共同体指導者）」概念を継承したアッバース家カリフは、神与の統治権を強調する側面もあった。アッバース家初期カリフのカリフ名はこのような神権概念を反映したものであり、神助と神に与えられた勝利を意味するマンスール（al-Manṣūr）の後は、マフディー（al-Mahdī）、ハーディー（al-Hādī）、ラシード（al-Rashīd）と神による導きを示唆する名を名乗った。このうちマフディーは、アリー家活動の中でメシア的概念と強く結びついた名称であり、それとほぼ同意のハーディー、ラシードも同様のニュアンスをもつと言って良いだろう。このような神権的イマーム概念は、共同体の合意に基づくイスラーム法とカリフという、スンナ派ウラマーの共通理解となりつつあった概念と矛盾する側面をもっており、この緊張関係は、ラシードの息子マアムーンの時代に一気に表面化する。

一方で、このようにイスラーム法の外郭が確立していくなかで、社会規範としてのイスラームは、被征服地の多様な文化・人種・生活習慣を飲み込む枠組みとして機能し始めた。この枠組みを維持する空間が「イスラーム世界」であり、文明が「イスラーム文明」であると、ひとまず考えておきたい。この枠組みの中に、被征服地に存在したアラブ、イラン・ペルシア、ギリシア・ローマなどの文化、社会、言語、生活習慣が包摂されていき、それぞれがイスラーム化されていった。それは、その地にすむ住民の改宗・イスラーム化を伴ったが、必ずしも改宗しない人々もまた、国家・社会の圧力の中で、自らの宗教を維持したまま、イスラームの枠組みに沿った社会生活を営むこととなった。

「シュウービーヤ運動」と呼ばれるイラン文化復興運動は、この好例である。イブン・ムカッファアに代表されるマワーリーのイラン系官僚たちは、イスラーム統治と自らのもつイラン文化の融合を試み、イラン文芸の復興運動を行った。この運動は、アラブによる強い反発を生み、多くのイラン系文人が反イスラームもしくはゾロアスター教信仰を連想させるザンダカのレッテルの名の下に処刑された。このようなイラン系の人々の動きは、ときにホラーサーン、アゼルバイジャンなど辺境地域において反乱と結びつくこともあった。しかし巨視的に見れば、その動きはこれらの地域の独自文化をもつ人々がイスラームの枠組みの中に自らの文化を融合させていく営みに収斂(しゅうれん)していったといってよい。

他方、そのように「イスラーム」を統治原理とする帝国が確立したことは、地中海・西アジアの政治環境・文化環境に多大な影響を与えたのは事実であり、イスラーム帝国はたびたびビザンツ帝国に「ジハード」を行った。これはあくまで国内向けのデモンストレーションとしての側面が強かったが、ビザンツ帝国にとっては自らの統治を脅かす極めて強いストレス要因となった。また地中海においては、イスラーム政権によってシチリアが陥落されるとともに、イタリア南部への進出が繰り返されるなど、地中海東部がイスラーム帝国のコントロール下におかれた。一方で、イベリア半島と中央アジアは、それぞれフランク王国や唐と接触する中で、トゥール・ポワティエ間の戦い、タラス河畔の戦いが生じたが、いずれもイスラーム軍にとっては伸張限界であったとみられ、イラク中央では、これらの戦いが重視されることはなかった。さらにラシードの時代には、フランク王国からの使節がバグダードに到来し、返礼として象がカール大帝に送られた。この使節の情報はヨーロッパ側に残るばかりで、アッバース朝の側には記録が残らなかったが、この時代の国際環境・文化環境をよく物語っている。

九、イスラーム帝国の変容

九世紀の意味

西暦九世紀は、帝国にとって決定的な意味を持った時代であった。

この時代に、帝国は内戦と混乱の時期を迎える。第六代アミーンと第七代マアムーンの兄弟による内戦、さらにその弟第八代ムウタスィムによるソグド・テュルク系軍事力の導入とサーマッラーへの遷都、そしてそれら新軍団による実権の簒奪とカリフの傀儡化、といった過程を経て、再び帝国が安定を取り戻すのは、第一六代ムウタディドが即位した八九二年のことである。このときまでに、イスラーム帝国アッバース朝は、確実に解体への道を歩み始め、各地における反乱や地方諸王朝の分立とともに、一〇世紀の大アミール制、一一世紀のスルターン制という軍事指導者による統治の時代へつながる第一歩を踏み出すこととなった。

一方で、北アフリカのアグラブ朝を嚆矢として、エジプトのトゥールーン朝、イフシード朝、イランのターヒル朝、サッファール朝などの地方政権の誕生は、アッバース朝の中央統制力の弛緩を意味するとともに、地方の国力の充実と経済的繁栄を意味するものでもあった。そして何より、これらの諸政権は、イスラーム帝国の生み出した、イスラームという枠組みの中で政治・経済・外交・文化を営むという共通概念に挑戦することは決してなかった。諸政権は「カリフ体制」というイスラーム共同体理念を保持し、「カリフの地方総督」という理念(ときには虚構)のなかで支配の正当性を表現した。この「イスラーム世界」と呼ぶことも可能な国際的政治秩序の最終的な母体となったのが、八世紀から九世紀のイスラーム帝国であり、またその枠組みを受容したアンダルスのウマイヤ朝である。

つまるところ、七世紀に成立したイスラーム政権による帝国が、解体の兆しをみせてもなお、そのイスラームという枠組みを政治的に放棄しないことが明らかとなったのが九世紀であり、それはローマ帝国、ペルシア帝国サーサーン朝の枠組みが、地中海南東部から西アジアの地域にかけて、不可逆的に変容したことを示していた。

マアムーンの時代

変動の九世紀を大きく印象づけるのが第七代カリフ、マアムーンである。ピラミッドの内部調査のために穴を開けたことで知られる、このカリフは、ハールーン・ラシードの息子であった。ラシードは、アッバース家出身の母から生まれた息子アミーンを第六代カリフに指名する一方で、イラン系の母を持つ同い年の息子マアムーンにホラーサーン地方を中心としたイラン地域を分割して統治させた。ラシードの死後、両者の対立は内戦に至り、マアムーンはホラーサーン地域の軍閥をイラクに送ってバグダードを包囲し、ついにこれを陥落せしめてカリフ位を奪取した。

マアムーンの時代には軍事、政治、文化の三つの面で大きな特徴があり、これがのちのイスラーム帝国に大きな変容をもたらした。まず軍事面においては、先にみたようにマアムーンは、旧アッバース朝革命軍からなるアミーン軍を排除して、新たにホラーサーン・中央アジア系の軍事力導入を進めた。これが次項で見るムウタスィムの新軍団形成の先鞭となり、やがてマムルーク朝マムルーク軍に至る奴隷・マワーリー系軍団の国家登用へと道を拓いた。もともとアッバース朝軍はホラーサーン在住アラブの軍事力を基盤としていたが、マアムーンの動きはソグド系・テュルク系の軍事的エネルギー導入にも道を拓いた。

一方で、マアムーンは、アミーンに対抗するためかアリー家との関係修復の努力を行いフサインの直裔であるアリー・リダーを後継カリフに任命した。この試みはリダーの死去によって潰え、逆にアリー家・シーア派との対立を深める結果に終わったが、マアムーンはアリー家イマームの神権思想に近い、強力なカリフ権の行使を目指した。そのひとつの現れが「クルアーン被造物説」と呼ばれるムウタズィラ神学派の学説の公認であり、これを否定するウラマーたちに対する「ミフナ」と呼ばれる審問の開始であった。共同体の合意によるカリフの選任を志向するウラマーたちは、同時に、クルアーン被造物説を否定する傾向にあったため、この審問は、カリフの神権性を天賦のものとするか、共同体の合意に由来するか、という対立を生むこととなった。頑強に同説を否定したイブン・ハンバルが拷問にかけられるなど、この問題はカリフ権そのものをめぐる政治的闘争の様相を示した。そして最終的に第一〇代カリフ、ムタワッキルが「クルアーン被造物説」を撤回するに至り、マアムーンの、共同体の合意をこえるカリフ権の行使を志向した試みは潰えた。これ以降、スンナ派の理解においては、法的解釈権はウラマーに存在し、カリフや王はウラマーによる法解釈に従って政権を運営するものとすることが、一般的となっていった。

文化面においては、マアムーンの時代には、ギリシア語・シリア語(アラム語)著作の翻訳が従来にも増して推進されたことが知られる。いわゆる「知恵の館(バイト・アル＝ヒクマ)」が施設として存在したとする説は近年有力な反論によって否定されているが(グタス 二〇〇二：六一―六八頁)、マンスールからラシードの時代に引き継いで行われていた、ペルシア語著作の翻訳、およびペルシア語を経由したギリシア圏の著作の重訳は、ギリシア語から直接、もしくはシリア語を経由した翻訳へと移行した。マアムーンの時代以降九世紀には、バヌー・ムーサー三兄弟(Banū Mūsā)、フナイン・イブン・イスハーク(Ḥunayn ibn Isḥāq)といった大翻訳家が活躍することによって、主要なギリシア哲学・科学の文献はほぼアラビア語に翻訳され、イスラームの枠組みに取り込まれることにより新たなイスラーム哲学・イスラーム科学をうむ段階に至った。三村太郎論文はこれらの文化運動を正面から論じたものである。アッバース朝イスラーム帝国における異文化のイスラーム化については、ペルシア・イラン文化が先行する形となったが、九世紀にはこのように西方の文化圏がイスラーム化を迎える段階となる。九世紀の変容は、文化面においても同じく見て取れる。それは、九世紀にイラン・イラク地域においてイスラームへの改宗が加速し、九世紀末にはムスリムが圧倒的マジョリティとなるとする従来の研究とも合致するものである(Bulliet 1979)。

テュルク前史としてのサーマッラー時代

九世紀半ばから末に、アッバース朝は黒人奴隷ザンジュの反乱など内憂によって大きく政治的危機を迎える。その危機の時代を象徴するのが、宮廷内のクーデタに加担して結果的にアッバース朝カリフを傀儡とした軍事集団である。これは、ムウタスィムが登用した新軍団であった。この時代をサーマッラー時代と呼ぶが、これはムウタスィムが新軍団の軍営地をバグダード北方のサーマッラーに造営し、そこに玉座を遷したためである。

ムウタスィムは①テュルク系奴隷軍団、②ソグド系マワーリー軍団、③北アフリカ系諸族の軍団を大規模に登用した。これは兄マアムーンの意図を汲んだものであった。市場等を介して購入獲得された奴隷軍団、そして先述のように隷属的なパトロン＝クライアント関係を基礎に持つマワーリー軍団は、決してムウタスィム兄弟の創案ではなく、すでに初期イスラーム時代からその存在を確認できる。しかし特に奴隷集団に関して、国家の中枢軍として大規模にこれを登用するのは、これが最初の例であり、従来からマムルーク朝マムルーク軍団の原型として研究者の関心を集めてきた（佐藤 一九九一）。

確かに、このムウタスィムの新軍団以降、奴隷軍団のプレゼンスが各イスラーム王朝において格段に上昇したことは間違いない。それは制度史的にみれば、社会的な隷属者を主人の軍事力として用いる点で、彼らを官僚として活用したアッバース朝初期からの制度的・社会的関係を軍事力に拡大したものであり、イスラーム帝国のあり方からいえば、「征服王朝としてのイスラーム帝国」の支配者と他者の関係性を引き継ぎ、変容させたものである。このような基本性格が、イスラーム帝国を通じて解体後の諸王朝に隠れた形で引き継がれたものが、マムルーク朝をはじめオスマン帝国に至る諸国家に見られる隷属軍の制度的基盤ではないかと考える。

一方で、この動きは世界史的観点から見る必要もあろう。九世紀以降一五世紀頃までの歴史を、地中海・西アジアの視点で見ると、東からのテュルク・モンゴルの移動・伸張拡大、西からのノルマン・フランクの移動・伸張拡大が国際環境を変動させる大きな要因であった。西進の面で見ると、一一世紀のセルジューク家、一三世紀のモンゴル、一四世紀のオスマン家やティムール家などの動きが主要な国家建設を伴う集団移動であったが、九世紀においてテュルクやソグドが新軍団として帝国軍の中枢をなし、イラクのアッバース朝政権を傀儡としたほか、エジプトにテュルク系奴隷軍人がトゥールーン朝を、ついでソグド系軍人がイフシード朝を開いたことは、それら一一世紀以降のテュルク系国家建設に道を拓くものであった。

さらに注目すべきは、八世紀の唐においては、安史の乱に見るようにテュルク系／ソグド系の軍事力が帝国の基本構造を揺るがす活動を行っている事実である。こちらについては近年、唐代史研究で急速に研究が進展し様々な論争が行われている分野であるが、中央アジアを分水嶺とした東西両帝国において、テュルク／ソグド＝インパクトとでも呼ぶべき、国家的レベルでの変容が生じていたことは否めない。ムウタスィムが行った対ビザンツ帝国戦争においては、テュルク(突厥)系阿史那氏出身とみられるアシナース(Ashinās)と、ソグド系のウシュルーサナ地方の君主アフシーン・ハイダル(Afshīn Ḥaydar)という、二人の指揮官が、ムウタスィム親征の二大軍団の長として小アジアの都市アモリウムを攻撃し、陥落させている。

このような中央アジアにおける集団の移動圧力が背景となって、地中海・西アジアのイスラーム帝国アッバース朝における軍事構造の変容をもたらし、さらにそれが国家の統治構造を変化させたとも考えられよう。

一〇、アッバース朝の解体――一〇世紀のイスラーム帝国

大アミール制とスルターン制

奴隷軍人・マワーリー軍人を中心としたテュルク系ソグド系軍閥がカリフを傀儡として勢力を競い混乱をもたらしたサーマッラー時代は、これらの軍閥を巧みにコントロールし、自らこれらの軍を率いてザンジュの乱やサッファール朝のイラク進撃をおさめたムウタディドが第一六代カリフに就任することで終結した。帝国はイラクを中心にいったん統合を取り戻し、玉座もバグダードに戻ったが、軍事派閥が水面下で権力闘争を繰り広げる構造は維持され、息子ムクタディルが幼少の身でカリフにつくと、その構造は再び表面化して不可逆的な過程をたどることとなった。

バドル・ムゥタディディー(Badr al-Muʿtaḍidī)、ムゥニス・ハーディム(Muʾnis al-Khādim)といった奴隷や宦官(かんがん)出身の

人物が、奴隷軍人養成所で購入育成された奴隷軍人と結びつき、さらに、ジャッラーフ家とフラート家のような相互に対立する財務官僚集団とも結びつくことで、有力軍人と有力官僚の対立するブロックが形成され、覇を競ったこともこの時代の特徴であった。これらの軍人＝官僚ブロックは、有力軍人・官僚が私領地(ダィア day'a)形成によって国家財政を弱体化させる温床ともなり、ムクタディルの母サイイダのように後宮勢力を含めた有力者の私財形成が、私的軍事集団形成を伴って進んだ。一方で、このような軍人＝官僚ブロックは宮廷文化サロンの役割も果たし、一〇世紀の華やかなアラブ文芸活動を支える基盤ともなった。

こういった中央の動きとは別に、一旦は統合を取り戻したとはいえ、地方におけるイスラーム帝国の解体は止まらず、北アフリカ、エジプト・シリア、イラン東部、イラン南部はそれぞれアグラブ朝、イフシード朝、サーマーン朝、サッファール朝の事実上の独立を迎えた。また戦乱によるイラク地域の灌漑システムの崩壊によってイラクの税収も低下し、先の政府有力者による私領地形成と相まって、帝国の国家財政は決定的に疲弊した。このようなイスラーム帝国の衰退は、ビザンツ帝国の再拡大と軌を一にしていたのであり、このことからもイスラーム帝国の国力の低下が地中海東部の情勢と大きく連動していたことがわかる。シリア北部からイラク北部にかけて成立したアラブ系のハムダーン朝は、ビザンツ帝国と対峙するとともに、イラクのアッバース朝宮廷にも干渉し大きな発言力をもった。

この状況を背景に、第二〇代カリフ、ラーディーは国家財政を含む行政権を、最高位の軍人であり奴隷に出自を持つイブン・ラーイク(Ibn Rā'iq)に委託した。これは、以前ムクタディルが宦官武人ムーニス・ハーディムに対して行った方策を継承したものとみられるが、ラーディーはイブン・ラーイクに大アミールの称号を与えて、これを制度化したのであった。

この大アミール位は、一一世紀半ばに第二六代カリフ、カーイムがセルジューク朝君主トゥグリル・ベクに与えた「スルターン位」とほぼ同様のものであり、スルターン位はあくまで大アミール位の名称を変更したものと変わらない。そもそもスルターンとは、カリフの持つ権勢そのものを意味し、カリフが行使する軍事・行政における権威を示す。このため本来スルターンとは、カリフその人、もしくはカリフによる政府そのものを意味する言葉であった。大アミール制とは実質、このスルターンを軍人に委託する制度であり、やがてセルジューク朝が成立すると、カリフは実質だけでなく名称を含めたスルターンをトゥグリル・ベクに委託したのであった。

大アミール制は、軍人によるカリフの傀儡化というサーマッラー時代の状況をさらに推し進め制度化したものであったが、イスラーム帝国、そして多数派のスンナ派のイスラーム共同体としては決定的なものであった。すなわちカリフとスルターンを分離し、そのスルターンとしての国家統治機能を軍人に付与したことは、イスラームの統合と支配の正当性の根源としてのカリフと、実際に国家を統治する権力の分離を正式に認めることであり、これ以前から地方において軍人総督たちが行ってきた王朝建設を、帝国そのものにおいて認めることであった。

そのため、大アミール位は地方王朝を含めた各軍事勢力の争奪戦をよび、シリアのハムダーン家、イラク北部のウカイル家、イラク南部のバリーディー家などが軍事力と経済力を背景に覇を競うこととなった。そして、その最終的な勝者が、カスピ海南西部山岳地帯ダイラム地域出身のブワイフ家軍事集団であった。

ブワイフ朝、ファーティマ朝とシーア派国家建設運動

「蛮族」としてのアラブの運動は、征服活動の結果としてイベリア半島・アンダルス、北アフリカからエジプト、シリア、イラク、イラン、中央アジア、インド西部にいたる広大な領域を一体の地域として再編し、新たな統治の枠組みであるイスラームの下に統合して、地中海・西アジアに新秩序をもたらした。これは西ヨーロッパの再編、ビザンツ帝国の活性化、また東においては中国の唐による新たな国際秩序編成と並行して進んだ現象だった。

このような状況は、一方でアラブ、テュルク、ソグドといった文化集団の移動や拡大、またエジプト、シリア、イ

ラク、イランにおける現地住民の支配体制の受容と同化がもたらしたものであったが、やはりイスラーム共同体においては、イスラーム・アイデンティティの確立と「他者である被支配集団」の改宗、もしくはイスラームへの妥協・受容という要因が非常に大きかったのもまた事実であろう。現地のそれぞれの文化が、イスラームの枠組みの中でイスラーム化し、その結果、豊かなイスラーム文明を生んだことも確かである。その意味で、P・ブラウンが古代末期をこの地域の宗教性の展開を中心にとらえた、その延長線上にイスラーム帝国の展開があったとみることもできる。

一方でイスラームは、その非常に早い時期からアリー家派とそれに対抗する多数派というふたつの方向性をもち、両者は現在に至るまで強い緊張関係を維持している。一〇世紀になると前者はシーア派、後者はスンナ派としての自己形成を達成していたとみられる。

ムタワッキルによる「クルアーン被造物説」の否定によって、アッバース朝カリフはスンナ派ウラマーとの親和性をより強め、彼らの学説がアッバース朝の統治を支えることとなった。一方でアッバース朝はアリー家活動に対する警戒を強化し、アリー家の子孫を監視下に置くことでその制御を図ったが、サーマッラー時代にはイマームと目されるフサイン直裔が絶えることにより、その最後のイマームが天上に隠れ、やがて救世主として再臨するとする十二イマーム派が成立した。また、アリー家支持者はこの十二イマーム派に限らず、様々な分派を形成し、それぞれが独特な宗教理論を形成しつつ、反政府的地下活動を続けていた。これらの諸派は、主にアッバース朝支配の脆弱な地域に宣教をすすめたため、イエメン南部山岳部、カスピ海南岸山岳地帯、アラビア半島ペルシア湾岸域、北アフリカ西部ベルベル人地域などにシーア派の根拠地が形成されていった。

このなかで決定的な役割を果たしたのが、カルマト派とよばれるイスマーイール派の一部である。彼らはアラビア半島ペルシア湾岸のヒジュラを中心に、九世紀末から一〇世紀初頭にかけてシリア、イラク、そしてアラビア半島のメッカ巡礼路などへの攻撃を繰り返し、バグダードにもその勢力を伸ばした。政府はこの鎮圧に精力的に取り組んだが、一〇世紀初頭の国力衰退の大きな要因となった。そして、このカルマト派の一部が北アフリカに勢力を張り、アリー家の子孫をイマームに掲げて形成したのがファーティマ朝であった。

ファーティマ朝は、ベルベル系ザナータ族を支持母体としてエジプトへ東進し、首都カイロを建設、さらにシリアへとその勢力を伸張させた。そのイマームはアッバース朝カリフの正当性を否定してカリフを称したため、イスラーム帝国の領域には、スンナ派の原理にもとづくアッバース朝カリフとシーア派の原理にもとづくファーティマ朝カリフが並立し、イスラームの二つの原理が覇を競うこととなった。ちなみに後ウマイヤ朝アミール(君主)が、これに応じてカリフを称したため、カリフの鼎立と言われることもあるが、後ウマイヤ朝カリフは、ファーティマ朝と領土問題を抱えていたため対抗上カリフを名乗ったものである。あくまで政治的な判断であって、イスラームの正当性原理として独自の道を示したものではないため、カリフ鼎立はあまり意味のある概念ではない。

この時期、バグダードのカリフの下で大アミールに就任し、イラク、イランの広範な地域を支配したブワイフ朝は、一方でシーア派の根付いたダイラム地方出身であり、イラクを支配してのちもアッバース朝カリフを傀儡とする一方で、十二イマーム派を奨励した。このため、イラクどころかバグダード市内においても、スンナ派の原理とシーア派の原理が併存する状況となり、バグダードは九世紀末から一〇世紀にかけて宗派対立で荒廃した。

このように、地中海・西アジア地域の新たな秩序として展開したイスラーム帝国は、二つのイスラーム原理のなかで複雑な政治的社会的動きを経験することとなった。そして、この動きの中で、「フランク族」と認識されたヨーロッパ勢力の十字軍と、「タタール族」と認識されたモンゴル帝国が、一一世紀から一三世紀にかけて、この解体したイスラーム帝国域に進出し、この地域には、新たな状況が現出することとなるのである。

【一―五節】

井上浩一(二〇〇九)『ビザンツ 文明の継承と変容』〈諸文明の起源〉8、京都大学学術出版会。

大月康弘(二〇二〇)「ビザンツ皇帝の帝国統治と世界認識」『七五〇年 普遍世界の鼎立』〈歴史の転換点〉3、山川出版社。

菊池重仁(二〇二〇)「西方キリスト世界の形成」『七五〇年 普遍世界の鼎立』〈歴史の転換点〉3、山川出版社。

クメール、マガリ/ブリューノ・デュメジル(二〇一九)『ヨーロッパとゲルマン部族国家』大月康弘・小澤雄太郎訳、白水社文庫クセジュ。

小林功(二〇二〇)『生まれくる文明と対峙すること――七世紀地中海世界の新たな歴史像』〈MINERVA 西洋史ライブラリー〉、ミネルヴァ書房。

佐藤彰一(二〇〇八)『中世世界とは何か』〈ヨーロッパの中世〉1、岩波書店、二〇〇八年。

佐藤彰一(二〇一三)『カール大帝――ヨーロッパの父』〈世界史リブレット 人〉、山川出版社。

佐藤彰一・池上俊一(一九九七)『西ヨーロッパ世界の形成』〈世界の歴史〉10、中央公論社(中公文庫、二〇〇八年)。

成瀬治・山田欣吾・木村靖二(一九九七)『世界歴史大系 ドイツ史』第一巻、山川出版社。

ピレンヌ、アンリ(一九六〇)『ヨーロッパ世界の誕生――マホメットとシャルルマーニュ』増田四郎監修、佐々木克巳・中村宏訳、創文社(講談社学術文庫、二〇二〇年)。

フォルツ、ロベール(一九八六)『シャルルマーニュの戴冠』大島誠訳、白水社。

ボーズル、カール(二〇〇二)『ヨーロッパ社会の成立』平城照介・山田欣吾・三宅立監訳、東洋書林。

三佐川亮宏(二〇一三)『ドイツ史の始まり――中世ローマ帝国とドイツ人のエトノス生成』創文社。

三佐川亮宏(二〇一六)『ドイツ――その起源と前史』創文社。

三佐川亮宏(二〇一八)『紀元千年の皇帝――オットー三世とその時代』〈刀水歴史全書〉45、刀水書房。

山田欣吾(一九九二)『教会から国家へ――古相のヨーロッパ』〈西洋中世国制史の研究〉1、創文社。

リウトプランド(二〇一九)『コンスタンティノープル使節記』〈知泉学術叢書〉、大月康弘訳・解説、知泉書館。

渡辺金一(一九八〇)『中世ローマ帝国――世界史を見直す』岩波新書。

渡辺金一(一九八五)『コンスタンティノープル千年――革命劇場』岩波新書。

Georges Tchalenko (1953, 58), *Villages antiques de la Syrie du Nord : Le Massif du Bélus à l'époque Romaine* [Institut Français d'Archéologie de Beyrouth, Bibliotèque Archéologique et Historique, Tome L.], Paris, tome 1-3.

【六—一〇節】

医王秀行（一九九三）「ファダクの土地と預言者の遺産」『オリエント』三六巻一号。

イブン＝ハルドゥーン（一九七九、八〇、八七）『歴史序説』全三巻、森本公誠訳、岩波書店（岩波文庫、二〇〇一年）。

グタス、ディミトリ（二〇〇二）『ギリシア思想とアラビア文化——初期アッバース朝の翻訳運動』山本啓二訳、勁草書房。

高野太輔（二〇〇八）『アラブ系譜体系の誕生と発展』〈山川歴史モノグラフ〉、山川出版社。

後藤明（一九九一）『メッカ——イスラームの都市社会』中公新書（講談社学術文庫、二〇二一年）。

佐藤次高（一九九一）『マムルーク——異教の世界からきたイスラムの支配者たち』東京大学出版会（新装版、二〇一三年）。

佐藤次高（二〇〇四）『イスラームの国家と王権』〈世界歴史選書〉岩波書店。

蔀勇造（二〇一八）『物語 アラビアの歴史——知られざる三〇〇〇年の興亡』中公新書。

嶋田襄平（一九七七）『イスラムの国家と社会』〈世界歴史叢書〉、岩波書店。

嶋田襄平（一九九六）『初期イスラーム国家の研究』〈中央大学学術図書〉、中央大学出版部。

清水和裕（二〇〇八）「ヤズデギルドの娘たち——シャフルバーヌー伝承の形成と初期イスラーム世界」『東洋史研究』六七巻二号。

清水和裕（二〇〇九）「中世イスラーム世界の黒人奴隷と白人奴隷——〈奴隷購入の書〉を通して」『史淵』第一四六輯。

清水和裕（二〇一五）『イスラーム史のなかの奴隷』〈世界史リブレット〉、山川出版社。

ドナー、フレッド・M（二〇一四）『イスラームの誕生——信仰者からムスリムへ』後藤明監訳、亀谷学ほか訳、慶應義塾大学出版会。

バーキー、ジョナサン（二〇一三）『イスラームの形成——宗教的アイデンティティーと権威の変遷』野元晋・太田絵里奈訳、慶應義塾大学出版会。

ブラウン、ピーター（二〇〇六）『古代末期の形成』足立広明訳、慶應義塾大学出版会。

三村太郎（二〇一〇）『天文学の誕生——イスラーム文化の役割』岩波科学ライブラリー。

森本公誠（一九七五）『初期イスラム時代　エジプト税制史の研究』岩波書店。

ワット、モンゴメリー（一九七〇）『ムハンマド——預言者と政治家』牧野信也・久保儀明訳、みすず書房（新装版、二〇〇二年）。

Bullet, R. W. (1979), *Conversion to Islam in the Medieval Period: An Essay in Quantitative History*, Cambridge, Cambridge University Press.

Kennedy, Hugh (2016), *The Prophet and the Age of the Caliphates: The Islamic Near East from the Sixth to the Eleventh Century*, 3rd ed., London, Routledge.

Shoemaker, Stephen J. (2018), *The Apocalypse of Empire: Imperial Eschatology in Late Antiquity and Early Islam*, Philadelphia, University of Pennsylvania Press.

Wellhausen, J. (1960), *Das Arabische Reich und sein Sturz*, Berlin, Walter de Gruyter & Co. (original 1902).

問題群 | *Inquiry*

問題群｜*Inquiry*

中世ヨーロッパの展開と文化活動

佐藤彰一

一、ポスト・ローマ世界からの「離脱」

西ヨーロッパ世界は八世紀にポスト・ローマ世界からの離脱を実現した。七世紀前半にカルタゴでキリスト教に強制的に改宗させられたヤコブという名前のユダヤ人は、「大洋、つまりスコティア〔アイルランド〕からブリタニア、ヒスパニア、フランキア、イタリア、ギリシア、トラキア、エジプト、アフリカにわたり、ローマ人の世界とその皇帝は、我らの時代まで続いた。だがいまやローマ世界は小さくなり、卑しめられている」(Haldon 1990: 39)と、自らの認識を率直に吐露している。ポスト・ローマ時代とは、政治構成体としての(西)ローマ帝国が消滅した後にも、ローマ帝国の遺制が存続し、新たな統治者であるゲルマンの民がその気風に馴染み、自らその文化に馴化し、その中で呼吸する生きた現実として実在し続けた時代を指す。それは概ね七世紀まで存続した(佐藤 二〇〇〇:一―三〇頁)。その転機は七世紀の経過中に起こったのである。先にその言葉を引用したヤコブは、西の果ての北大西洋から東地中海のレバント地方にいたるまで、あたかもローマの遺制からの離脱の動きが同期させられたかのように進行している現実について、カルタゴという政治地理的に見通しの良い地点から、見事に時代を明察している。

様々の離脱

ブリタニアでは、K・R・ダークは古代ローマ都市の変容プロセスを指標として、七世紀まで古代的な都市構造が存続し、それが八世紀にポスト・ローマ的相貌、すなわち広場、公衆浴場、神殿などの公共施設が不在の中世的な構造の都市に変容することを指摘しているが、それは疑いなく都市現象に限った事態ではなかった(Dark 1999: 21-25)。

イベリア半島では、四一八年にフランスのアクィタニア(アキテーヌ)地方に定着し、トゥールーズ王国を建国し、その後保護支配をスペインに拡大した西ゴート王国が、五〇七年のヴイエの戦いでフランク人を率いたクローヴィスに破れ、南フランスの一部を残してイベリア半島に撤退して築きあげてきた体制は、ローマ帝国の統治システムを極めて忠実に継承した。英国の歴史家クリス・ウィッカムは、この王国はその最後を迎えるまでローマ的な租税徴収システムを機能させることができたと見ている(Wickham 2005: 93-102)。だが七世紀に入り度重なる貴族勢力の叛乱で、社会的、地域的分断化が進行し、七一一年にジブラルタル海峡を渡って襲来したアラブ人騎馬部隊に破れ、ほどなく王国は崩壊した。西ゴート王国はポスト・ローマ時代の終焉とともに消滅したと言えるであろう。

ガリアにおいては、ローマ帝国末期の遺制は様々の形で七世紀まで存続した。

その一例として挙げられるのが、西ゴート王国と同様に租税システムである。しかしその貫徹の度合いは、イベリア半島とは異なり、地域的事情が大きく左右するのが実情であった。たとえば六八〇年代に作成されたトゥール地方のサン・マルタン修道院「会計文書」は、この修道院がトゥール地方の農民から穀物貢租を徴収していた事実を伝えるが、その起源は租税であり、その徴収権をメロヴィング王権が修道院に寄進したことに由来するものであった(佐藤 一九九七：一四七-二二九頁)。この事実はすでにポスト・ローマ期的な体制の変容過程が進展していることを物語っている。だがフランク王権が支配するこの地域での最も重要な要素は、それまで萌芽的でしかなかった貴族勢力が支配権力として定着したことであった。ここでポスト・ローマ的体制から離脱し、中世世界へ転換するにあたっての最重要なファクターとなったのは、貴族勢力が織りなす社会・経済的諸連関の作用であった(Wickham 2005: 168-203)。各地の貴族にはセナトール貴族と呼ばれるポスト・ローマ期からの古い閥族家門も存在したが、多くは様々な契機によって端緒をつかみ、成長した新たな勢力であった。八世紀中頃に覇権を掌握したカロリング朝の祖ピピン一門も、またそうした新興貴族に属していた(Werner 1980: 342-354)。

イタリア半島では五六八年にランゴバルド人が、北イタリアに侵入し、パヴィーアを首都にランゴバルド王国を建国した。ここではポスト・ローマ的体制の最も重要な核となる徴税制度が当初から衰退していて、六〇〇年頃にはほぼ消滅していた。五五四年に終結を見た、イタリアを舞台にした二〇年間にわたり断続的に続いた東ゴート王国とビザンツ(東ローマ)帝国皇帝ユスティニアヌス一世との戦争は、北アフリカのカルタゴとローマを繋ぐ南方軸の徴税システムと、ドナウ・ポー川ラインの北方軸の徴税システムという、古代ローマ帝国以来のイタリアの伝統的なシステムを六世紀中頃までに、解体させていたからである。だがイタリアでは都市を中心にした統治行政組織が存続し、その統治を委任されたランゴバルドの貴族層は、その行政区画がもたらす様々の公的リソースを利用することで支配を維持した(Wickham 2005: 115-124)。

古代ローマの徴税システムの存続を、ポスト・ローマ期と称する時代の指標とするならば、一見逆説的に見えるがローマ帝国の中核であるイタリアがいち早くポスト・ローマ世界からの離脱を実現し、中世への時代相の転換を果たしたことになる。

八世紀の地平

ほぼ八世紀に西ヨーロッパ各地の政治権力は、ポスト・ローマ期とはその相貌を一変させる。それを象徴するのがメロヴィング王朝の後継王朝カロリング朝国家の勢威である。とくにシャルルマーニュ(カール大帝)時代の軍事力による膨張政策は、覇権国家という呼び名にふさわしい版図をつくりだした。八世紀に開始し、八〇〇年のカロリング「帝国」の出現においてクライマックスを迎えるフランク権力の膨張は、七世紀の全ヨーロッパ的規模での大転換の所産といえる。それではこれを可能にし、推進した要因は何であろうか。

雪氷学や年輪年代学の観察は、ほぼ三世紀から八世紀にかけて寒冷で多雨な気候がヨーロッパを支配したと結論づけている(Devroey 2019: 62-63)。変化が顕著になったのは七世紀である。たとえば地中に埋もれた花粉の年代分析は、七世紀を境に多雨な気候の産物である植物から、より乾燥した植生への変化が起こりつつあり、これはとりもなおさず寒冷多雨な気候から、より温暖で乾燥した気候への推移という長期的な気象条件の変動を示すものである。こうした局面の変化は緯度や経度、その土地の起伏によって違いがあるので一概には言えないが、ほぼこの時期を転換点として、より穀物耕作に適した自然・気象条件が整えられたとするのが歴史家の一致した見方である。

こうした物的条件の向上に後押しされるように、人口の増加と取引の活発化が生まれ(Duby 1973: 19-21)、日常取引に便利な小額貨幣のデナリウス銀貨の造幣や(Naismith 2012: 156-168)、市場向けの農産物生産を目ざした大所領が展開するようになった(Wickham 2005: 273)。こうした社会と経済の上向きの動きは、フランク国家に代表される大陸においてだけでなく、ブリティン島でも見られた。その政治的な表れが、ポスト・ローマ時代の構造を一新した七世紀のアングロ＝サクソン人による諸王国の建国である(Keynes 1995: 18-42)。

北海交易をめぐる覇権争い

シャルルマーニュの祖父にあたるカール・マルテルは庶子の生まれである。大帝の曽祖父のピピン二世が、妻のプレクトルードとは別にマーストリヒトの豪族の娘アルパイダと結んだ内縁関係から生まれた息子であった。「カロリング」という名称は「カール」の子孫という意味であるが、そのカールとは他ならぬカール・マルテルのことである。カールという名前は珍しい。一説によればサクソン語のケオルル(ceorl)に由来していて、ブリティン島のマーシア王国の最初の国王の名前とされている(Stoclet 2013: 37)。ちなみに、ピピンという名前もマーシア王国の国王名のリストにPhybba / Pippaとして登場する。なぜマーストリヒトの豪族の息女とアウストラシア宮宰を父母にもつ子が、サクソン語の名前を与えられたかは不明であるが、「ピピン」の名前も勘案するならば、そこにはマーストリヒト・リエージュ地方独特の社会的・文化的環境、すなわち北海・ライン川流域とフランク国家の心臓部とを繋ぐ動脈であったマース川の商業拠点としての独特の境位が反映されていると考えることができる。

そもそもピピンとアルパイダ一門との結びつきの背景には、ピピン一族の北海商業への野心と無縁ではなかろう。北海商業は漸く活発さを増していて、そこからもたらされる利益は諸勢力の食指を大いに誘うものであったからである。その主要な担い手は海の民フリーセン人であり、彼らは現在のオランダ人の祖先として、この地域を拠点として海峡を挟んだ取引や、ライン川と北海を経路とする商業を生業としていたのである(Lebecq 1983: 110-117)。デナリウス銀貨の先蹤(せんしょう)となったシャット貨は、彼らフリーセン人の通貨であった。七世紀末から八世紀の初頭にかけてのピピンとフリーセン人王ラドボードが争った戦いは、まさしくこの水域を舞台とする商業覇権をめぐる争いであり、ピピンの息子グリモアルドとフリーセン人の王女テウデシンダとの縁組も、敵手間(かん)の一時の和解の趣が濃いのである(Fouracre 2000: 53)。

ピピン二世時代の経済的基盤とならんで、将来のカロリング家にとってマーストリヒト世界との結びつきがもたらした賜物は、活力に満ちた荒々しい戦士たちの存在である。六八七年のテルトリィの戦いでピピン二世がネウストリア軍に勝利したのも、のちにアルパイダの血統であるカール・マルテルを支え、股肱（ここう）の家臣として転戦したのも、もともとライン川や北海沿岸を生活の拠点とした水運、海運の民であったと推測されるのである(Ewig 1988: 185-186)。

カールの新機軸

カール・マルテルの新機軸は、服属させた新領域を支配するために自らに忠実な家臣たちを送り込んだところにある。メロヴィングの王権は、元来その地の者を伯なり、地方役人なりに任命した。その意味では、在地の利害関係を代弁する者を介しての間接支配の色合いが濃厚であった。これに対してカールは、もともと自分の子飼いの郎党を、征服地のゆるぎない直接的な掌握を目ざして送り込んだのである。このような主従の関係にある者を、各地の支配者として派遣する政策は、その後ピピン三世やシャルルマーニュなど、カロリング国家の為政者の常套的な統治の手段となった(Fouracre 1984: 1-33)。

それまでの伝統的な統治の微温的な性格が生みだした支配効率面での諸々の弊害に対する荒療治とも言えるこうした施策は、教会の高位聖職者の任命にまで及んだところから、教会との軋轢（あつれき）を生み、その怨嗟の声が大きくなるのは避けられなかった。教会にたいする容喙（ようかい）の激しさはカール・マルテルが行った身内の兼併人事の一例を挙げれば、容易にうかがわれる。彼は自分の腹違いの兄弟であるドロゴの息子であるユーグを、同時にパリ司教、ルアン大司教、バイユー司教、リズィユー司教、アヴランシュ司教、サン・ドニ修道院長、サン・ワンドリーユ修道院長、ジュミエージュ修道院長に任命し、これをすべて兼任させたのであった(北村 一九六九：三一―八四頁)。『サン・ワンドリーユ修道院長事績録』は、ユーグの徳の高さと聖書を学ぶことの熱意を賞賛しているが、そのことと新しく台頭した権力の専横とは区別して考えなければならない。これから一代の院長を挟んで七三四年に院長職についたテウトシンドゥスは、トゥールのサン・マルタン修道院長も兼ねたが、時代の風潮を如実に体現する人物である。彼は多くの狩猟用の犬を飼育し、修道士の食糧より犬の餌に関心を寄せる。祭壇に飾る典礼用の聖具の金銀を使って腕輪や装飾を施した革帯、乗馬用の鞍や拍車を造らせ、あまつさえ広大な修道院領の三分の一を自らの近親者や国王の臣下に貸与地として分け与えたと『事績録』の作者は糾弾している(Chronique 1999: 74-89)。

こうした記述がカール・マルテル時代の組織的・体系的な教会領の還俗として理解され、軍隊の騎馬軍への編成替えや、封建制の制度的起源として巧みに理論構成されたが、おそらくそれは過剰な読み込みであろう。たとえば三分の一の土地が世俗の戦士に配分されたのは、この修道院の個別の事情であり、フランク国家全体に一般化して考えるのは危険である。それでも教会や修道院の土地が、それぞれ時期と事情を異にしながら、世俗の権力によって浸蝕され、奪い取られてしまうのが長期的な趨勢(すうせい)であったことは否定できない。同時代の教会の記録者たちがカール・マルテルを、教会の権利の侵害者として非難するには相応の理由があったのである。

「帝国貴族層」の創出

この時代に開始したカールの家臣たちのフランク支配領域への拡散がもたらした長期的なメリットをさらに付け加えておかなければならない。それはいわば間接的な支配の方式によって、それまで部族・地方的枠組みが温存されてきた状況に大きな風穴を開けるか、その枠組みそのものを破砕したことである。カールの家臣として栄達を遂げた一門は、フランク国家の多くの地域に拠点を作り、門閥のネットワークを領域横断的に構築した。これによって地方、地域間の政治的、文化的交流が大幅に促進され、ローカルカラーそのものは失わないまでも、地域間の制度的な平準化を大いに進展させることになったと言えるであろう。このような貴族層は、やがてイタリアを含むカロリング帝国を横断して、門閥間の姻戚関係のネットワークを作り、後に「帝国貴族層」と呼ばれ、カロリング帝国体制を支える強力な支配層を形成することになる(Tellenbach 1957; Werner 1965: 83-142)。

カール大帝の帝国とその変容

七六八年にカールがカロリング王権最初の国王となったピピン三世から王位を継承したとき、長年にわたってフランスの一部を領土としていた西ゴート人の末裔たちは、その地をフランク人に引き渡していた。七七八年には、アキテーヌ地方に忠実な家臣たちを伯として送り込み、この地の支配の手綱をしっかりと掌握し(Wolff 1965: 269-306)、ブルターニュ半島に蟠踞(ばんきょ)するブルトン人を服従させ、イタリアのランゴバルド王国を併合し、その王をも兼ねた(七七四年)(Delogu 1995: 290-319)。ゲルマン世界については、アレマン(アラマンニ)人はピピン統治時代にたびたび反乱を起こしていたが、カールのもとでは王権に恭順の姿勢を示していた(Borgolte 1984: 111-121)。バイエルン人たちはいっとき反旗を翻したものの、大公タッシロはやがてカールに服従した(Reindel 1965: 220-246)。ひとりザクセン人が頭を高く持して、いっかなフランクの王権に屈服する気配をみせず、執拗な抵抗をやめなかった。このため対ザクセン戦役はひときわ血腥い様相を呈した(Mckitterick 2008: 103-106)。これに九世紀初頭に敢行されたスラヴ人世界の遠征が加わる(Hellman 1965: 708-718)。八〇〇年のクリスマスに西ローマ皇帝に叙せられたとき、その領土は大陸では優に現在のEUに匹敵する広がりをもち、ライン川を越えてまさしく西ローマ帝国を凌駕する偉容を誇ったのであった(Fried 2013: 499-526)。

イングランドへの影響

八世紀末からイングランドで始まったスカンディナヴィアからのヴァイキングの侵略的定着は、二世紀半にもわたって断続的に繰り返され、この国土の歴史の行路に大きな刻印を押した(ディヴィス 二〇一五)。イングランド七王国のひとつウェセックス王国は、唯一ヴァイキングの劫略をはね返すのに成功したが、これを指揮したアルフレッド大王は、カロリング帝国の統治方式やカール大帝をはじめとする国王の信奉者であった。カロリング帝国の帝国貴族層と類似の貴族層を作り、カロリング王朝と似通った政治的、文化的機能を宮廷に付与し、国王への忠実宣誓を法的に制度化した。エインハルドゥスの『カール大帝伝』は、イングランドでも入手ができ、ウェールズ出身でアルフレッド大王の友人でもあったアッサーが大王の伝記を著したとき、手本にしたのがエインハルドゥスの『カール大帝伝』であった。アルフレッド自身手厚い教育をほどこされ、教育と信仰の涵養(かんよう)に熱心で、アングロ＝サクソン人エリートの魂の陶冶(とうや)に役立てるために、中世初期のキリスト教関連の重要な著作、たとえば教皇グレゴリウス一世のラテン語の著作『司牧』やボエティウスの『哲学の慰め』などをアングロ＝サクソン語に翻訳させたりした。こうした一連の現象をとらえてクリス・ウィッカムは、この時期のイングランドを気風のうえでカロリング世界であったと見ている(Story 2003; Wickham 2009: 453-467)。

政治的成熟のパラドクス

シャルルマーニュが他界すると、カロリング帝国はあっけないほど易々と凋落(ちょうらく)の軌道に入った。まず大帝の息子で、単独で帝国を継承したルイ(ルートヴィヒ)敬虔帝が実施した時期尚早の帝国分割が、父子間の軋轢ひいては戦争を引き起こし(Jong 2009)、続いて敬虔帝の死後は兄弟間の抗争へと発展した。そして八四三年のヴェルダン条約と八七〇年のメールセン条約を経て、カロリング帝国はついに東フランク王国、西フランク王国、イタリア王国に三分され、中世のドイツ、フランス、イタリアの空間的枠組みの概況ができあがった。

それにしても、こうした全てがシャルルマーニュの没後わずか半世紀の時間経過の中で生起するという、このような歴史の歩足の著しい加速を歴史家はどのように理解すべきであろうか。

カロリング王権の変転目まぐるしい政治状況と没落とは、逆説的であるがこの帝国が達成した「成熟」の成果でもあったと言える。すでに強調したように、初期カロリングの王統につき従った家臣たちを、征服地に配置することによる直接統治の手法は、地方色を残しながらも支配システムの帝国規模での均質化をもたらし、それは政治的中心である宮廷の意向が速やかに伝達される回路として機能すると同時に、権力の脈動に敏感に感応する政治システムに体質を転換させたのである。(1)

このような基盤が形成された歴史的条件のひとつは、「カロリング・ルネサンス」と名づけられる文化的昂揚であった。歴史家が「ルネサンス」と呼び慣わしてきたところからもうかがわれるように、この文化的潮流は知的覚醒運動であり、なによりも古典古代の文化的規範に回帰しようとする動きであった。カロリング・ルネサンスを代表する第一級の知識人たちの活動で特徴的であったのは、彼らの多くが現実の政治に参画して、夥しい政治神学的な著作を生みだし、ひいては政治的ポレミークの大きなうねりを醸成したことである。とくに「君主鑑」と称される帝王学を説く作品は、君主のよるべき規範を教え、徳目を涵養するためのものであった。スマラグドゥスの『王道 *Via regia*』やオルレアン司教ヨナスの『俗人鑑 *De institutione laicali*』、『王統鑑 *De institutione regia*』、あるいはヒンクマルスの『宮廷秩序論 *De ordine palatii*』などは、国王支配のあるべき姿や、政治空間としての宮廷の在り方、そして国王に仕える貴族の持すべき態度を教え諭している。

こうした言説の流布は、俗人貴族の識字世界への参入の高まりもあって、カロリング帝国の政治世論をかつてないほどの成熟の高みに引き上げたと言える。

ヨーロッパ中世政治の「テンプレート」

宮廷の機能は、ひとり国家の統治や軍事に関わることだけではなかった。それは政治的プロパガンダや文化的・思想的動向が、帝国規模で伝えられるルートとして作動した。それは今日われわれが考えるようなレベルではないものの、一種政治的な「世論」と呼べるような考えが帝国のエリート層の人心をとらえ、その行動に影響を与えるようになったのである。根底にあるのは「世論」を動かす要素としての合意であり、カロリング帝国の政治は支配エリート層であった「帝国貴族層」の合意に基づく営みであったところに特徴がある。むろん世論というとき、第一義的には聖俗の支配エリート層が念頭に置かれなければならないが、それだけには留まらなかった。かなりの広範な社会層が「世論」を下支えしていたのである。九世紀末から一〇世紀の初頭にかけて、帝国を構成したフランスやドイツやイタリアやロートリンゲンと称される帝国中央部で、カロリング家の血統以外の貴族が、それぞれの地域の国王に選ばれる事態が少なからず見られるようになる。それは聖俗の人々による広範な世論からの同意を踏まえてなされた選出であった。このような同意に基づく支配実践は、英国の歴史家マシュー・インネスによればヨーロッパ中世政治の「テンプレート」となったのである(Innes 2007: 534)。

二、文化活動の諸相

ポスト・ローマ期における実務記録の位相

最初に取りあげるのは、日常実践としての統治・行政に関連する書類作成の側面である。ポスト・ローマ的世界ではローマの統治システムが、地域による差異をはらみながらも継承され存続した。それぞれの部族国家において書記機能を担ったのは、地域の主要なローマ政庁や、都市の行政官吏であった。ペーター・クラッセンの古典的研究が明らかにしたように、部族国家の国王尚書局が発給した国王文書の書体は、旧ローマ属州政庁の役人文書の形式と書体を踏まえているところから、以前のローマ属州官吏たちを登用したと考えられる(Classen 1977: 187-195)。

国王文書の発給は、宮廷の国王尚書局でとりあえずは完結する作業であり、それ自体は比較的単純な事柄であるが、都市領域の租税徴収システムの維持は、課税の基盤となる住民の財産を正確に把握するという点で、複雑な作業を必要とする。個人への課税の対象として重要なのは、所有する土地財産の多寡である。これを把握するうえで大事なのは「都市登録簿 gesta municipalia」と呼ばれる制度であり、土地財産の移動を正式に登録する台帳のことである。これは各都市の市庁(curia publica)に置かれ、毎年四月一日に市長格のデフェンソールとボニ・ホミネスと称される有力市民団の司式のもとに、当該行為を証明する文書の登録の儀式が行われた(Barbier 2014: 53-491)。この手続きはきわめて重要である。それは現実に根拠をおいた徴税の土台であり、徴税システムが支障なく機能するための基盤だからである。

また土地売買、交換、寄進文書などが火災や戦乱で消失した際に、その事実を確認してもらい、必要に応じて当該文書の復原を意図する手続きを定めたいわゆる「証書滅失証明」の書式が『トゥール地方書式集』に見られる(佐藤一九九七：二二一―二二四頁)。

このようにポスト・ローマ期のフランキアでは、文書作成がローマ帝政末期と同じ水準と密度をもって実践されたか否かは別にして、文書が日常の生活実践の一部として機能せざるをえない社会のシステムが維持されていた。

世俗リテラシーの衰退

ポスト・ローマ期に見られる実務的な世俗のリテラシーは、八世紀になると顕著に後退した。その理由を突きとめるのは容易ではない。世俗リテラシーの衰退が、実務文書の作成を不可能にした結果であるのか、それともポスト・ローマ的統治機構の崩壊が、世俗リテラシーの衰退を招いたのか。それについては都市機能の低下が大きかったように思われる。たとえば租税はそれまでの都市共同体による徴収ではなく、トゥール司教グレゴリウスが著した『歴史十書』で幾つかのエピソードにおいては、中央の宮廷から派遣された徴収人らによって実施されるというように、国王権力が直接に所掌する事業となり、この分野での都市の重要な機能が停止してしまったのは一例である。

さらに王権が教会に対して、一定地域の租税収入を寄進したり、インムニタス(不輸不入)特権を賦与したりして、徴税対象から除外し、本来一律であるべき徴税組織がエメンタルチーズのように、そこかしこに穴が空いた極度に不斉一な状態になったことも影響している。先に触れた『歴史十書』でグレゴリウスが述べる五八九年の事件の発端は、ポワティエに課税査定の見直しのためにアウストラシアから派遣された宮廷役人たちが、この都市で隣接するトゥールの古い課税台帳の存在を知ったことによる騒動であった。派遣団は当初トゥールに関しては調査の意図はなかった。おそらくは聖マルティヌスへの崇敬と王権の帰依もあって、かなり早い段階で免税特権を得ていたことを認識していたからであろう。だがポワティエで、トゥールの課税台帳を示されたことで、この都市でも徴税の余地があるのではないかと考えた宮廷役人の疑念が引き起こした事態であり、その背後にはトゥール司教グレゴリウスに対して積年の恨みを持つ勢力が絡む込み入った経緯があるのだが(佐藤 二〇〇四:三一二〇頁)、それはともかくポスト・ローマ期フランク国家は著しく分節化された構造をもち、斉一的な統治、行政が困難な世界であった。こうした統治上の極度の多様性がそれまでの都市経営のありように根本的変化をもたらしたと思われる。

つまるところ都市の変質が、公的生活のなかで世俗的リテラシーを動員する機会を失わせるか、極端に狭めてしまうことになったと考えられる。

教会による代替

徴税は基本的には国家、すなわち王権による国家の経営に関する事柄であり、一般の住民にとっては、徴税という事態がなくとも何の痛痒も感じない。しかしながら同じ公共性の地平にあっても、各人の財産や所有権の保障という点になると、事情は別である。それまで自らの居住地が帰属する中心都市の市庁に具えられている都市登録簿に、所有地の権利を保障する文書が登録されることで守られていた権利が、都市の文書行政の衰退によって確保できなくなったならば、どのようにしてその権利が客観化され、保護されるのであろうか。人々の記憶という不確かな手段に依存することはできない。税とは異なり、自らの財産権の保障は人々にとって切実な願いであり、共同体に共通する重大な懸案となった。

カール・マルテルの臣下であったウィデラドゥスの寄進により、七一九年にブルゴーニュ地方にフラヴィニィ修道院が創建されたが、その遺言状の作成はマルクルフ書式集を手本に行われた。これを作成した修道士書記はマルクルフの当該書式にある「この文書が都市登録簿に登録され、もってその名義が他者から保護されるように」という文言に、加えて独自に「私は聖人Xの教会の文書庫に保存されるよう命ずる」と追記した。この事実は都市登録簿の元来の機能を教会の文書庫が継承したことの、紛れもない証言である(Rio 2009: 180-181)。

またポール・フォーエーカーはメロヴィング王朝期の紛争解決の裁定文書である「プラキタ」文書を詳しく研究し、それらがすべてセーヌ川より北の地域、すなわち都市機構が十全に機能しなくなった地域において作成されたものであり、本来であれば機能していた都市当局が担っていた役割を王権が肩代わりし、当該地域の有力修道院が引き受けた結果、修道院に伝来したと結論づけたのであった(Fouracre 1986: 23-43)。この事実は、文書による統治の物的基盤が失われた地域においても、それを代替・継承する手段を見つける必要に迫られるほど、文字記録を重視する傾向がメロヴィング期フランク社会に内在していたことを物語っている。

これに関連して、八世紀バイエルン地方の所見が興味深い。カロリング朝期にザルツブルクで編纂されたマルクルフ書式集には「火事で焼失した修道院に関連する国王命令」と題する書式が収録されている。その内容は一人の家臣(フィデリス)が国王のもとに伺候して、ある軍勢が自分の建設した修道院を襲撃し、放火して、修道院の財産はおろか当該人物が所有し保存していた文書が灰燼に帰したと訴えた。自らの財産によって修道院を建設することができる資力を具えた人物であるところから、国王の有力家臣であり、彼はいわば家修道院ともいうべき施設に自らの文書庫を設置していた。この書式をもとに作成された国王命令は、近隣住民の証言からこの人物の主張の正当性を認め、この人物の諸権利が爾今後代にわたって侵されてはならないとしている。

　このようにポスト・ローマ期の実務的文書行政の伝統は、往時の広範な基盤をもはや持っていないとしても、時代の変遷に対応しながら、その機能を縮小しながら存続し、文字記録による統治実践の伝統を継続させた(Brown 2002: 351-352)。注目されるのは、このような滅失文書に関する書式がライン川以東では古代ローマの属州ノリクムやラエティアと隣接するバイエルン地方にしか見られない事実である。ウォレン・ブラウンはそれを古代以来の持続的な文書作成慣行の存続と理解している。

図1　メロヴィング朝国王尚書局書体

図2　新半アンシアル書体

書体の進化

　文字を書き記すことは、統御された手の動きと目の連携によって達成される。それは実務文書の文字である場合でも、書物(写本)用の文字である場合でも同じである。文字を書くのは三本の指で、残る二本の指と手の甲の縁が、書く手全体を支える。書字行為の過程で時に書体が変容することが珍しくない。それは規範に則した線の書き順と、定まった線の方向性という条件の変化から生まれる。書体学はこの線引きの順序と方向性を「ドゥクトゥス」と称している(Mallon 1961: 553-578)。つまるところドゥクトゥスの変化が、書体の変容をもたらすのである。

ところでメロヴィング朝国王尚書局の書体［図1］は、先に指摘したように末期ローマ帝国の属州政庁が用いた書体であり、ローマ小文字草書体に発し、尚書局独特の技巧を施した書体であった。原本が六二五年にさかのぼるメロヴィング朝の国王文書は、七二二年までの現存する三四点が一貫してこの書体で書かれている。この書体では文字は互いに密着し、線は丸みをおび、張り出した弧線は細長く押し潰されている。二文字以上繫げてあたかも一字のように書く連綴文字（リガテュール）の多用などがその特徴である（Gaspari 1994: 67）。注目すべきは同時代の私文書もこの同じ書体が用いられたことである（Gaspari 1994: 89）。六八〇年代のサン・マルタン修道院会計文書も同じである。

これにたいして、聖書や教父の著作を筆写した書物用の書体は、新半アンシアル書体と呼ばれる書体［図2］であった（ビショッフ 二〇一五：一〇一頁）。現在、世界には八世紀末までに書かれた写本一八八四点が現存している（Bischoff 1992: 286-302）。新半アンシアル書体は四世紀に登場しており、九世紀以前に筆写された写本のほぼ半数でこの書体が用いられている（Gaspari 1994: 57）。しかし古書体学者フランソワーズ・ガスパリによれば、この書体の持つ意味は八世紀まで使用された写本作成面での大きな比重のゆえに、過大評価されている。九世紀以後この書体は標題や文頭装飾文字にしか使われなくなる。それは豪華写本のデザイン・アートの意味しかもたなくなる。

カロリング小文字書体の誕生と伝播

古書体学の巨匠ともいうべきベルンハルト・ビショッフは、書体の変容は草書体の変容から生まれるとしている（ビショッフ 二〇一五：六七頁）。先に挙げたローマ小文字草書体の特徴が修正される形で、新しい書体、すなわちカロリング小文字書体が七七〇年代に誕生した。基線の上で左に傾いた文字列は直角に、つまり垂直に並び、縦の線引きは太く、細い線引きは水平方向に引かれた（Gaspari 1994: 57）。連綴文字は顕著に減少した。その起源については諸説あるが、ここでそれらを逐一詳細に紹介することはできない。現在多くの専門家がほぼ同意しているのは、その揺籃(ようらん)の地が、どうやら北フランスのコルビー修道院であったらしいという点である(Stiennon 1973: 96; Ganz 1990)。フィリップ・ローエはこの修道院の写字僧マウドラムヌスをその先駆者としている(Lauer 1933: 435-438)。ジャック・スティエノンはマウドラムヌスの作とされる「アミアン聖書」を注意深く観察すれば、カロリング小文字書体の特徴的性格が見られ、逆にそれ以外の要素が完全に不在であることに強い印象を受けると記している。つまり全体として丸みをおびた字形、縦の太線と横の細線の均衡のとれた姿、頭頂部が丸いg、湾曲したaの線、読み易さ、文字列の規則性など、それらすべてが、この書体の新鮮味に溢れた、堅固な美しさを示しているとしている[**図3**](Stiennon 1973: 96)。さらにローエの説を引用しながら、欄外に記された「神への愛」からこの写本の作製を行わせたという付記に寄せて、それは読み手の利便を目指してもいたと主張している。それは規準化された書体を用いて、読み手の目に心地よい写本を短時間で、経済的に作製することを目的にしていたのである。

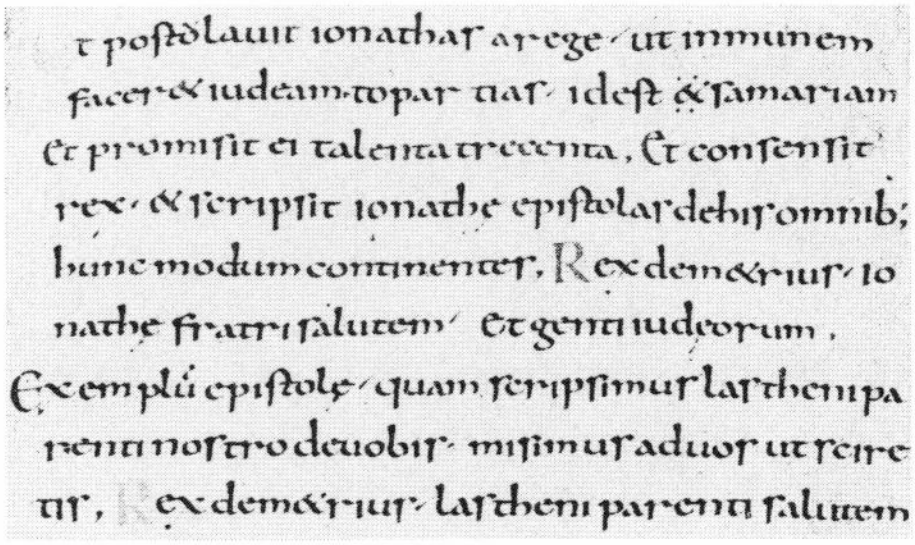

図3　マウドラムヌスの書体

　これはひとりコルビー修道院に留まる関心事ではなかった。それはカール大帝時代のライン川とロワール川の間の「フランキア」の修道院書写室すべてに関わる事柄であり、それゆえこの書体が瞬く間に伝播し、さらに磨きかけられたのであった。その点で起源はコルビーであったものの、その「誕生」がフランキア一円に帰せられるのであり、「カロリング小文字書体」という名称は実態を反映している。

　この新書体の誕生は、ピピン短身王に始まりカール大帝が完成させた典礼改革と連動していた。この改革にはむろん政治的な意味合いもあったが、何よりもフランク王国で見られた多様な起源の典礼を、ローマ典礼に一本化し統一するのが主たる

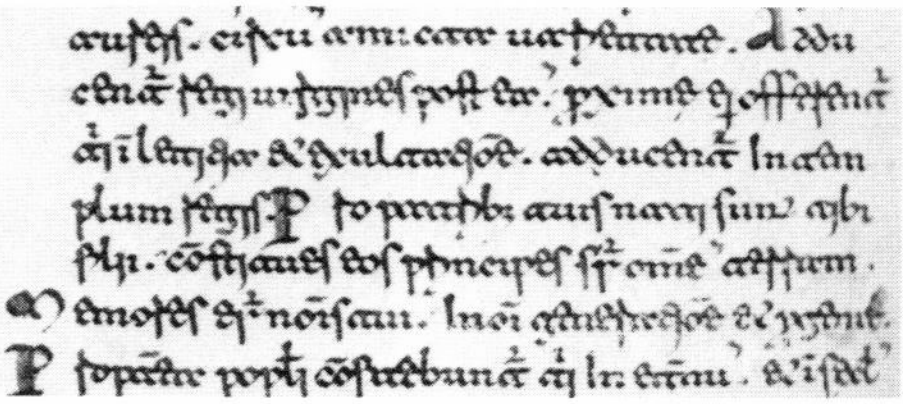

目的であった(Innes 2007: 464-465)。当然のことながら、そこには聖書をはじめとする各種の典礼関係の文献や、教父たちの著作を正確なラテン語で改訂する意図も含まれていた(佐藤 一九九五：二二九―二三三頁)。その意味でカール大帝治下の書体改革は、四世紀に始まる共通書体であった新半アンシアル書体で筆写された写本が内在させている典礼上の夾雑物を永久に排除する含意を秘めてもいたのである。新書体で筆写されたカロリング・ルネサンス時代の写本は約七〇〇〇点とされているが(ビショッフ 二〇一五：二八五頁)、廃棄の運命を迎えた写本がどれほどであったかは定かではない。

図 4　ベネヴェント書体

ベネヴェント書体の寄与

聖ベネディクトゥスが創建した南イタリアのモンテ・カッシーノ修道院は、一時ランゴバルド人の侵入によって荒廃したが、七一七年に再建されわずかの期間にその威信を取り戻した。七七四年のフランク人によるランゴバルド王国の征服は、モンテ・カッシーノの書写室に北イタリアの様々な修道院の書体の伝統を学ぶ機会を与え、やがてそれはベネヴェント書体[図4]という独自の書体を編み出す契機となった(Gaspari 1994: 73)。この書体は柔らかで太いタッチをもち、書体の下部の縦線がわずかに右に膨らむ特徴がある。またe、f、g、r、tの水平の線がそれぞれの文字を結ぶような印象を与えることで、張りつめた緊張感を醸し出す(ビショッフ 二〇一五：一四九―一五〇頁)。

この書体で書かれた写本だけで、現在まで継承された作品も少なくない。例を挙げるならばウァッローの『ラテン語考 *De lingua latina*』は、モンテ・カッシーノでベネヴェント書体で筆写された二点の写本で生き長らえた。タキトゥスの『同時代史 *Historiae*』と『年代記 *Annales*』や、アープレーイウスの『変身物語 *Metamorphoses*』も同様である。現在ヴァティカン図書館に収蔵されているベネヴェント書体で書かれたキケロの『スキピオの夢 *Somnium Scipionis*』は、この作品の最良の写本とされている。古代の著作だけではなく、中世に書かれた作品の写本もあり、貴重なのはトゥール司教グレゴリウスが著した『星辰の運行について *De cursu stellarum*』は、八世紀のベネヴェント書体の写本一点でしか伝来していない。そのほか医学校があったサレルノがモンテ・カッシーノ修道院に比較的近いこともあり、歴代の修道院長が医学関連の写本を数多く筆写したことが知られている(Lowe 1972: 16-21)。

この書体はモンテ・カッシーノ修道院からベネヴェント、ナポリ、サレルノ、バーリ、プーリア地方、アブルッツィ地方などの南イタリア一帯だけでなく、アドリア海を挟んだ対岸のザラ、ラグーサ、スパラトなどのダルマティア地方にも広まった(Gaspari 1994: 73)。

三、カロリング・ルネサンスとギリシア古典

アーヘン宮廷の「アカデメイア」

カール大帝は七六八年、その統治開始の最初のキリスト降誕節をアーヘンのウィラで祝っていた。この土地はもともと四世紀後半に荒廃したローマの大浴場があり、温水が湧出する源泉があった。すでに父王ピピン三世の頃から、この地は周辺に展開する王領地の中心として、国王の滞在地となっていた。カールは早い段階でこの地に莫大な費用をかけて大規模な宮廷を建設する計画を固め、七九〇年代にかけて作業を進め、マリアに捧げられた宮廷礼拝堂や、奥行四六メートル幅二〇メートルの大広間をもつホール、大帝の家族が生活する居住区画が設けられ、七九四年に完成した。そして宮殿施設の周辺には、宮廷に勤務する吏僚や、カールの宮廷で学術・文芸に勤しむいわゆる「宮廷人」の住まいが配置されていた。

カールは七七〇年代から文芸のパトロンとして登場するが、しばしば強調されるのとは異なり、ピエール・リシェによれば実はラテン語に通じ、ギリシア語を理解し、生涯を通じて知識欲は旺盛であった(リシェ 二〇〇二:六四―六五頁)。それはある歴史家が「カール大帝はリテラトゥスともイリテラトゥスとも言えない」と表現していることにも通ずる。この研究者によれば彼は文字を書くことはできなかった――しなかった? ――が、ラテン語を非常に巧みに操り、コンスタンティノープルから到来した外交使節の話すギリシア語を通訳を介さずに理解したとされている(Stevens 1999: 663)。

カール大帝は最初のローマ巡礼の七七四年に文法教師であったピサのペトルスを帰途フランキアに伴った。七七四年のランゴバルド王国の征服は、イタリアの知識人のフランキアへの流出を加速させたのであろう、その二年後にのちにアクィレイア大司教となる文法教師のパウリヌスをアーヘンに迎えた。さらに七八一年にはローマ行の折りに、パルマでアングロ=サクソン人アルクインに会い、アーヘン宮廷で教育者として勤務するよう慫慂(しょうよう)し、これを実現させた。七八二年にはパウルス・ディアコヌスも呼び寄せた。カールの脳裏には理想の君主像としてラテン語で「レクス・ドクトゥス」、すなわち「哲人王」というプラトン的な観念がたえず揺曳していたとされる。それに呼応するように、アルクインは七七九年のカール宛書簡の中で次のように述べている。

「もし多くの人々が、陛下が考える学問の素晴らしい目的に向かって邁進するならば、新しいアテネがフランキアに生まれるやも知れません。まさしくより洗練されたアテネが。このアテネは主キリストの教えにより高貴にされ、アカデメイアが学問で得た知識を悉(ことごと)く凌駕します。プラトンの教えに学ぶだけのあのアテネは、その卓越と名声を自由学科によって得ていました。新しいアテネは聖霊により七倍も豊になり、世俗の達成を悉く凌駕するのです」

ピーター・ゴッドマンはアルクインの右の言葉を、「カロリング・ルネサンス宣言」と称した。「新しいアテネ」というヴィジョンは、いまだ西欧の君主によって抱懐されたことのない理念であった(Godman 1987: 39-40)。アーヘン宮廷の知的サークルでアカデメイアよろしく議論を戦わせる主要な人物は、みな綽名で呼び合った。カール大帝はダビデ、ホメロスはサン・リキエ修道院院長アンギルベルト、ホラティウスはアルクインといった具合である。仮の名で呼び合うのは、おそらく現実の身分と社会的地位から離れて対等に議論を深めるための配慮と思われるのである。アルクインのギリシア語能力については疑問が付されることがあるが、オルレアン司教でギリシア語が盛んに使われた北スペインから到来したテオドゥルフスと協力して、ビザンツ帝国の聖画像破壊運動(イコノクラスム)に反駁する『カールの書 *Libri Carolini*』を著したことで、彼がアリストテレスの『範疇論』の読者であったことが明らかになっている(Gougenheim 2017: 159-160)。

ギリシア的教養の深化

多くの研究者は、ポスト・ローマ期以後の西ヨーロッパにおける古典ギリシア文化の継承の衰退、あるいは終焉を指摘した。この分野の最高峰と呼べるピエール・クールセルは一九四八年に刊行した『マクロビウスからカッシオドルスまでの西欧におけるギリシア語文献』を、「哲学者のヘレニズムと教父のヘレニズムの合体」という形でしか生き長らえなかったと記し、その純粋に世俗的なヘレニズムの終わりを六世紀末に想定した(Courcelle 1969: 421)。クールセルから半世紀後の世代の歴史家も、イコノクラスム問題におけるフランク側の対応に関連して、後者におけるギリシア語学習の衰退を指摘する(Innes 2007: 463)。

こうした認識は一般論としては妥当と言えるであろう。だが、そのことは宮廷に集う少数のエリート知識人や、修道士知識人には必ずしも当てはまらない。ある思想、あるいは思考様式、論理操作、概念操作などの高度に知的な営為は、優れて個別的な事象であり、時代の一般的な趨勢には解消できない類いの事柄である。そしてここで我々が問題にしたいのは、か細い一筋の線で結ばれていたに違いないその文化継承の重みである。

中世初期の希有な哲学精神の持主と言われたフリドギススはアングロ＝サクソン出身で、七六九年にフランキアに到着した(Brunhölzl 1991: 76-77)。一時期アーヘン宮廷に滞在した後に、八〇四年に師アルクインの後継者としてトゥールのサン・マルタン修道院の院長となった。この修道院書写室が多くの美麗な豪華写本を生みだしたのは彼の院長在位期であった。彼が著した纏まった著作で現在まで伝来しているのは『無と闇の実体について』と題する哲学的小論である。それはカール大帝の生前に提示され、宮廷サークルで討議されたものの、解答は得られなかった。提題は「無」は実体であるのか、それともそうではないのかという内容である。フリドギススは事物の一般概念に依拠しつつ、然りと答える。なぜなら命名は名指された事物の実在を想定するからである。その結果「無」とは一種の原初的な巨大な総体であり、その創造主は天使や人間や大地、水その他一切を造りだす。

続く部分では闇はひとつの実体なのか、それとも単に光の欠如であるかを問う。ここでは『旧約聖書』「創世記」の「そして闇が深淵の面にあり et tenebrae erant super faciem abyssi」を引き、それゆえ闇は実在するとして、聖書の闇に関係する様々の箇所を引きながら議論をする。注目されるのは、彼はその議論を三段論法の方法を駆使して行っている事実である。その素養はおそらく大陸に到来以前にヨークで身につけたものかも知れない。後にスコラ学の学徒によって、そのアリストテレス的な弁証学的議論がしばしば引用され、中世文学の大家フランツ・ブルンヘルツルはフリドギススの議論に前スコラ学的特徴を指摘している(Brunhölzl 1991: 77)。

カール大帝の息子ルイ敬虔帝について、伝記作者テガヌスは二度にわたって、ルイがギリシア語話者であることを証言している。彼はその死の直前まで四福音書の訂正を、ギリシア語とシリア語(!)の助けをかりて行っていたことを証言している(Theganus 1995: 184-185, 200-201)。

アイルランド人ヨハネスの天稟

フリドギススが歿してから、約二〇年後アイルランド人ヨハネス・スコトゥス・エリウゲナが、中世初期のアイルランド人のなかで最大の賛辞をかち得た人物として活躍した。彼は八五〇年頃にカール大帝の孫で西フランク王シャルル禿頭王の宮廷に突然に姿を現し、八七〇年頃に忽然として消息を絶った。ブルンヘルツルが言うようにまさしく彗星のような存在であった（Brunhölzl 1991: 221-229）。おそらく故国アイルランドで学んだ——当時アイルランドはヨーロッパで『新約聖書』の言葉であるギリシア語の学習が最も盛んな土地であった——ギリシア語を巧みに操り、しかもキリスト教神学の重要文献である『ディオニュシオス・アレオパギテス』のラテン語訳を、一人のギリシア人とギリシア語を解する東方出身者の助けを借りて完成させている。ギリシア語の詩作品の見事さからすれば、単独での翻訳も可能であったであろうが、その分量のゆえの措置であったにちがいない。彼は一貫して俗人であり続け、宮廷学校の教師として後にオーセール司教となるウィクバルドや、アングレーム司教のエリアを教育した。

ゴッドマンによれば、シャルル禿頭王の宮廷は古典ギリシアの教養とギリシア語熱が甚だしく、何かにつけコンスタンティノープル宮廷を見倣おうとする国王のために、ヨハネスは宮廷の知的流行にあわせて詩作しただけでなく、詩作品に匹敵する大胆さで際立つ哲学、神学の著作の豊かさでも同時代人を凌駕している（Godman 1985: 59）。彼の奇矯な人となりを示しているのが、宮廷の同僚であったランス大司教ヒンクマルスの墓碑銘である。それは「盗人にして強欲のヒンクマルスここに眠る／彼の為せし高貴なる行ないひとつは、彼が死せること」というもので、しかもヒンクマルス自身が依頼者であったとされている。

その後一〇世紀に入っても、ギリシア語を習得した知識人のリストは長い。サン・ジェルマン修道院のアボン、クレモナ司教リウトプランド（リウトプランド 二〇一九）、ジェルベール・ドーリヤックと続く。こうした個別断片的な事実でも、その背後には無視できない事実連関の広がりを蔵しているところから、この問題を考える上で無視するのは危険である。たとえばカロリング・ルネサンスの表舞台ではないが、ラン（Laon）の修道院ではギリシア語とヘブライ語の教育も実践されていた(Stevens 1999: 663)。九七五年に死歿したザクセンのガンダースハイム尼僧院のフロスヴィタはアリストテレスの『論理学』を使用しているし、同尼僧院のゲルベルガは、尼僧たちにギリシア語を教授していた。そしてバイエルン地方にあるテゲルンゼー修道院長フロモンは、九九〇年頃にケルンの聖パンテレオン修道院滞在中にギリシア語の文法書を著している(Gouguenheim 2008: 44)。一〇、一一世紀のスペインのカタルーニャ地方の修道院では、アリストテレスの『論理学』が、どこでも共通して図書室が具えるべき書物であった(Zimmermann 1990: 512)。

ノルマンディーへの道

しかし一二世紀以降のアリストテレスの著作への関心の高まりとの関係で、重要なのはノルマンディー地方の修道院の動向である。なかでも上ノルマンディー地方に一〇三四年終わりから翌年初めにかけて創建されたベック修道院は(Lemarignier 1982: 91-108)、その重要な震源地となったとされている(Viola 1967: 291)。

ベック修道院はこの地方の貴族ヘルイヌスが齢四〇歳に達した折りに、天啓を受けて自らの広大な家領を修道院財産として寄進し創建したものであった。興味深いことに、修道士としての経験を経ないで古代末期の聖アントニオスやパコミオス、砂漠の修道士などの伝記を読み、ヘルイヌスがいわば独力で組織したものであった。リズュー司教ヘルベルトゥスの祝福で修道院の存在を承認されたものの、司教への服属の誓約をしておらず、その意味で教会組織の種々の拘束から「自由」な組織であった(Dickson 1982: 107-123; Foulon 2015: 57-83)。

ヘルイヌスが仲間とともに自らの労働で建物を建てつつあった時期に、後にイングランドのカンタベリィ大司教となるイタリアのパヴィーア出身のランフランクが、「これ以上貧しく、世に知られていない」組織もないことに惹かれて到着した。北イタリア各地の学校で自由学科を学んだ後に、教師になるべくアルプスを越えてブルゴーニュ地方やロワール地方を巡った後にノルマンディーにやって来たのであった。ランフランクとおなじイタリアのアオスタ渓谷で二四年後れて生まれたアンセルムは、一〇六〇年にベック修道院に姿を現した。修道院学校でランフランクに学び、ゆくゆくは師と同様カンタベリィ大司教に叙任されることになる。

現在ではその蔵書の大部分が失われてしまったこの修道院では、一二世紀に蔵書カタログが作成されたが、そこから六世紀前半に東ゴート王国で刑死したボエティウスがラテン語に翻訳したアリストテレスの全作品を所蔵していた事実が知られる(Viola 1967: 291)。すなわち『範疇論』、『命題論』、『分析論前書』、『分析論後書』、『トピカ』、『詭弁論駁論』である(Brunhölzl 1990: 33-34)。これらすべての写本がカッシオドルスがイタリア半島の最南端に創建したヴィヴァリウム修道院に収蔵されたか不明であるが、この修道院が七世紀前半に衰退した折りに蔵書は散逸した。その多くが北イタリアのボッビオ修道院の所蔵になったというのが、クールセルが支持する見解であるが(Courcelle 1967: 362-363)、現在ではボッビオ以外にヴァティカン図書館やヴェローナの教会参事会図書室にも収蔵されたとするのが最新の見解である(Jenal 1995: 178)。

ランフランクとアンセルムの二人ともアリストテレス哲学に強い関心をもち、アリストテレスの知的道具立てで、洒落を言い合ったと言われている。とくにアンセルムは後に著作『プロスロギオン』(一〇七七年)において、存在論的思考をもって神の存在証明を試みたことで有名であり、一三世紀のトマス・アクィナスに代表されるスコラ学の先駆と言われるゆえんである(Haren 1985: 83-104)。そうした論理志向の濃厚な神学は、アリストテレスの諸著作への親炙なしには想定するのが困難である。

モン・サン・ミシェル修道院の知的環境

ノルマンディー地方の西端に位置するアヴランシュ市の市立図書館は、モン・サン・ミシェル修道院図書室旧蔵写本を数多く所蔵していることで名高い。それは修道院との地理的な近さが理由であろう。この市立図書館で写本番号二二九番の集合写本に「カロリング・ルネサンス」期のアリストテレス関連論文が含まれていた(Viola 1967: 290)。

ここにひとりの修道士が登場する。彼の名前は「ヴェネツィアのヤコブス」である。ベック修道院出身で一一五四年にモン・サン・ミシェル修道院の院長に選ばれたトリニィのロベルトゥスは、多くの年代記的著作を単独で、あるいは共同で行っているが、そのひとつにジャンブルーのシジュベール(Sigebert de Gembloux)が著した『世界年代記』形式の著作があり、これは韻文で一一〇〇年からロベルトゥス自身の歿年である一一八六年まで書き継いだ作品である。そのオリジナル写本にのみ、一一二八年から二九年の項目に後にロベルトゥス自身が付した書き込みがある。「ヴェネツィアのヤコブスなる修道士がアリストテレスの下記のような書物をギリシア語からラテン語に翻訳した。すなわち『トピカ』、『分析論前書』、『分析論後書』、『詭弁論駁論』、さらに彼が所有するこれらの書物のより古い翻訳について解説した Jacobus clericus de venecia transtulit de greco in latinum quosdam libros aristotilis et commentatus. est. scilicet topica. analyticos priores et posteriores, et elencos, quamvis antiquior translatio super eosdem libros haberetur」(Viola 1967: 290)。この付記を素直に読むならば、ヴェネツィアのヤコブスがアリストテレスの右に掲げた作品をラテン語に翻訳し、より古い翻訳に解説を加えたという事実をロベルトゥスが知り、これを自らが執筆する年代記に欄外付記の形で記したということになる。そしてこの翻訳がなされたのが一一二八／二九年であったと理解されるのである。これが真実であるならば、明らかに一一三〇年以前にアリストテレスの論理学関連の著作のラテン語訳が存在したとみなさなければならない。ちなみにロベルトゥスがこの情報を入手したのは、彼がモン・サン・ミシェルの院長に就任した一一五四年以後のことであるのは確実で、コロマン・ヴィオラは二つの可能性を挙げている。ひとつはその情報を一一六三年にトゥールで開催された地方公会議の折りに、出席した誰かから得た可能性である。もうひとつは一一五九年にアリストテレスの『論理学』を利用して、『メタロギコン』を完成させたシャルトル司教のジョン・オブ・ソールズベリィから知らされた可能性である。ヴィオラは後者の可能性がより高いとしている(Viola 1967: 293)。

ギリシア語学習の伝統も、アリストテレスを含むギリシア哲学への関心も、波動の振幅に大小はあるものの、カロリング・ルネサンスを挟んで連続していた事実を強調しておかなければならない。ヴェネツィアのヤコブスの功績に関して言えば、クレモナのゲラルドゥスが多大な努力をはらってアラビア語を学び、アラビア語のアリストテレス本をラテン語に翻訳する半世紀前に、ラテン語のアリストテレスの主要著作は存在し、少数の知的エリート間でその認識は共通のものとなっていたのである。それではゲラウドゥスは鍵の掛かっていないドアに体当たりを食らわせるような仕儀に及んだのであろうか。それとも彼にはアラビア語を学ぶ目的が別にあったのであろうか。たとえばC・H・ハスキンズが強調するように、彼が鍾愛してやまないプトレマイオスの天文学書『アルマゲスト』の翻訳のような(ハスキンズ 一九九七:二四〇―二四一頁)。もしそうであるならば、ここでも知を渇仰してやまない中世ヨーロッパ知識人の熱い息吹を感じ取らなければならない。

注

(1) カロリング帝国における政治的コミュニケーションの問題は、わが国の西洋中世学会の英文電子ジャーナル『Spicilegium』第三号(二〇一九年)の主題となっている。http://spicilegium.net を参照。

参考文献

北村忠夫(一九六九)「七・八世紀転換期における初期カロリンガー権力の東進――帝国貴族層成立史序説」久保正幡編『中世の自由と国家――西洋中世前期国制史の基礎的諸問題』下巻、創文社。
佐藤彰一(一九九五)「識字文化・言語・コミュニケーション」佐藤彰一・早川良弥編著『西欧中世史――継承と創造』上巻、ミネルヴァ書房。
佐藤彰一（一九九七）『修道院と農民――会計文書から見た中世形成期ロワール地方』名古屋大学出版会（新装版、二〇二二年）。
佐藤彰一（二〇〇〇）『ポスト・ローマ期フランク史の研究』岩波書店。
佐藤彰一（二〇〇四）「司教グレゴリウスの沈黙――歴史叙述とその作者」藤井美男・田北廣道編著『ヨーロッパ中世世界の動態像――史料と理論の対話』九州大学出版会。
デイヴィス、ウェンディ編（二〇一五）『オックスフォード ブリテン諸島の歴史3 ヴァイキングからノルマン人へ』鶴島博和日本語版監修監訳・堀越庸一郎ほか訳、慶應義塾大学出版会。
ハスキンズ、チャールズ・H（一九九七）『十二世紀ルネサンス』別宮貞徳・朝倉文市訳、みすず書房。
ビショッフ、ベルンハルト（二〇一五）『西洋写本学』佐藤彰一・瀬戸直彦訳、岩波書店。
リウトプランド（二〇一九）『コンスタンティノープル使節記』大月康弘訳、知泉書館。
リシェ、ピエール（二〇〇二）『ヨーロッパ成立期の学校教育と教養』岩村清太訳、知泉書館。
Barbier, Josiane (2014), *Archives oubliées du haut Moyen Âge : Les gesta municipalia en Gaule franque (VIe-IXe)*, Paris, Honoré Champion.
Bischoff, Bernhard, Virginia Brown, James J. John (1992), "Addenda to Codices Latini Antiquiores", *Medieval Studies*, 54.
Borgolte, Michael (1984), *Geschichte der Grafschaften Alemanniens in fränkischer Zeit*, Sigmaringen, Jan Thorbecke.
Brown, Warren (2002), "When Documents are Destroyed or Lost: Lay People and Archives in the Early Middle Ages", *Early Medieval Europe*, 11-4.
Brunhölzl, Franz (1990), *Histoire de la Littérature latine du Moyen Âge*, 1-1, Turnhout, Brepols.
Brunhölzl, Franz (1991), *Histoire de la Littérature latine du Moyen Âge*, 1-2, Turnhout, Brepols.
Frère Pradié, Pascal (éd. et trad.) (1999), *Chronique des abbés de Fontenelle (Saint-Wandrille)*, Paris, Les Belles Lettres.
Classen, Peter (1977), *Kaiserrescript und Königurkunde : Diplomatische Studien zum Problem der Kontinuität zwischen Altertum und Mittelalter*, Thessalonike, Κεντρον Βυζαντινων Ερευνων.
Courcelle, Pierre (1969), *Late Latin Writers and Their Greek Sources*, Henry E. Wedeck (trans.), Cambridge / Massachusetts, Harvard University Press.

Dark, Kenneth (1999), *Civitas to Kingdom: British Political Continuity 300–800,* London, Cassell.

Delogu, Paolo (1995), "Lombard and Carolingian Italy", The *New Cambridge Medieval History,* vol. II, Cambridge, Cambridge University Press.

Devroey, Jean-Pierre (2019), *La nature et le roi : Environnement, pouvoir et société à l'âge de Charlemagne (740–820),* Paris, Albin Michel.

Dickson, Marie-Pascal (1982), "Quelques apects de la personnalité d'Herluin, fondateur de l'abbaye du Bec", *Actes du colloque, Sous la règle de saint Benoît : Structures monastiques et société en France du Moyen Âge à l'Époque Moderne,* Paris, Librairie Droz.

Duby, Georges (1973), *Guerriers et paysans, VIIe–XIIe siècle, premier essor de l'économie européenne,* Paris, Gallimard.

Ewig, Eugen (1988), *Die Merowinger und das Frankenreich,* Stuttgart, Kohlhammer.

Foulon, Jean-Hervé (2015), "La liberté de l'abbaye du Bec entre image et réalité : Réflexions autour d'un modèle réformateur normand aux XIe–XIIe siècles", *Autour de Lanfranc (1010–2010) : Réforme et réformateurs dans l'Europe du Nord-Ouest (XIe–XIIe siècles),* Caen, Presses universitaires de Caen.

Fouracre, Paul (1984), "Observations on the outgrowth of Pippinde influence in the 'Regnum Francorum' after the battle of Tertry (687–715)", *Medieval Prosopography,* 5–2.

Fouracre, Paul (1986), "'Placita' and the settlement of disputes in later Merovingian Francia", *The Settlement of Disputes in Early Medieval Europe,* Cambridge, Cambridge University Press.

Fouracre, Paul (2000), *The Age of Charles Martel,* London, Longman.

Fried, Johannes (2013), *Karl der Grosse : Gewalt und Glaube : Eine Biographie,* München, C. H. Beck.

Gasparri, Françoise (1994), *Introduction à l'histoire de l'écriture,* Tournhout, Brepols.

Ganz, David (1990), *Corbie in the Carolingian Renaissance,* Sigmaringen, Jan Thorbecke.

Gouguenheim, Sylvain (2008), *Aristote au Mont Saint-Michel : Les racines grecques de l'Europe chrétienne,* Paris, Seuil.

Gouguenheim, Sylvain (2017), *La gloire des Grecs sur certains apports culturels de Byzance à l'Europe romane (X^e–XIIIe siècle),* Paris, Cerf.

Godman, Peter (1985), *Poetry of the Carolingian Renaissance,* London, Duckworth.

Godman, Peter (1987), *Poets and Emperors : Frankish Politics and Carolingian Poetry,* Oxford, Clarendon Press.

Haldon, John (1990), *Byzantium in the Seventh Century : The Transformation of a Culture,* Cambridge, Cambridge University Press.

Haren, Michael (1985), *Medieval Thought : The Western Intellectual Tradition from Antiquity to the 13th Century*, London, Macmillan.

Hellman, Manfred (1965), "Karl und die slawische Welt zwischen Ostsee und Böhmerwald", *Karl der Grosse : Lebenswerk und Nachleben,* Bd. 1, Düsseldorf, Verlag L. Schwann.

Innes, Matthew (2007), *Introduction to Early Medieval Western Europe, 300-900 : The Sword, the Plough and the Book,* London, Routledge.

Jenal, Georg (1995), *Italia ascetica atque monastica : Das Asketen- und Mönchtum in Italien von den Anfängen bis zur Zeit der Langobarden (ca. 150 /250-604),* Bd. 1, Stuttgart, Anton Hiersemann.

Jong, Mayke de (2009), *The Penitential State : Authority and Atonement in the Age of Louis the Pious, 814-840,* Cambridge, Cambridge University Press.

Keynes, Simon (1995), "England, 700-900.", *The New Cambridge Medieval History,* vol. II, Cambridge, Cambridge University Press.

Lauer, Philippe (1933), "La réforme carolingienne de l'écriture latine et l'école calligraphique de Corbie", *Mémoires présentés par divers savants à l'Académies des Inscriptions et Belles-Lettres de l'Institut de France,* t. 13, 2e partie.

Lebecq, Stéphane (1983), *Marchands et navigateurs frisons du haut moyen âge,* 1, Lille, Presses Universitaires de Lille.

Lemarignier, Jean-François, É. Lamon, V. Gazeau (1982), "Monachisme et aristocratie autour de Saint-Taurin d'Evreux et du Bec (X^{e}-XIIe siècles)", *Aspects du monachisme en Normandie (IVe-XVIIIe siècles),* Paris, J. Vrin.

Lexikon des Mittelalters, (1980-1999), 9 Bde., München, Artemis Verlag.

Lowe, Elias A. (1914), *The Beneventan Script : A History of the South Italian Minuscule,* Oxford, Clarendon Press.

Mallon, Jean (1961), "Paléographie romaine", *Histoire et ses methodes,* Paris, Librairie Gallimard.

Mckitterick, Rosamond (2008), *Charlemagne : The Formation of a European Identity,* Cambridge, Cambridge University Press.

Naismith, Rory (2012), *Money and Power in Anglo-Saxon England : The Southern English Kingdoms, 757-865,* Cambridge, Cambridge University Press.

Reindel, Kurt (1965), "Bayern im Karolingerreich", *Karl der Grosse : Lebenswerk und Nachleben,* Bd. 1, Düsseldorf, Verlag L. Schwann.

Rio, Alice (2009), *Legal Practice and the Written Word in the Early Middle Ages : Frankish Formulae, c. 500-1000,* Cambridge, Cambridge University Press.

Stevens, Wesley M. (1999), "Karolingische Renovatio in Wissenschaften und Literatur", *799. Kunst und Kultur der Karolingerzeit : Karl de Große und Papst Leo III. in Paderborn,* Bd. 3, Mainz, Verlag Philipp von Zabern.

Stiennon, Jacques (1973), *Paléographie du Moyen Âge,* Paris, Armand Colin.

Stoclet, Alain (2013), *Fils du Martel : La naissance, l'éducation et la jeunesse de Pépin, dit "le Bref" (v. 714-741),* Turnhout, Brepols.

Story, Joanna (2003), *Carolingian Connections : Anglo-Saxon England and Carolingian Francia, c. 750-870,* Aldershot, Ashgate.

Tellenbach, Gert (hrsg.) (1957), *Studien und Vorarbeiten zur Geschichte des Grossfränkischen und frühdeutschen Adels,* Freiburg im Breisgau, Eberhard Albert Verlag.

Theganus (1995), "Gesta Hludowichi imperatoris, cap. VII et cap. XIX", *Monumenta Germaniae Historica, Scriptores rerum Germanicarum in usum Scholarum separate editi,* t. LXIV, Ernst Tremp (hrsg. und übersetz.), Hannover.

Viola, Coloman (1967), "Aristote au Mont Saint-Michel", *Millénaire monastique du Mont Saint-Michel, II. Vie montoise et rayonnement intellectuel,* Paris, P. Lethielleux.

Werner, Karl-Ferdinand (1965), "Bedeutende Adelsfamilien im Reich Karls des Grossen", *Karl der Grosse : Lebenswerk und Nachleben,* Bd. 1, Düsseldorf, Verlag L. Schwann.

Werner, Matthias (1980), *Der Lutticher Raum in frühkarolingischer Zeit, Untersuchungen zur Geschichte einer karolingischen Stammlandschaft,* Göttingen, Vandenhoeck & Ruprecht.

Wickham, Chris (2005), *Framing the Early Middle Ages : Europe and the Mediterranean, 400-800,* Oxford, Oxford University Press.

Wickham, Chris (2009), *The Inheritance of Rome. Illuminating the Dark Ages 400-1000,* New York, Viking Press.

Wolff, Philippe (1965), "L'Aquitaine et ses marges", *Karl der Grosse : Lebenswerk und Nachleben,* Bd. 1, Düsseldorf, Verlag L. Schwann.

Zimmermann, Michel (1990), "La connaissance du grec en Catalogne du IXe au XIe siècle", *Haut Moyen Âge : Culture, éducation et société.* Nanterre, Publidix.

コラム｜*Column*

フランク王国の法文化とテクスト

菊地重仁

メロヴィング朝とカロリング朝のフランク王権は、約五世紀間に西欧の広範囲に支配圏を広げ、その過程で複数のエトノス集団を支配下においた。王権が有力者層との連携により統治体制を整えていく中、フランク人が併合地へ送り込まれる一方、例えばアレマン人やバイエルン人の一部有力者がフランク人と並び北イタリアへ移るなど、濃淡はあれマルチ・エスニックな状況が王国各地に現出した。その際、一般的に適用すべき王令が発せられ、あるいは宮廷や王国集会での決定事項を記載したテクスト（王令とあわせ、これら一連の条項状のテクスト群は「カピトゥラリア」と呼ばれてきた）が各地に伝達・実行された。しかしどのエトノスに属していようとも、「自らの法」の下で生きることが保障されたため、フランク王国は法多元主義的状況にあった。法典の日本語訳も刊行されている「サリカ法」や「リプアリア法」、「バイエルン人の法」や「ランゴバルド人の法」などがこうした法に含まれる。実際、財産の売買・譲渡など種々の法行為を記録した文書に、証人たちが自らの従う法を明示しつつ署名していたことを、例えば九世紀の北中部イタリアで確認できる。

こうした法が成文化された法典や「カピトゥラリア」といったテクストが成立した時の「原本」自体は残念ながら伝来していない。我々が目にするのは全て同時代あるいは後代に何らかの手稿本に収録されたテクストである。これらの手稿本の中には、修道院などで教本として使われたと考えられるものもあれば、俗人有力者が裁判集会での司法など実務に備えて保有したと考えられるものも存在する。こうした用途の手稿本の存在は、当時の蔵書カタログからも窺える。例えばフリウリ辺境伯エベラルドやマコン伯エッカールの遺言書からは彼らの蔵書に『サリカ法典』などの法書が含まれていたことがわかる。エベラルドが所有していたのは、フェリエールの修道士ルプスが編んだもので、当時の北イタリアの社会状況を反映し、フランク人・ランゴバルド人・アレマン人・バイエルン人の法の他、一連の「カピトゥラリア」（これらも王たちが制定した「法」として扱われた）も収録していた。

他方、サン・リキエ修道院の九世紀の蔵書リストは、ローマ法や『サリカ法協約』などの書冊を、「諸王の事績や諸地域の状況を記した古の著作家たちの書物」のグループの中に数えている。八世紀末以降九世紀にかけて同修道院の複数の院長たちがミッシ・ドミニキ（王の使者）として王国統治に関与していたことを踏まえると、この「法書」が実務において使用された可能性は否定できない。しかし同時に、『サリカ法協約』本が通例通り、同法がテクストとして成立した事情を語る序文を伴っていたとするならば、サン・リキエの修道士たちがこの法テクストを歴史的なものとして読んでいても不自然ではない。先に述べたルプス編纂のコレクションも、オクタウィアヌス以降ルートヴィヒ（ルイ）敬虔帝に至る皇帝リストや「立法者」図像を含んでおり、各エトノス集団の法的伝統や、立法者の系譜の中でのフランク王権の位置付けなどが強く意識されていた。一二世紀初頭の世界年代記著者ジャンブルーの修道士シゲベルトゥス（シジュベール）が、フランク時代部分の執筆にあたりカロリング期に編まれた法的テクストのコンピレーションを利用したことからも、初期中世における法・規範テクスト集成の読み方の一面が窺える。

このシゲベルトゥスが利用した可能性があるのが、フランス国立図書館所蔵ラテン語手稿本九六五四番である。玉座につくフランク王の線描画（図版）に始まり、「カピトゥラリア」

権標をもち玉座につくフランク王（シャルル禿頭王？）．パリ，フランス国立図書館，Ms. lat. 9654, fol. A^{V}.（出典：P. E. Schramm, *Die deutschen Kaiser und Könige in Bildern ihrer Zeit 751-1190*, F. Mütherich (hg.), München, 1983, S. 318）

集成、ピピンに至るフランク王のリスト、フランク人の法三書、アレマン人の法、バイエルン人の法を含み、先に述べた実践性と歴史的象徴性の双方を見てとれる。注目すべきは「カピトゥラリア」部分で、九世紀の異なる時期に個別にまとめられた三つの集成で構成されている。うち二つはサンスで成立したと考えられるが、そこには他地域で統治実践に用いられたテクストも含まれている。サンス地域の王の代理人（サンス大司教？）が「カピトゥラリア」の伝達と実践を重ねる中、参照資料として冊子にまとめる必要が生じ、その際に情報を補足するため他地域の同僚が用いたテクストを入手したのだろう。これらの冊子が、フォントネル修道院長アンセギスによる「カピトゥラリア」集成の増補版と結合し、さらに種々の法典などが付加され、現在見られる形のまとまりが成立した。単葉の羊皮紙に記され統治実践に用いられた「カピトゥラリア」が集積され、編纂され、編纂物同士が結合し、他のテクストも加えられてモニュメンタルな法書となったのだ。

個々の手稿本に収録されたテクストの構成は多様であり、また、同じテクストが同様に収録されているとも限らない（その意味でも、単純な「写本」とは言い難い）。「原本」の復元を目指して校訂されたテクストを分析するだけでなく、個々の手稿本の個性を読み解いていくこともまた、フランク時代の法文化研究に携わる現在の研究者に強く求められている。

問題群｜*Inquiry*

ウラマーの出現とイスラーム諸学の成立

森山央朗

一、はじめに

「学者たちは預言者たちの相続人である。預言者たちは金貨も銀貨も遺さず、知識を遺した」。これは、預言者ムハンマド(六三二年没)に帰された言葉の一部である。「預言者たち」とは、ムハンマド本人と、モーセやイエスといった、イスラーム教においてムハンマドに先立つ預言者と信じられる人々を指す。とはいえ、この言葉をムハンマドの言葉と信じてきたムスリム(イスラーム教徒)たちにとって、最も重要な預言者がムハンマドであることは言うまでもない。こうしたムハンマドの言葉や行為を語る伝承を、アラビア語で「ハディース」という。「ハディース」は、字義的には「伝承」や「物語」全般を意味するが、イスラーム教の宗教的な文脈においては、特にムハンマドの発言や行為に関する伝承を指す。本稿においても、「ハディース」をムハンマドの言行に関する伝承に限定して用い、それ以外の伝承には「伝承」の語を充てる。

右のハディースの冒頭にある「学者たち」とは、アラビア語の原文に「ウラマー」とある単語の訳である。「ウラマー」は複数形であり、単数形は「アーリム」が用いられる。「ウラマー」は「知る人々」を原義とし、学問分野を問わず「学者たち」全般を意味することもある。しかし、前近代の中東ムスリム社会においては、イスラーム法やコーラン(クルアーン)、ハディースなど、イスラーム教の宗教的知識に精通した学者たちを指すことが圧倒的に多く、現代のイスラーム史研究においても、イスラーム諸学の知識人を指す学術用語として、単数名詞と集合名詞の双方で用いられてきた。本稿では、イスラーム教の宗教知識人としてのウラマーのなかから、八世紀から一一世紀にかけてハディースに関する研究で活躍した学者たちに焦点を当て、彼らがハディースをめぐる理論と実践をどのように発展させたのかを跡づけることで、ウラマーの出現とイスラーム諸学の成立を描く。

二、ハディースの流布とウラマーの出現

ハディースは、預言者ムハンマドの一生を一貫して物語る伝記ではない。様々な場面場面におけるムハンマドの発言や行動などを、生前のムハンマドから直接教えを受けた第一世代のムスリム(教友)たちの中で、その場に居合わせて見聞きした者たちから、それぞれに語り伝えられたとされる短く断片的な無数の伝承である。その総数は不明であるが、万の桁を超えることは確かである。また、教友の言行に関する伝承の中にハディースが入れ込まれることも多い。例えば、本稿冒頭の言葉は、著名な教友で、ダマスクスの初代カーディー(イスラーム法の裁判官)とされるアブー・アッ＝ダルダー(六五二年頃没)に関する次のような伝承の中で語られる。

〈コーラン読誦者のアブー・アル＝ハサン・アリー・ブン・アフマド・ブン・ウマルが我々に伝え、彼にはシャーフィイー派法学者のムハンマド・ブン・アブド＝アッラー・ブン・イブラーヒームが伝え、彼にはムアーズ・ブン・アル＝ムサンナーが伝え、彼にはムサッダドが伝え、彼にはイブン・ダーウードが伝えて言った。「私[イブン・ダーウード]は、アースィム・イブン・リジャー・ブン・ハイワが、ダーウード・ブン・アル＝ジャ

ミールを経て、カスィール・ブン・カイスが次のように言ったと伝えるのを聞いた」。〉

私(カスィール・ブン・カイス)は、ダマスクスのモスクで、アブー・アッ＝ダルダーとともに座っていた。すると、一人の男がアブー・アッ＝ダルダーの許に来て言った。「アブー・アッ＝ダルダーよ、私はメディナから、神の使徒の街からあなたの許に来た。あなたが、神の使徒から伝えていると聞き及んだ一つのハディースのために」。アブー・アッ＝ダルダーは言った。「用があって来たのではないのか」。男は言った。「いいえ」。アブー・アッ＝ダルダーは言った。「商売のためではないのか」。男は言った。「いいえ」。アブー・アッ＝ダルダーは言った。「そのハディースのためだけに来たのか」。男は言った。「そうだ」。

アブー・アッ＝ダルダーは言った。「私は、神の使徒が次のように言うのを聞いた。「知識を求めて道を歩む者は、それによって楽園の諸道の一道を歩む。天使は、知識を求める者を嘉して翼を広げる。学者(アーリム)が(神の)崇拝者のなかで秀でることは、満月の夜の月が他の星々に秀でるごとくである。学者は、崇拝者のために、天と地と、水の中の魚に至るまで、あらゆるものに在るお方(神)に赦しを願う。学者たち(ウラマー)は預言者たちの相続人である。預言者たちは金貨も銀貨も遺さず、知識を遺した。知識を得る者は、豊かな分け前を得る」」。

ハディースや伝承には、ムハンマドや教友たちの言行を語る「マトン」(本文)の前に、その物語を語り継いだ代々の伝達者たちを記録した部分が置かれる。その部分はアラビア語で「イスナード」と呼ばれる。右の引用では〈　〉で括られた部分である。イスナードの字義は「支え」「根拠」であるが、ハディース・伝承に付されたイスナードは、その機能から「伝達経路」「伝達者の鎖」などと訳される。右の引用文を見ると、イスナードの末尾に記されたカスィール・ブン・カイスが、アブー・アッ＝ダルダーとメディナから来た男の会話を見聞きし、それを物語ったことになっている。そして、カスィール・ブン・カイスの語りを聞いたダーウード・ブン・アル＝ジャミールが、アースィム・イブン・リジャー・ブン・ハイワに伝え、アースィムから聞いたイブン・ダーウードがムサッダドに伝え、ムサッダドがムアーズ・ブン・アル＝ムサンナーに伝えたというように、イスナードには、この物語がどのような伝達者を経て代々伝えられてきたかが記される。そして筆者は、この伝承・ハディースを、ハティーブ（一〇七一年没）の『ハディース探求の旅』という著作から引用した（al-Khaṭīb 2004: 78-79）。ハティーブは、一一世紀のバグダードでハディース学者として活躍した著名なウラマーなので、イスナードの先頭で〈コーラン読誦者のアブー・アル＝ハサン〈中略〉が我々に伝え〉たとある「我々」とは、ハティーブを含む一一世紀のバグダードのウラマーたちということになる。

アブー・アッ＝ダルダーのような、ムハンマドの言行を見聞きした教友たちは、ムハンマドの死後の大征服に参加し、北アフリカから中央アジアに至る広大な地域に移住した。彼らは、それぞれの移住先において、それぞれが見聞きしたムハンマドの言行を、後の世代のムスリムたちに語り伝えたとされる。したがって、様々なハディースが広範な地域で様々に伝えられたことになり、ハディース学者たちは、広く旅をしてハディースを学ぶことを理想とした。『ハディース探求の旅』は、この理想を語った論説である。

ただし、ムスリムの第一世代である教友と「タービウーン」（後続者たち）と呼ばれる第二世代のムスリムたち、すなわち、後代のムスリムたちが「サラフ」（父祖）と尊ぶ人々が、引用した伝承のとおりに、ハディースの熱心な探求を実際に行ったと断定することはできない。七世紀前半に生きたムハンマドと教友たちに関するハディース・伝承を書き記すことは、七世紀末から八世紀前半に始まった。先に引用したハディース・伝承は、イブン・マージャ（八八七年没）やアブー・ダーウード（八八九年没）など、九世紀のハディース学者たちが編纂した複数のハディース集に収録されている（Ibn Māja 1954: Vol. 1, 81 (#223); Abū Dāwūd 2009: 732 (#3641)）。八世紀から九世紀にかけては、ムスリムが従うべき預言者ムハンマドの「スンナ」（慣行）の典拠としてハディースを重視する思想が浸透した時代であり、数千のハディースを収録するハディース学者たちは、そうした思想の支持者たちであった。それ故に、引用のハディース・伝承も、ハディース学者の理想を反映しながら、イスナードも含めて構築された可能性は払拭できないのである。

しかしながら、父祖たちがムハンマドについて盛んに語ったことは想像に難くない。現存最古のムハンマドの伝記である『預言者伝』は、イブン・イスハーク(七六七年没)が編纂したものを、イブン・ヒシャーム(八三三年没)が再編集したものである。このムハンマドの伝記は、短いハディース・伝承を延々と連ねて彼の一生を語り、それらの多くにイスナードを付す。内容は、後代に書かれた伝記と概ね変わらない。ムハンマドの死去から一世紀ほど経った八世紀前半には、ムハンマドと彼を取り巻いた教友たちについて相当な量の言説が流布しており、遅くとも九世紀前半までには、ムハンマドの生涯と彼が率いたウンマ(共同体)についてムスリムが共有する記憶が形成されていたと言える。

一方、イブン・イスハークの『預言者伝』に収録されたハディース・伝承のイスナードの中には、伝達者の名前が欠落した不完全なものも多く、その中に「アフル・アル＝イルムのある者が伝えた」といった表現が散見される(Ibn Isḥāq and Ibn Hishām 1858-1860: Vol. 1, 68, 106, 132, etc.)。「アフル」とは「人々」といった意味であり、「イルム」は「知識」を意味する。したがって、「アフル・アル＝イルム」は「知識の人々」ということで、「ウラマー」の同義語となる。こうした文言は、七世紀末から八世紀前半のムスリムたちの間に、預言者や教友たちに関するハディース・伝承を数多く知り、周囲から「物知り」と認められた人々が存在したことを示唆する。

七世紀末から八世紀前半は、二度の内乱を経てウマイヤ朝(六六一―七五〇年)の統治が比較的安定した時代であり、神に帰依(イスラーム)する国家や社会とはいかにあるべきかをめぐる議論が本格的に開始された時代でもある。また、父祖たちの多くが内乱で戦死し、生き残った者たちも寿命を迎えて世を去っていった。そうした時代に、預言者ムハンマドと父祖たちの記憶を語る物知りとしてウラマーが出現し、その記憶からイスラーム諸学の形成と発展が始まったことは自然なことと言えよう。(1)

ただし、最初期のウラマーたちは、預言者ムハンマドの遺徳を偲び、ウンマの父祖を記念するためだけにハディースや伝承を集めたわけではない。ハディース・伝承を集めて書物を編纂した初期のウラマーとして、イブン・イスハークの他に、イブン・ジュライジュ(七六七年没)やスフヤーン・アッ＝サウリー(七七八年没)などがあげられる。彼らが編纂した書物では、マトンが語る内容ごとにハディース・伝承がまとめられていたという。こうした書物は「ムサンナフ」(分類された)と呼ばれる。ムサンナフは、例えば礼拝に関するムハンマドや教友たちの言行を語るハディース・伝承を一つの章に集め、結婚に関連する内容のハディース・伝承を別の章に集めるといった構成をとる。したがって、礼拝の手順に関して疑問が生じた際に礼拝の章を開き、結婚をめぐって紛争が発生した際に結婚の章をめくれば、それぞれの問題に対するムハンマドと教友たちの判断や先例を見渡すことができる。つまり、ムサンナフは、疑問や判断に迷うことがあった際に、そのことに関するムハンマドの判断や教友たちの先例を参照する利便を図って編纂されたのである。

三、シャリーア(法)をめぐる論争

預言者ムハンマドの下でメディナに暮らした教友たちは、大征服において各方面の遠征軍の司令官や幹部として出征し、征服した各地の統治者となった。軍を指揮し、民と土地を治めるためには、秩序を維持し、様々な係争を裁定しなければならない。そして、神に帰依する人、すなわちムスリムにとってのあるべき秩序と裁定は、啓示などに示される神の意志に沿ったものでなければならない。そのため、教友たちの中でもコーランに詳しく、預言者の教えをよく理解している者たちが各地のカーディーに任じられたという。先に登場したアブー・アッ＝ダルダーも、第二代カリフ、ウマル(在位六三四—六四四年)の命によって、シリアに移住したムスリムたちにコーランを教えるために同地に赴き、ダマスクスのカーディーに任じられたと伝わる(Ibn ʻAsākir 1995-2000: Vol. 47, 137-139)。

しかし、アブー・アッ＝ダルダーは、イスラーム法学の学識を備えた学者ではなかった。そもそもイスラーム法学という学問分野が、彼の時代にはまだ形成されていなかった。イスラーム法学において第一の法源とされることになるコーランについても、テクストが確定されたのは第三代カリフ、ウスマーン(在位六四四―六五六年)の命によると伝えられる。それ以前に、ムハンマドに下った神の啓示を網羅したコーランを書き留めていた教友が数人おり、その一人がアブー・アッ＝ダルダーであったという。それらのいわば「私家版」のコーランのテクストは、内容・分量ともに、ウスマーンの命で確定された「ウスマーン版」と大きく異なるものではなかったと考えられている[2]。

したがって、アブー・アッ＝ダルダーは確かにコーランに詳しかったのだろうが、それだけで有効な裁判が行えたとも思えない。コーランは、ムスリムにとって神に帰依するための最も確実な手がかりであるが、法典ではない。分量も、「ウスマーン版」の和訳で岩波文庫三巻分しかない。コーランを直接用いて裁定できる範囲は限られているのである。この時代のムスリムのほとんどがアラブであったことから、アブー・アッ＝ダルダーのような最初期のカーディーたちは、アラブの慣習に則って裁定を行うところが大きかったと推測されている(堀井 二〇〇四：二九―三〇頁)。

裁定が必要な事件や係争以外にも、アラブ＝ムスリムたちはコーランに言及のない多くの事柄に遭遇した。ムハンマドが預言者として活動したのは七世紀前半のヒジャーズ(アラビア半島北西部)であるので、コーランが言及する事柄の大部分は当時のヒジャーズで見られたものである。ムハンマドの死後、アラビア半島を出てシリア、イラク、エジプト、イランといった広範な地域に移住していったアラブ＝ムスリムたちは、それぞれが移住した先でヒジャーズでは見ることのなかった事物や慣習を数多く目にすることとなった。後述するとおり、後代のウラマーたちは、コーランに直接言及されない事柄について、神の意向をどのように推し量るかに関する議論を蓄積し、イスラーム法における合法性を評価する理論と方法を発達させた。しかし、そうした議論の蓄積がない七世紀のムスリムたちは、新たに目にした事柄について、神の啓示に言及がないことを理由に忌避することはなく、利用できるものは利用した。その中には、東ローマ(ビザンツ)帝国やサーサーン朝の統治制度や貨幣、軍事技術なども含まれており、それらはウマイヤ朝やアッバース朝(七五〇－一二五八年)の統治の礎ともなった。こうした実利的な姿勢は、法に関する議論を始める暇もなく、現実の共同体を維持・運営することを課された父祖の世代のムスリムたちが当然とるべき姿勢であったと言えよう。

しかし、彼らがイスラームを軽んじたわけではない。預言者ムハンマドのウンマは、イスラームによって人々を結びつけることを理念としたからである。そのウンマを預言者から引き継いだ父祖たちの活動としては、大征服と並んで七世紀後半の二度の内乱があげられる。内乱の主要な原因は、大征服によって急速に膨張した富と権力をめぐる争いと考えられるが、内乱の当事者たちは、自分たちこそが預言者の教えに従って神に帰依する者たちであると主張し、敵対者を預言者の教えに背いて神に反していると非難した。こうした非難の応酬は、何が預言者の教えであったのかをめぐる論争となり、預言者の言葉や行為を物語る無数のハディース・伝承が流布する一因となった。

そうした無数のハディース・伝承を数多く聞き知った物知りたちが、最初期のウラマーとして七世紀末から八世紀前半に登場した。その背景には、ハディースなどのイスラームに関わる言説が大量に流布するようになったことと並んで、第二次内乱(六八三－六九二年)を収めたウマイヤ朝の統治が比較的安定したことがあった。この時期にウマイヤ朝は官庁を整備拡張し、行政公用語をアラビア語に統一する改革を進め、書記官僚たちがアラビア語の正書法と文法・修辞を発達させた。同じ頃、ウラマーたちもコーランのテクストを正しく書き継ぎ、読み継ぐためにアラビア語の表記法を改良し(竹田 二〇一四：四八－五二頁)、コーラン解釈の一環としてアラビア語を研究した。書記官僚とウラマーが整備した正則文語アラビア語(フスハー)は、イスラーム教がアラブ以外の様々な民族に広まっていくのにともなってムスリムの共通文章語となり、ウラマーたちは、ペルシア語などを母語とする者であっても、アラビア語で著述することで広く知識を伝え合い、地域を越えて議論した。

イスラーム諸学は、コーランの確定されたテクスト、預言者ムハンマドの教えや父祖の前例を様々に語る無数のハディース・伝承、共通文章語としての正則文語アラビア語という三つの要素を基盤として発展した。これらの三要素が出揃った七世紀末から八世紀前半に登場したウラマーたちは、ムスリムが従うべきシャリーア(法)をいかに理解するかを論じた。神に帰依することは、シャリーアに従って神を信仰し、日々の生活を営み、社会や国家を運営することと信じられたからである。シャリーアは、国家が定める法律ではなく、神の絶対的善悪判断に基づく普遍的規範として想起される。シャリーアを論じたウラマーたちは、国家のために法律を起草・運用する法務官僚として登場したわけではなく、コーランやハディースなどの知識を駆使して神の法を理解し、それに基づいて人々に神への正しい帰依を説く信仰の指導者として登場したのである。

内乱以来、現実にムスリムたちを統治する政治権力を全てのムスリムが一致して正統と認めることはなくなったが、ムスリムの多数派は、ウマイヤ朝と八世紀半ばに同朝に代わったアッバース朝の統治を受け入れた。九世紀頃まで、この多数派は様々な思想傾向を持つ人々の寄せ集めであって、スンナ派という宗派意識が明確になるのは一〇世紀から一一世紀にかけてである。しかし彼らは、現実にムスリムを統治するウマイヤ朝・アッバース朝の正統性を否定しなかった点で一致しており、それは現行の政治や社会を肯定ないし追認することにつながった。そしてそのためには、現行の統治と法が神の意思と預言者の教えに則っていることを示す必要があった。一方で現実の統治においては、預言者の死から一世紀の間、多くの事柄に関して実利的な判断や裁定が重ねられていた。そのため、多数派のウラマーたちは、コーランの啓示に直接言及されていないあまたの実利的な判断や裁定が、神の意思と預言者の教えに照らして正統であることを示す作業に取り組むこととなった。この作業によって形成された学問分野を法源学という。

法源学に取り組んだウラマーたちは、大きく二つの方法を提起した。一つは、コーランのテクストの解釈から導かれる一般的な原則からの合理的な類推によって、個別具体的な法規定や裁定の正統性を論証することであり、もう一つは、ハディースや教友たちに関する伝承、あるいは古来の慣行と見なされる実践の中に、コーランが直接言及していない事柄に関する規定や裁定の正統性を見いだすことである。前者の論証主義的な法源論を唱えたウラマーを代表するのが、イラクで活躍したアブー・ハニーファ(七六七年没)であり、彼の学説を支持したウラマーたちは、彼を名祖とするハナフィー法学派を形成した。

一方、ハディース・伝承や古来の慣習に法規定の根拠を見いだそうとする方法は、預言者が率いたメディナのウンマの伝統を模範とすべきとの伝統主義に結びついた。伝統主義を代表するのが、メディナで活躍し、二八六〇ほどのハディース・伝承を収録するムサンナフ形式のハディース・伝承集、『ムワッタァ』(踏み固められた道)(Mālik b. Anas 1997)を編纂したマーリク・ブン・アナス(七九五年没)である。マーリクの伝統主義を継承したウラマーたちが形成したマーリク法学派は、預言者と教友たちで構成されたメディナのウンマを総体としてムスリムが踏襲すべき伝統とみなし、ハディース・伝承に典拠がなくても、メディナで古来の慣習として実践されてきたことも法源として重視した。

これに対して、マーリクに学んだシャーフィイー(八二〇年没)は、預言者の言行を教友の言行や古来の慣習から分けて一等高い地位に置き、ムスリムが従うべきスンナとしてコーランの啓示に次ぐ法源と明確に位置づけた。そして、預言者のスンナは、ハディースに典拠がなければならないとした。ハディースを重視するシャーフィイーの思想は、マーリクの伝統主義に比して、伝承主義と称される。

シャーフィイーは、神によって最良・最終の預言者に選ばれたムハンマドが、神の意志を最もよく理解した最も従うべき価値のある人間であると説き、只人の類推に誤謬(ごびゅう)の危険性の高いことを戒めてハナフィー法学派を批判し、預言者の言行を伝えるハディースが只人の論証に優越すると主張した。この主張は、預言者ムハンマドに従って神に帰依するというイスラーム教の根本的な信仰を前提とすれば合理的であり、シャーフィイーの伝承主義に対する支持は、彼が活躍したエジプトだけでなく、シリア、イラク、イラン、中央アジアへと広がり、シャーフィイー法学派を形成していった。そして、伝承主義を支持するウラマーたちは、「ハディースの徒」と自称してハディースをめぐる知識体系を構築するとともに、論証主義者を「見解の徒」(アフル・アッ゠ラアイ)と呼び、預言者のハディースを差し置いて只人の理屈が導く見解を重視すると非難した。伝承主義と論証主義の論争は、九世紀から一二世紀頃にかけて続き、時に激しく衝突した。(3)

それを象徴するのが、アッバース朝第七代カリフ、マアムーン(在位八一三―八三三年)が八三三年に導入したミフナ(審問)と、それに対する「ハディースの徒」の抵抗である。マアムーンは、ハナフィー法学派を庇護したアッバース朝の中でも、特に論証主義に傾倒したカリフとして知られ、バグダードの「バイト・アル゠ヒクマ」(知恵の館)と呼ばれる図書館において、アリストテレスの哲学や論理学などのギリシア語文献をアラビア語に翻訳させたことで有名である。こうした翻訳作業を基礎として、アラビア語で哲学などを論じるムスリムの学者が活躍した。他方、ウラマーの中には、神の実在や神と人間との関係などを論理的に説明しようとした者たちがおり、彼らが展開した理論は「イルム・アル゠カラーム」と呼ばれた。ここでの「カラーム」(言葉)とは、ギリシア語の「ロゴス」と同様に「論証」「論理」といった意味であり、神を言葉によって論ずる学問ということで、「イルム・アル゠カラーム」は「神学」と訳される。

八世紀前半にイラク南部の都市バスラで発祥し、バグダードへと活動の場を広げた「ムウタズィラ」(退く者)(4)と呼ばれた神学者たちの一派は、神のみが創造主であり、神以外は全て神に創られた物であるというイスラーム教の教義を前提として、コーランの啓示も神に創られた物であると論じた。「コーラン被造物説」と呼ばれるこの理論は、神の絶対的な導きであるべき啓示を、人間などと同等の被造物におとしめるものとして反発を招いた。特に激しく反発したのが、神の啓示と啓示を伝えた預言者の権威を重視する「ハディースの徒」であった。これに対して、マアムーンは「コーラン被造物説」を公認し、ウラマーたちをミフナに喚問して同説を認めるように迫った。多くのウラマーがカリフの意向に逆らえなかった中で、バグダードの「ハディースの徒」であったイブン・ハンバル(八五五年没)は、あくまで「コーラン被造物説」を認めなかったため投獄された。しかし、程なくしてマアムーンが病死し、イブン・ハンバルは釈放された。ミフナは、第一〇代カリフ、ムタワッキル(在位八四七―八六一年)の治世に廃止された(医王一九九三)。

ミフナの失敗は伝承主義の優勢を決定づけ、コーランの啓示とハディースが伝える預言者のスンナにカリフであっても超え難い地位と権威を確立した。もちろん、合理性や論理がイスラーム法とムスリムの国家・社会から失われたわけではない。とはいえ、法源学においては、第二法源とされた預言者のスンナを伝えるハディースがコーランのテクストに次ぐ地位に置かれ、論理的な類推は、第三法源とされたウンマの合意に次ぐ第四法源とする序列が定まった。これによってハディースは、コーランを補足し、解釈し、細則するものとしてますます重視され、盛んに用いられるようになった。こうした状況を背景として、ハディースをめぐる知識体系であるハディース学が発展した。

なお、ミフナをしのいだ「ハディースの徒」の中から、イブン・ハンバルを名祖としてハンバル法学派が形成された。権力者の圧迫に屈せず、神の啓示と預言者のスンナへの服従を曲げなかったということで、「ハディースの徒」という名乗りは、イスラームの堅信者という雰囲気をまとうようになり、現代の研究においては、ハンバル法学派との連関が注目されてきた(Schacht 1960)。しかし、全ての「ハディースの徒」がハンバル派法学を支持したわけではない。[5] 九世紀以降のハディース学の発展を主導したのは、シャーフィイー法学派のウラマーで「ハディースの徒」を名乗る人々であった(Moriyama 2021: 7-12)。

ハンバル法学派は、コーランとハディースの述べることに釈義を重ねることなく字義どおりに実践することを理想とし、両者に見いだせないにもかかわらずムスリムの間で行われていることをスンナから逸脱したビドア(新奇)として非難した。神について人が論じる神学に対しても、否定的傾向が見られた(松山 二〇一六:五二―六六頁)。一方、シャーフィイー法学派は、ムスリムの現実に対して概ね肯定的な姿勢をとった。神学についても、アシュアリー派神学を支持した。この神学派の名祖であるアシュアリー(九三五/九三六年没)は、ムウタズィラ派神学を批判して「コーラン被造物説」を否定し、合理的論証によって伝承主義を擁護した。

シャーフィイー派法学の穏健な伝承主義は、社会や政治が必要とし実践してきた様々な事柄をハディースに根拠付けることで、自分たちを取りまく現実がイスラーム的に正統なものであると主張し、その主張を納得させるために、多種多様なハディースについて、預言者の言行を正しく伝えているという真正性を論証することを必要とした。預言者ムハンマドの言行は、ムスリムにとって、最良の人間の模範として強い権威を発揮するが、その典拠であるハディースに誤伝や偽伝の疑いがあっては権威を発揮し得ないからである。そして、誤って伝えられたり、創作されたハディースが数多く流布していることは、八世紀には既に認識されていた。したがって、「ハディースの徒」を名乗ってハディースに関する研究に取り組んだシャーフィイー法学派のウラマーたちは、ハディースの真正性判定をめぐる理論と方法を中心にハディース学を発展させていったのである。

四、ハディース学の発展とシャーフィイー法学派「ハディースの徒」の活躍

七世紀前半の預言者ムハンマドの死から八世紀前半にハディース集の編纂が本格的に始まるまでの約一世紀間、ハディースは主に口承で伝えられたとされるので、誤伝の発生は当然想定されることである。同じ場面でのムハンマドの言行について、文言や内容が異なる複数のハディースが伝えられていることも珍しくない。他方、偽伝については、七世紀後半の内乱以来、様々な党派・学派が形成され、それぞれが自派の正統性を裏付け、敵対する党派・学派を非

難するために預言者の権威を利用したことが原因の一つとなった。例えば、預言者が特定の党派の出現や学派の名祖たちの登場を予言し、彼らを称えたり非難したりしたというハディースである。

いずれにしても、偽伝や誤伝と疑われたハディースは少なくなく、あまたのハディースの真正性を判定し、その判定の正統性をいかに論証するかが「ハディースの徒」にとって重要な課題となった。この課題への取り組みにおいて、マトン(本文)の内容の妥当性が検討されることはまれで、イスナードに記録された伝達経路の信頼性の検証に努力が集中された。出所の確かな情報を正しいと見なすことは人間の自然な思考であるが、マトンの検証があまり行われなかった理由は、マトンの物語が預言者ムハンマドの言行として妥当か否かを、預言者に会ったこともない人間が判断することは、主観的な予断と見なされて説得力を持ち難かったためと考えられる。また、ある人物が預言者であったことは、神がその人物に、天界巡りや未来予知など、只人には起こりえない奇蹟を与えたことで証明されると信じられたので、マトンが語るムハンマドの言行を常識に照らしてあり得ないと断じることは、ムハンマドに奇蹟が起こったことを否定し、ムハンマドが預言者であることの否定にもつながる。説得的なハディースの真正性判定は、ムハンマドが預言者であることに疑義を挟む懸念がなく、党派心や予断を排した公平なものと見なされる判定でなければならず、その方法としてイスナードの信頼性の検証に努力が集中されたのである。(6)

イスナードの信頼性は、イスナードに列挙された伝達者の中に信頼できない者が含まれていないかということと、時間的・空間的断絶がないかということによって検証される。信頼できない伝達者とは、学識に乏しい、虚言癖がある、党派的偏向や偏見が強いといった否定的評価を付された人物である。時間的・空間的断絶とは、イスナードの中に、活動範囲や生存期間が重ならない人物の間での伝達が記録されていることである。伝達者たちの経歴・評価を検証した結果、信頼性に問題がないと見なされた人々の間で切れ目なく伝達され、ムハンマドの教えを直接受けた教友にまで遡ることを示すと認められたイスナードを持つハディースは、「ムスナド」(根拠づけられた)と呼ばれる。そしてまた、ムスナドなハディースを選別し、同一の教友に遡るイスナードを持つ複数のハディースを一つの章にまとめる形式で編纂されたハディース集も『ムスナド』と呼ばれる。八世紀後半から九世紀にかけて複数の『ムスナド』が編纂され、なかでもイブン・ハンバルの『ムスナド』(Ibn Ḥanbal 2008)が高く評価されてきた。

『ムワッタァ』などのムサンナフ形式のハディース・伝承集が、預言者のハディースと教友の伝承の双方をしばしば不完全なイスナードで収録したのに対して、教友に遡るイスナードを持つハディースを集めた『ムスナド』は、イスナードの検証による真正性判定というハディース学の展開を背景として編纂されたものである。しかし、マトンの内容とは無関係にイスナードの系統ごとに章が立てられたため、任意の事柄について法判断の根拠となり得るハディースを探すには不便であった。そこで、九世紀の中頃から、イスナードの厳密な検証によって教友たちから確実に伝えられたと見なされる数千のハディースを、マトンの内容が関連する事柄ごとに章分けしたハディース集が編纂されるようになった。こうしたハディース集は、様々な事柄について第二法源であるスンナを参照する便を図り、スンナの典拠として充分な真正性を持つと判断されたハディースを厳選したものとして、『サヒーフ』(正伝)もしくは『スナン』(スンナの複数形)と呼ばれる。

今日のスンナ派のムスリムたちは、ブハーリー(八七〇年没)とムスリム・ブン・アル＝ハッジャージュ(八七五年没)がそれぞれに編纂した二篇の『サヒーフ』(al-Bukhārī 2007; Muslim 2006)を「サヒーハイン」(両『サヒーフ』)と呼び、最も真正性の高いハディースを集めたハディース集、つまり預言者ムハンマドのスンナを最も確実に伝えるテクストとして、啓典コーランに次ぐイスラームの聖典と位置づける。しかし、両『サヒーフ』は、それらが編纂された九世紀当時からハディースの正典として卓越した権威を認められていたわけではなく、スンナ派という宗派も、九世紀においては未だ確立の途上にあった。

スンナ派ハディース学とハディース学者の歴史を研究するブラウンは、両『サヒーフ』の正典化は一〇世紀のホラーサーンのシャーフィイー法学派「ハディースの徒」によって本格的に始められたと指摘する。その中でも重要な役割を果たしたのが、ホラーサーンの中心都市として繁栄したニーシャープールで活躍したハーキム(一〇一四年没)である(Brown 2007: 124-128, 154-183)。彼は両『サヒーフ』に収録されたハディースがイスナードにどのような条件を備えているのかを分析し、同じ条件を備えながら両『サヒーフ』に収録されていないハディースを集めて『両サヒーフ補遺』(al-Ḥākim 1986)というハディース集を編纂した。また、サヒーフ(正伝)と認められるハディースが備えるべき条件を定式化し、『ハディース学の知識』(al-Ḥākim n.d.)にまとめた。

両『サヒーフ』の研究や真正性判定をめぐる議論およびサヒーフなハディースの探求は、ジバール(イラン北西部)やイラクのシャーフィイー法学派「ハディースの徒」にも広まった。イスファハーンのアブー・ヌアイム(一〇三八年没)は、両『サヒーフ』を研究するとともに、イスファハーンの美質や楽園の様子など、ハディース学に直接関係しない様々な事柄について論述した(Abū Nuʻaym 1990: Vol. 1, 20-31; 1995)。それらの論述においては、自らの言葉を極力用いず、ハディースの引用を繰り返すことで主張を展開した。論証を避けてハディースに依拠する論述は、「ハディースの徒」の名にし負うものと言えるが、その中に、同じ内容のマトンを異なるイスナードで伝える複数のハディースの引用を重ねることがしばしば見られる。

同じ話を異なる情報源で何度も繰り返すという一見退屈な形式は、多くの人々に聞き取られ、多くの人々が伝えたこと、すなわち複数のハディースが異なる系統のイスナードで同内容のマトンを伝えていることを、高い真正性を認める条件の一つとするというハディース学の理論を踏まえたものである。つまり、異なるイスナードで同じ内容のマトンを伝える複数のハディースの引用を重ねることは、それらのハディースに高い真正性が認められることを読者に印象づけ、それらのハディースを選択・引用した著者の主張が正統であることを、預言者の権威によって読者に訴える演出であったのである。同じ内容のマトンが異なるイスナードで複数のハディースに伝えられていること、すなわち、多くの人々が聞き伝えた良く知られた話であることは、ハーキムが『ハディース学の知識』においてサヒーフの条件の一つにあげたことである(al-Ḥākim n.d.: 59, 92-94)。アブー・ヌアイムが論述に用いた形式は、ハーキムが定式化したサヒーフの条件を応用したものと考えられるのである(森山 二〇一四b：五〇―五一頁)。

その同じ形式を多用して、占星術・天文学の合法性や吝嗇に対する非難などの多彩な事柄に関して多数の論説を残したのが、アブー・ヌアイムの弟子であり、一一世紀のバグダードを代表するシャーフィイー法学派「ハディースの徒」であったハティーブである(al-Khaṭīb MS; 2000)。またハティーブの論説である。本稿冒頭と第二節のハディース・伝承の引用元である『ハディース探求の旅』も、そうしたハティーブの論説である。またハティーブは、『十全伝承学』(al-Khaṭīb 2013)という理論書を著し、ハーキムが定式化した真正性の基準や条件を精緻化した。さらにブラウンによれば、ハティーブは、ブハーリーとムスリムに理想のハディース学者との評価を定着させ、両『サヒーフ』の正典化を完成させたという(Brown 2007: 268-275)。ニーシャープールのハーキムから、イスファハーンのアブー・ヌアイムを経て、バグダードのハティーブに至るシャーフィイー法学派「ハディースの徒」の学統は、スンナ派ハディース学発展の中軸であったのである。

シャーフィイー法学派「ハディースの徒」は、ハディースの真正性判定の理論と方法を発達させたが、その理論と方法に照らしてサヒーフの条件を備えていないハディースを排除したわけではない。むしろ彼らは、ハディース学の専門的な議論を離れてハディースを用いる際には、サヒーフと認められない多くのハディースを利用した。例えば、ハティーブが著した様々な事柄に関する論説において、異なるイスナードで同内容のマトンの引用を繰り返して真正性の高さを演出したハディースの中には、彼が『十全伝承学』で論じた理論と方法を適応すると低い真正性しか認められないハディースも少なくない。ハティーブは、真正性が低く見積もられるハディースであっても、それらを論拠とすることが自らの主張に有効な場合には、一定の演出を加えて利用したのである(Moriyama 2021)。このことから、

「ハディースの徒」がハディースの真正性を判定する理論と方法を発達させたのは、誤伝や偽伝を排し正伝を厳選することで、ムハンマドが実際に何を語り、何を行ったのかを確定するためではなく、諸々のハディースに語られていることが預言者の言行であると聴衆・読者に納得させることで、預言者の権威を彼らが生きた現実に活用するためであったことが分かる。

アブー・ヌアイムやハティーブが生きた一〇世紀後半から一一世紀は、ムスリムの多数派の中の様々な学派や思想潮流が、預言者のスンナに則ったジャマーア(共同体)の護持を一致点として合流し、スンナ派という宗派意識が確立・浸透していった時代である。現実に存在する多彩な事柄を、多様なハディースを巧みに用いて預言者のスンナに結びつけて論じたシャーフィイー法学派「ハディースの徒」の活動は、ムスリムの多数に自分たちが預言者のスンナに従う共同体に属していると想像させ、スンナ派の宗派意識の確立・浸透に貢献したと考えられる。

五、イスナードの意義

「ハディースの徒」が学問的努力を集中したイスナードに関して、その起源は詳らかでない。口承が支配的だったイスラーム教出現以前のアラビア半島において、詩や英雄の勲などを語り伝える際の前置きが原型と言われる。七世紀のアラブ＝ムスリムは、彼らにとって最大の英雄であったムハンマドの言行を語り継ぐときに、当然の前置きとしてイスナードを付け、七世紀末から八世紀前半にハディースを書き取るようになったときには、口承の形式を維持してイスナードも含めて記録したと考えられる。とはいえ、他人から伝え聞いた話を語ったり書き記す際に、その話を誰から聞いたのかを明示することは、人が普通に行うことである。八世紀にハディースなどを書き記したウラマーたちも、気負ってイスナードを記録したようには見受けられず、彼らが編纂した初期のハディース・伝承集には不完全なイスナードが散見されることも既に述べた。

九世紀に入って、ハディースの真正性判定の努力がイスナードの検証に集中されると、イスナードは前置き以上の意味を持つようになり、注意深く記録されて、細かな形式が整えられた。そして、一〇世紀から一一世紀にイスナードの検証による真正性判定の理論と方法を発達させたシャーフィイー法学派「ハディースの徒」は、イスナードを時にマトン以上に重視した。例えば、ハティーブがハディース学における旅の意義として強調したのは、自分の暮らす地域では学ぶことのできないハディースを学ぶことではなく、既に学んだハディースのイスナードの信頼性を高めることであった。ハティーブは、身近な師から信頼性の低いイスナードで学んだハディースについて、同じハディースをより信頼性の高いイスナードで伝えている学者が遠方にいる場合には、その学者の許まで旅をして信頼性の高いイスナードを継ぐべきであると主張したのである(al-Khaṭīb 1996: Vol. 1, 172-173)。この場合、時間と費用をかけて遠い街まで旅をしても、マトンの内容は既に故郷で学んだものと同じであり、イスナードのみがより信頼性が高い、したがってハディースの真正性をより高める条件を備えたものに換えられることになる。

既知のマトンをより信頼性の高いイスナードで継承するために旅をせよというハティーブの主張は、ハディースの真正性判定をめぐる理論と方法を背景とする。先述のとおり、シャーフィイー法学派「ハディースの徒」が発達させた真正性判定理論では、複数のハディースが異なるイスナードで同内容のマトンを伝えていることを高い真正性を認める条件の一つとする。そのため、学ぶべき価値の高いハディースは、多くの地域で伝えられた、よく知られたハディースとなり、特定の地域で単一系統のイスナードでのみ伝えられるような珍しいハディースは、真正性が低く見積もられるので、学ぶ価値も低い。「ハディースの徒」は、真正性の低いハディースを忌避したわけではないので、旅をする中で、特定の地域に限定の珍しいハディースも学んだと思われる。しかし、彼らが旅の主要な目的として強調したのは、広く知られた既知のハディースをより信頼性の高いイスナードで受け継ぐことで、自身を価値ある知識のより正統な継承者に連ねることであったのである。

ここにおいてイスナードは、それに続くマトンの真正性を判定・証明するための材料であるだけでなく、そのイスナードをとおしてハディースを学ぶ者を、そこに記された代々の伝達者の連鎖によって預言者ムハンマドに結びつけ、ハディースという預言者の遺産の相続人としての正統性を示すものとなった。ハディースなどの知識をムハンマドの遺産と見なし、それらの知識の専門家である自分たちを預言者の相続人と認じるウラマーの意識がいつ頃現れたのかを特定することは困難である。しかし、そうした意識は、それを端的に表す本稿冒頭のハディースがハディース集に収録された九世紀には既に存在し、そのハディースの本稿における引用元である『ハディース探求の旅』をハティーブが著した一一世紀には広く知られていた。

真正な知識を正統に継承したことは、その知識の源泉に遡るイスナードによって示されるという認識は、ハディースだけでなく教友に関する伝承や、法学派の名祖などの偉大なウラマーの学説の継承にも適応され、ハディース学に限らずイスラーム諸学の全般に敷衍(ふえん)された。法学において、第二法源のスンナの典拠としてハディースを引用する際にイスナードが付されたことはもとより、第一法源であるコーランの解釈学においてハディース・伝承を利用する際にも、イスナードによって真正性と正統性が主張された。例えば、バグダードで活躍したタバリー(九二三年没)は、コーランの全章句について、それぞれの章句がどのような場面で啓示され、預言者や教友たちがどのように理解したのかといったことを語るハディース・伝承を集めて大部のコーラン解釈書を著した。『コーランの章句の解説における解明の集成』(al-Ṭabarī 1954)と題されるこの解釈書を構成する数千のハディース・伝承には、それぞれにイスナードが付され、各章句に関する解釈が、タバリーの思いつきではなく、預言者や教友などの権威者から代々伝えられた正統なものであることが主張される。

またタバリーは、アラビア語によるイスラーム的歴史叙述の初期の大作として知られる『使徒たちと王たちの歴史』(al-Ṭabarī 1964-1965)の著者でもある。『使徒たちと王たちの歴史』は、コーランが語る歴史観と世界観に沿って、神の天地創造に始まり、アブラハムなどのムハンマド以前の預言者たちの事績と、アレクサンドロス大王やサーサーン朝の君主たちといった古代の帝王たちを語った後に、預言者ムハンマドの活躍を詳述する。そして、ムハンマドのメッカからメディナへの移住(ヒジュラ)を紀元とするウンマの歴史を、ヒジュラ暦による編年体でタバリーと同時代まで叙述する。このイスラーム的普遍史書も、大量のハディース・伝承で編まれ、ハディース・伝承のそれぞれにイスナードが付される。それらのイスナードを見ると、預言者ムハンマドに関する記述が、イブン・イスハークなどの最初期のウラマーが伝えたハディース・伝承に依拠していることや、モーセなどの聖書にも登場する預言者については、ウラマーが「イスラーイーリーヤート」と呼び、ユダヤ教に由来すると見なした伝承に多く依っていることが分かる。

イスナードによって知識の真正性とその継承の正統性を主張することは、書物の材料となるハディース・伝承の一つ一つに行われただけでなく、一篇の書物の全体に対しても行われた。つまり、ある書物を正しく理解し、その知識を正統に継承したと認められるためには、その書物を個人で読了するのではなく、信頼に足る人々を断絶なく連ねて著者にまで遡るイスナードを継ぐ人物を師として講読し、そのイスナードを継承しなければならなかった。そのため、ハディース・伝承の引用を重ねた論説であれ、ハディース学の理論書や法学書であれ、それぞれの写本の冒頭にその写本を作成した人物から著者に遡るイスナードが記されることが多く、イスナードに続いて著者が三人称で語り出すことも、前近代のウラマーの著作によく見られる形式である。

とはいえ、個々のハディースを利用する際には、数行のマトンの一つ一つを引用するたびに、引用者から預言者に遡る代々の伝達者を列挙し、しばしばマトンよりも長くなるイスナードをいちいち付けることは、一二世紀に入ると次第に少なくなっていった。代わって、両『サヒーフ』などの権威的ハディース集に典拠があることを示すことが、一般的な真正性の表示方法となっていった。七世紀期末から八世紀前半にウラマーが出現し、イスラーム諸学の形成が始まってから五世紀も経つと、法学やハディース学などの各分野で書籍の蓄積が進み、学ぶべき古典も定まってくる。ハディースなどの知識も書籍という形でパッケージ化され、それらの知識をめぐるウラマーの活動もパターン化されていくのである。しかしそれでもなお、イスナードは重要であった。例えば、両『サヒーフ』を学ぶ際には、ブハーリーとムスリムに確実に遡るイスナードを継ぐことが求められた。正典的ハディース集の編纂者にまで正統なイスナードで遡ることができれば、後は編纂者のイスナードをとおして、そのハディース集に収録された真正性の高い数千のハディースのイスナードを一括して預言者にまで遡ることになる。

人から人への知識の確かな伝達を示すことで、知識の真正性と真正な知識を身につけた知識人としての正統性を表象するイスナードは、ウラマーの養成が個人と個人をつなぐ師弟関係の網の目の中で行われたことと深く関わっていた。次節では、時に「属人的」と評されるウラマーの知的実践と社会的権威について、ハーキムが活躍した一〇世紀に確立された古典的なあり方と、ハティーブが活躍した一一世紀から顕著になっていく変化を概観して、本稿を終えることとしたい。

六、ウラマーの古典的な姿と一一世紀の変化

ウラマーは、イスラーム教の教義によって一般のムスリムより高い身分に置かれた人々ではない。食肉の禁止といった特別な戒律が課されることもなく、他のムスリムと同じように生活を営んだ。それゆえ、「ウラマーは聖職者ではない」としばしば言われる。しかしウラマーは、イスラーム諸学の知識で他のムスリムたちに卓越し、知識人としての権威によって他のムスリムたちの尊敬を集めて彼らを指導した。冠婚葬祭やイスラーム教の様々な宗教行事を主

導するのもウラマーであった。ウラマーは、仏教の僧侶やキリスト教の神父・牧師などが果たしてきた役割をムスリム社会において担ってきたのである。

とはいえ、ウラマーとしての立場は、得度や叙階のような制度・儀式によって授けられたものではなく、「学者たち」という原義のままに、イスラーム諸学の学識に依っていた。その学識も、特定の学校で教えられて、学位などで認証されるものではなかった。コーランやハディース、法学などの知識の教授は、任意の人物に教えを乞う人々が適宜に集う形で行われ、そうした自然発生的な教育の場は、「マジュリス」(講座)や「ハルカ」(円座)と呼ばれて、モスクの一隅や師となる人物の自宅など、様々な場所で随時に開かれた。ウラマーを志す人は、多くのマジュリス・ハルカを渡り歩いて知識を蓄積していくことで教わる者から教える者となり、他のウラマーたちから学識を認められ、一般のムスリムたちから法や信仰などに関する相談を持ちかけられてウラマーとして活動したのである。

ウラマーとしての地位を支えるこうした学識、つまり制度によって裏付けられたり、機関によって認証されるのではなく、個人としての知識探求の努力によって形成され、同僚の評価と世間の評判によって機能した学識は、真正な知識を正統に継承した師たちに学んだことを証明することに支えられた。そのため、ウラマーたちは、自分たちに先立つ諸世代のウラマーたちについて、彼らがどのような師たちに学び、どのような弟子たちに知識を伝え、知識の伝達者としてどの程度の信頼性が認められるのかといった情報を収集・整理した。自分の師たちの学識も、彼らの師たちの学識の真正性と正統性に支えられ、その師たちの師たちの学識も同様だからである。

累代のウラマーたちの経歴・評価の収集と整理は、「イルム・アッ=リジャール」(人物学)という学問分野を形成した。人物学は、ハディース学におけるイスナードの真正性判定理論の発達と連動して九世紀から発展し、ウラマーの経歴と評価をまとめた人名録を数多く生み出した。それらの人名録は、「ターリーフ」(歴史)や「タバカート」(諸世代)[7]などと呼ばれ、ある地域で活躍したウラマーの経歴・評価をまとめたものや、特定の学問分野や法学派で活躍したウラマーたちの経歴・評価を集めたものなど様々な種類が編纂された。ウラマー人名録は、数千人のウラマーの伝記記事を収録することが普通であるが、個々のウラマーの記事は数行から数頁と短く、師弟の名前や伝えたハディース、遺した著作、信頼性や学問的な評価、没年といった情報を定型的に列挙した無味乾燥なものである。(8) そうした無数の記事から、一〇世紀のウラマーたちの典型的な出自やキャリアパターンを抽出すると次のようになる。

まず、出自と性別は、都市富裕層出身の男性が圧倒的に多い。コーランやハディースなどを学ぶことは、原理的には全てのムスリムに推奨されるので、勉学に努めて学識を身につければ、誰でもウラマーになることができた。しかし、前近代社会の常として教育は自弁であり、ウラマーと認められるだけの学識を身につけるためには一〇年、二〇年と勉学に専念しなければならなかった。そうした環境に与ることができたのは、情報交流や文化活動の中心であった都市に暮らす裕福な人々に偏ったのである。加えて、経済的に成功した人が子弟の教育に投資するようになってから、ウラマーとして一定の名声を得る人物が登場するまでに数世代を要することが普通であり、ウラマー人名録に掲載された人々は、父や祖父もウラマーであったと記されることが多い。そして、大きな名声を得たウラマーが出ると、その一族が数世代にわたって連続してウラマーを輩出することも少なくなかった。こうした名家は、「バイト・アル＝イルム」(知識の家)などと呼ばれた。

都市富裕層の名家に生まれた者の多かったウラマーの養成は、六歳頃に家庭で始められた。まずコーラン全文の音読・暗唱をとおしてアラビア文字の読み書きを学び、一〇歳前後でコーラン全文を暗記すると、一族や近在のウラマーたちから法学、ハディース学、コーラン解釈学などの基礎を学んだ。一〇代後半から二〇歳頃になると、遠い街々の高名なウラマーたちに師事して、真正な知識をより多くのより正統なイスナードで受け継ぐために旅に出た。こうした師匠探訪の旅は、例えばニーシャープールを発ってバグダードで学び、メッカに巡礼した後、ダマスクスやマウスィルなどをめぐり、イスファハーンを回ってニーシャープールに帰るといったように、数年の期間にわたって広範な地域をめぐった。こうした旅を三〇代、四〇代になっても繰り返し、各地のウラマーと交流を重ねて学識を認められることで、ウラマーとしての立場を築いていったのである(Bulliet 1983)。

ちなみに、ウラマー名家に生まれた女性の中には、親族のウラマーなどから高い教育を受けて研鑽を積み、学識を認められて学者(女性単数形はアーリマ)として活躍する者もいた。ウラマー人名録には、女性学者たちの経歴・評価を集めた「女たちの章」を持つ作品も少なくない。しかし、「女たちの章」の分量は、作品全体の一割に満たず、男性のウラマーに比して女性学者が極めて少数だったことは明らかである。その原因としては、前近代のムスリム社会が男性優位であったこととともに、女性は男性ほど自由に旅をすることができず、男性のウラマーたちとの交流にも制限が多かったことが考えられる。それでも、姿をさらさないように幕を挟んで男性のウラマーに学び、男性の弟子に教えた女性学者も記録されている。

いずれにしても、ウラマーとしての立場を確立するまでには、幼少期からの長い修行と、その間の生活費、旅費などの多額の費用が必要であった。その一方で、ウラマーであることは、職や収入に直結したわけではなかった。カーディーや君主の法学顧問に選任されれば、高い社会的地位と収入を得ることができたが、そうしたポストを目指すウラマーたちの競争も激しかった。モスクの礼拝導師(イマーム)や説教師(ハティーブ)としてモスクに集まるワクフ(宗教寄進財)から俸給を受けたり、ハディースなどを教えて謝礼を得ることもあったが、どの程度の額であったのかは明らかでない。一〇世紀頃まで、ウラマーが学識によって収入を得ることは少なく、家の財産や他の生業で生活を支えてウラマーとして活動したと考えられている。

こうした、職業とも言い難いウラマーの立場を変えたのがマドラサの普及である。「マドラサ」という「学ぶ場所」を原義とするアラビア語の単語は、現代では学校一般を指すが、歴史的には、ワクフによって設置・運営され、法学やハディース学などの研究・教育・学習に専念できる施設を指した。すなわち、教員と学生のための宿舎と教場、図書室などを備え、給料と奨学金を支給することで、衣食住の心配なく勉学に専念できる環境を整えた施設である。マドラサは、貧しい人々への教育の普及を目的とした施設ではない。マドラサで宿舎と奨学金を与えられる学生となるためには、一定以上の知識と学力がなければならず、そこまでの教育を予め受けられる人々はやはり都市富裕層に偏った。また、卒業要件を定めて学位を授与し、ウラマーの地位を認定する機関でもなかった。モスクや私邸で開かれるマジュリス・ハルカも続けられ、教育の場をマドラサが独占したわけでもない。つまるところマドラサは、マジュリス・ハルカが開かれる場所として、従来のモスクや私邸に加わったものであるのだが、そこで教えるウラマーを教員として雇用したことは大きな変化をもたらした。マドラサ教員という職は、言うまでもなく、ウラマーの学識と直結した職であり、しかも、カーディーや法学顧問のポストがそうそうには増えないのに対して、マドラサ教員のポストはマドラサの増加に伴って増えたからである。

マドラサの起源は不明の点が多いが、一〇世紀のホラーサーンが発祥地の一つと考えられている。筆者が知り得た最古の事例も、一〇世紀のニーシャープールにおいて、同市のウラマー名家、マーサルジス家[9]のムハンマド・ブン・アル＝ムアッマル(九六一年没)が、「ハディース学者たちのために館を建て、彼らに糧を与えた」(al-Dhahabī 1982-1988: Vol. 16, 24)というものである。この「館」は、マドラサとは呼ばれていないが、ハディース学者が勉学に専念できる場所を整えたという点でマドラサの原型と見なされる。マドラサと呼ばれる施設のニーシャープールでの初出は、ガズナ朝(九七七―一一八七年)の王子で、一〇〇〇頃年に総督として赴任してきたナスル・ブン・サブクテギーン(一〇二一年没)が建設してワクフを設定した、マドラサ・サアディーヤである(al-Ṣarīfīnī 1993: 508)。そして、セルジューク朝(一〇三八―一一九四年)の宰相ニザーム・アル＝ムルク(一〇九二年没)が、ニーシャープール、イスファハーン、バグダードといった同朝の版図の主要都市に、自らの名前を冠してニザーミーヤと呼ばれたマドラサを建設したことはよく知られている。その後も、様々なムスリム王朝の支配層の建設・寄進によって各地でマドラサが増加し、多くのウラマーがマドラサの教員として活動するようになり、ウラマーを志す者たちは学生としてマドラサを渡り歩いて研鑽を積むようになった。マドラサの普及は、ウラマーの職業化と養成過程の制度化を推し進めることとなったのである(Gilbert 1980)。

政治・軍事支配層がマドラサの設置と寄進を行った理由の一つに、マドラサをウラマーの庇護・統制の有効な回路と見なしたことが考えられる。都市富裕層に属するウラマーたちは、経済力に基づいた在地名望家でもあった。支配層にとって、名望家としての彼らに自らの意向に沿って在地社会をまとめてもらい、宗教知識人としての彼らにイスラームに則って支配の正統性を裏書きしてもらうことは、円滑な統治に重要だったのである。そのため、マドラサの出現以前から、支配者たちはウラマーを庇護・統制してきた。マアムーンのように学問に容喙(ようかい)することはまれであり、ポストや資金の配分によって行うのが常であった。支配に協力的で在地社会に強い影響力を持つウラマーをカーディーに任命したり、支持を引き出したいウラマーに資金を援助するといったことである。ウラマーにとっても、君主や大臣に学識と声望を認められて、ポストや資金の提供を受けることは概ね歓迎であった。政権と距離を置き、政権に接近する同僚を、権力におもねって学を曲げたと非難するウラマーもいたが、支配者たちは、あからさまに反抗しない限り彼らを放置した。

預言者ムハンマドに代わってムスリムを統治する政治・軍事支配者と、預言者の遺産である知識の相続人としてムスリムを導くウラマーとは、お互いに領分が異なることを認識しつつ、ある程度の緊張感をともなった協力関係を築いていた。支配者たちは、研究・教育というウラマーの領分での活動の場であるマドラサを設置・寄進し、教員人事などをとおしてウラマーを庇護・統制することが、ウラマーとの協力関係を主導的に維持・促進することに有効であると認識したと考えられる。司法や政策諮問といった、支配者の領分である統治に直接関わる活動に引き込むよりはウラマーの負担感が少なかったであろうし、直接資金を渡すよりはスマートであったろう。実際、カーディーとして裁判に携わるよりも、マドラサ教員の方が望ましいと述べたウラマーもおり（Ibn al-ʿAdīm n.d.: Vol. 3, 1211; 谷口 一九九六：七二頁、森山 二〇〇九：四三―四四頁）、マドラサで学び教えることがウラマーにとって快適であったことは確かであろう。

他方、ウラマーと民衆の関係においても、一一世にその後につながる変化が顕著になった。それは、聖者崇敬とスーフィズムである。(10) スーフィズムとは、神との合一を目指して修行に励むスーフィーと呼ばれる人々の実践と、神との合一という神秘体験を論ずる彼らの思想である。スーフィズムは、現世の欲を捨てて神だけを思おうという禁欲主義から発展し、九世紀から一〇世紀にかけて修行理論と神秘主義思想を発達させた。人々は、「神のワリー（友）」として神の恩寵を授かるある種の聖者が存在し、聖者の身体や縁の品々をとおして神の祝福に与ることができると信じて、聖者の墓への参詣などを行った。既に一〇世紀には、著名な教友や預言者ムハンマドの一族などと並んで、顕著な名声を得たウラマーも聖者と見なされ、彼らの墓が参詣の対象となっていた。

民衆がウラマーに抱く敬意は、地元の名望家としての彼らに対するものと並んで、聖者やそれに準ずる「ありがたい」存在としての彼らに対する尊崇が大きかったと考えられる。前近代の中東ムスリム社会の教育水準について確かな情報があるわけではないが、都市においても富裕層以外のいわゆる民衆には字を読めない者も多かったと考えられる。そうした民衆が、法源学の議論やイスナードの理論に関心を向け、それらを理解してウラマーの学識を評価・尊敬したとは思われない。神と預言者をよく知る、「ありがたい」特別な人々として敬っていたと思われる。

スーフィズムにおいては、修行を極めて神との合一を果たしたと認められたスーフィーを「神のワリー」とし、ワリー（聖者）に関する神秘主義思想を発達させた。スーフィズムや聖者崇敬を神の啓示と預言者のスンナからの逸脱として否定するウラマーもいたが、大多数のウラマーは、法学などとともにスーフィズムも学び、神秘主義思想や聖者論の発展に寄与した。シャーフィイー法学派「ハディースの徒」の一人として本稿に登場したアブー・ヌアイムは、聖者人名録の傑作である『聖者たちの首飾り』(Abū Nuʻaym 2014)の編纂者としても知られる。また、スンナ派の歴史をとおして最も偉大なウラマーの一人と評されるガザーリー(一一一一年没)は、シャーフィイー派法学とアシュアリー派神学を修め、若くしてバグダードのマドラサ・ニザーミーヤの教員となったが数年で辞職し、スーフィーとしての修行と思索を極め、哲学の批判的研究とあわせて、スンナ派宗教諸学を大成した。

一二世紀以降、ウラマーとスーフィーの複合は一般的となり、ウラマーの聖者化を促進するとともに、組織化と位階化をもたらした。スーフィズムにおいて、「タリーカ」(道)と呼ばれる教団がいくつも組織されたからである。タリーカは、神との合一を果たした高名なスーフィーの修行道を継承し、その実践と発展に専念するために世俗を離れた修行者たちの組織であり、祖師の道統を継ぐ導師を頂点に、修行の階梯に応じた位階を整備した。俗世のムスリム民衆は、「出家者」の組織であるタリーカに財産を寄進し、祖師の生誕/命日祭などのタリーカが主宰する祝祭に参加することで、神の祝福と安寧な生活などを願うようになった。こうした変化にともなって、スーフィーとしての修行にも励むウラマーは、タリーカへの所属とその位階によって、他のムスリムたちから明確に分かたれた地位を示し、その地位ゆえに、民衆から崇敬を集めるようになっていった。

預言者ムハンマドの死去から一世紀が過ぎようとした七世紀末から八世紀前半にかけて、神の啓示と預言者の教え、ウンマの父祖たちの記憶に詳しい物知りとして登場したウラマーは、法学を中心に、ハディース学、コーラン解釈学、神学などのイスラーム諸学を成立・発展させ、イスナードに表象される真正な知識の正統な継承に支えられた学識に存立する知識人としての古典的な姿を一〇世紀までに確立した。この古典的なウラマーの姿は、一一世紀に普及したマドラサ、スーフィズム、聖者崇敬という要素によって、職業化、制度化、聖者化、組織化、位階化といった傾向を示すように変化した。[11] この変化の先に、一九世紀までの中近世のウラマーの姿、さらには今日までの近現代のウラマーの姿があるのだが、知識という預言者の遺産を正統に受け継いだ預言者の相続人をもって自らを認ずることは、世界各地の多種多様なウラマーたちに通底し続けてきたのである。

注

（1）(Brockopp 2017)は、初期のウラマーについて、アラビア語の叙述資料だけでなく、パピルス文書や非ムスリムによる記録なども用いて多角的に論じた。

（2）ムスリムたちが信じてきたところでは、複数の「私家版」のコーランが各地に伝わり、啓示の内容や文言の統一が失われていくことを危惧したウスマーンが「公定版」を編纂させ、各地の「私家版」を廃棄させていたので、それ以降、「ウスマーン版」と呼ばれる「公定版」が唯一の確定テクストとして現在まで変わらずに伝わったとされる。確かに、「ウスマーン版」以外の異本は発見されていないが、「ウスマーン版」の成立時期に関して、文献学的な実証によって遡れるのは、今のところ九世紀までである。近年、七世紀に遡るコーランのテクストの断片が発見されており、遅くとも七世紀末までには「ウスマーン版」が成立していたと考えられるようになっている。

（3）法学派の形成・展開については(Melchert 1997; 堀井 二〇〇四)に詳しい。

（4）「ムウタズィラ」(退く者)という名称は、アラビア語の「退く」「避ける」を意味する動詞「イイタザラ」の能動分詞であり、その由来は、コーランの中で、アブラハムが偶像崇拝をやめない父に対して「私は、あなたと、あなたが神(アッラー)を差し置いて祈るもの(偶像)から退く」(一九章四八節)と言ったと語られることにあると説明されることが多い。しかし、諸説あって確定していない。

（5）(松山 二〇一六：二五一―二七頁)は、「ハディースの徒」という名称は、法学の文脈ではマーリク法学派、シャーフィイー法学派、ハンバル法学派を指し、神学の文脈では、主にハンバル学派を指すと述べる。

（6）ハディース学の理論と方法の詳細については(Brown 2018)を参照。ハディース学者の知的実践の歴史については(Davidson 2020)に詳しい。

（7）「ターリーフ」は「年月日を記す」を原義とし、過去の人物や出来事に関する記録・叙述を意味するので「歴史」と訳される。書名に「ターリーフ」を含むアラビア語の書籍は九世紀頃から数多く書かれてきた。その中には年代記も含まれるが、人名録も多く、「ターリーフ」と「歴史」の意味する範囲は重なりながらずれている(佐藤 二〇〇五)。

(8) ウラマー人名録に関しては、(谷口 二〇〇五、森山 二〇〇九、同 二〇一四a)を参照。

(9) ニーシャープールのキリスト教徒の富裕な指導的一族であったが、九世紀前半にイスラーム教に改宗し、一〇世紀前半にかけて多くのウラマーを輩出した。

(10) 聖者崇敬とスーフィズムについては(東 二〇一三)を参照。

(11) 一一世紀の変化については、(Ephrat 2000)などの研究がある。また、一一世紀以降も含めた前近代のウラマーの歴史の概要については、(谷口 二〇一一)に簡潔にまとめられている。

参考文献

医王秀行(一九九三)「カリフ・マームーンのミフナとハディースの徒」『イスラム世界』第三九・四〇号。

佐藤次高(二〇〇五)「歴史を伝える」林佳世子・桝屋友子編『記録と表象――史料が語るイスラーム世界』東京大学出版会。

竹田敏之(二〇一四)「アラビア語正書法の成立」小杉泰・林佳世子編『イスラーム 書物の歴史』名古屋大学出版会。

谷口淳一(一九九六)「一一―一三世紀のハラブにおけるウラマー三家系――スンナ派優遇政策とウラマー」『史林』第七九巻第一号。

谷口淳一(二〇〇五)「人物を伝える――アラビア語伝記文学」林佳世子・桝屋友子編『記録と表象――史料が語るイスラーム世界』東京大学出版会。

谷口淳一(二〇一一)「聖なる学問、俗なる人生――中世のイスラーム学者」山川出版社。

東長靖(二〇一三)『イスラームとスーフィズム――神秘主義・聖者信仰・道徳』名古屋大学出版会。

堀井聡江(二〇〇四)『イスラーム法通史』山川出版社。

松山洋平(二〇一六)『イスラーム神学』作品社。

森山央朗(二〇〇九)「「地方史人名録」伝記記事の特徴と性格――中世イスラーム世界のウラマーが編んだ地域別人物記録の意図」『東洋学報』第九〇巻第四号。

森山央朗(二〇一四a)「「地方史人名録」――ハディース学者の地方観と世界観」柳橋博之編『イスラーム 知の遺産』東京大学出版会。

森山央朗（二〇一四b）「イスファハーンの二篇の「歴史」――ハディース学者が同じような著作を繰り返し編纂した理由」『東洋史研究』第七二巻第四号。

Abū Dāwūd (2009), *Sunan Abī Dāwūd*, al-Ḥāfiẓ Abū Ṭāhir Zubayr ʻAlī Zaʼī (ed.), Riyad, Dār al-Salām.

Abū Nuʻaym (1990), *Taʼrīkh Aṣbahān: Dhikr Akhbār Aṣbahān*, Sayyid Kisrawī Ḥasan (ed.), 2 vols., Beirut, Dār al-Kutub al-ʻIlmīya.

Abū Nuʻaym (1995), *Ṣifat al-Janna*, ʻAlī Riḍā b. ʻAbd Allāh b. ʻAlī Riḍā (ed.), Damascus, Dār al-Maʼmūn li-l-Turāth.

Abū Nuʻaym (2014), *Ḥilyat al-Awliyāʼ wa Ṭabaqāt al-Aṣfiyāʼ*, Muṣṭafā ʻAbd al-Qādir ʻAṭā (ed.), 12 vols., Beirut, Dār al-Kutub al-ʻIlmīya.

Brockopp, Jonathan E. (2017), *Muhammad's Heirs: The Rise of Muslim Scholarly Communities, 622-950*, Cambridge, Cambridge University Press.

Brown, Jonathan A. C. (2007), *The Canonization of al-Bukhārī and Muslim: The Formation and Function of the Sunnī Ḥadīth Canon*, Leiden and Boston, Brill.

Brown, Jonathan A. C. (2018), *Hadith: Muhammad's Legacy in the Medieval and Modern World* (2nd Edition), London, Oneworld Academic.

al-Bukhārī (2007), *Ṣaḥīḥ al-Bukhārī*, Maḥmūd Muḥammad Maḥmūd Ḥasan Naṣṣār (ed.), Beirut, Dār al-Kutub al-ʻIlmīya.（『ハディース――イスラーム伝承集成』牧野信也訳、全六巻、中公文庫、二〇〇一年）

Bulliet, Richard W. (1983), "The Age Structure of Medieval Islamic Education", *Studia Islamica*, 57.

Davidson, Garrett A. (2020), *Carrying on the Tradition: A Social and Intellectual History of Hadith Transmission across a Thousand Years*, Leiden and Boston, Brill.

al-Dhahabī (1982-1988), *Siyar Aʻlām al-Nubalāʼ*, Shuʻayb al-Arnuʼūṭ et al. (eds.), 25 vols., Beirut, Muʼassasat al-Risāla.

Ephrat, Daphna (2000), *A Learned Society in a Period of Transition: The Sunni ʻUlamaʼ of Eleventh-Century Baghdad*, Albany, State University of New York Press.

Gilbert, Joan E. (1980), "Institutionalization of Muslim Scholarship and Professionalization of the ʻUlamāʼ in Medieval Damascus", *Studia Islamica*, 52.

al-Ḥākim al-Naysābūrī (n.d.), *Maʻrifat ʻUlūm al-Ḥadīth*, al-Sayyid Muʻaẓẓam Ḥusayn (ed.), Beirut, al-Maktab al-Tijārī.

al-Ḥākim al-Naysābūrī (1986), *al-Mustadrak ʻalā al-Ṣaḥīḥayn*, 4 vols.+Index, Beirut, Dār al-Maʻrifa.

Ibn al-ʻAdīm (n.d.), *Bughyat al-Ṭalab fī Taʼrīkh Ḥalab*, Suhayl Zakkār (ed.), 10 vols. +2 Indexes, Beirut, Dār al-Fikr.

Ibn ʻAsākir (1995-2000), *Ta'rīkh Madīnat Dimashq*, Muḥibb al-Dīn Abū Saʻīd ʻUmar b. Gharāma al-ʻAmrawī (ed.), 80 vols., Beirut, Dār al-Fikr.

Ibn Isḥāq and Ibn Hishām (1858-1860), *Sīrat Sayyid-nā Muḥammad Rasūl Allāh*, Ferdinand Wüstenfeld (ed.), 3 vols., Göttingen, Dieterichsche Universitäts-Buchhandlung.(イブン・イスハーク著/イブン・ヒシャーム編注『預言者ムハンマド伝』後藤明ほか訳、全四巻、岩波書店、二〇一〇—二〇一二年)

Ibn Ḥanbal, Aḥmad (2008), *Musnad al-Imām Aḥmad b. Ḥanbal*, Muḥammad ʻAbd al-Qādir ʻAṭā (ed.), 12 vols., Beirut, Dār al-Kutub al-ʻIlmīya.

Ibn Māja (1954), *Sunan al-Ḥāfiẓ Abī ʻAbd Allāh Muḥammad b. Yazīd al-Qazwīnī Ibn Māja*, Muḥammad Fuwād ʻAbd al-Bāqī (ed.), 2 vols., Cairo, Dār Iḥyā' al-Kutub al-ʻArabīya.

al-Khaṭīb al-Baghdādī (MS), *Risāla fī ʻIlm al-Nujūm*, Istanbul, Süleymaniye Kütüphanesi (Aşir Efendi 190).

al-Khaṭīb al-Baghdādī (1996), *al-Jāmiʻ li-Akhlāq al-Rāwī wa Ādāb al-Sāmiʻ*, Muḥammad ʻAjjāj al-Khaṭīb (ed.), 2 vols., Beirut, Mu'assasat al-Risāla.

al-Khaṭīb al-Baghdādī (2000), *al-Bukhalā'*, Bassām ʻAbd al-Wahhāb al-Jābī (ed.), Beirut, Dār Ibn Ḥazm.

al-Khaṭīb al-Baghdādī (2004), *al-Riḥla fī Ṭalab al-Ḥadīth*, Nūr al-Dīn ʻItr (ed.), Beirut, Dār al-Kutub al-ʻIlmīya.

al-Khaṭīb al-Baghdādī (2013), *al-Kifāya fī ʻIlm al-Riwāya*, Ḥasan ʻAbd al-Munʻim Shalbī (ed.), Beirut and Damascus, Mu'assasat al-Risāla.

Mālik b. Anas (1997), *al-Muwaṭṭa'*, Bashshār ʻAwād Maʻrūf (ed.), 2 vols., Beirut, Dār al-Gharb al-Islāmī.

Melchert, Christopher (1997), *The Formation of the Sunni Schools of Law, 9th–10th Centuries C.E.*, Leiden, New York and Köln, Brill.

Moriyama, Teruaki (2021), "Using Hadiths in the Appropriate Style: Scholarly Practice of the Shāfiʻī Aṣḥāb al-Ḥadīth", *AJAMES: Annals of Japan Association for Middle East Studies*(『日本中東学会年報』)36-2.

Muslim (2006), *Ṣaḥīḥ Muslim*, Beirut, Dār al-Kutub al-ʻIlmīya.(『日訳サヒーフ ムスリム』磯崎定基ほか訳、全三巻、日本ムスリム協会、一九八七—一九八九年)

al-Ṣarīfīnī (1993), *al-Muntakhab min Kitāb al-Siyāq li-Ta'rīkh Naysābūr*, Khālid Ḥaydar (ed.), Beirut, Dār al-Fikr.

Schacht, Joseph (1960), "AHL AL-ḤADĪTH", *The Encyclopaedia of Islam* (2nd Edition), Vol. 1, Leiden, E. J. Brill.

al-Ṭabarī (1954), *Jāmiʻ al-Bayān ʻan Ta'wīl Āy al-Qur'ān*, 30 vols., Cairo, Maṭbaʻat Muṣṭafā al-Bābī al-Ḥalabī wa Awlādi-hi.

al-Ṭabarī (1964-1965), *Ta'rīkh al-Rusul wa al-Mulūk*, M. J. de Goeje et al. (eds.), 3 series, Leiden, E. J. Brill.

コラム | Column

アズハル・モスク

——シーア派教育機関からスンナ派教育機関へ

近藤真美

アズハル・モスクを訪れ、キブラを背にして中庭に立つと、マムルーク朝期に造られた三基のミナレットが並んで視界に入る。右から左に向かって、一四世紀にアミール＝アクブガーに造られたもの、一五世紀にスルターン＝カーイトバーイによって造られたもの、そして一六世紀初頭にスルターン＝ガウリーによって造られた、尖塔を二つもつものである。同モスクの広さは、一二〇×一三〇メートル程であるが、創建当初は七〇×八五メートル程度であったという。

九六九年、ジャウハル将軍率いるファーティマ朝軍がエジプトの征服に成功した。エジプト史上唯一のシーア派王朝の成立である。ジャウハルは、新都カイロを建設する際、宮殿の南東にアズハル・モスクを建設した。創建について刻んだ銘板は現存していないが、エジプトの歴史家マクリーズィー(一四四二年没)は、著書『エジプト地誌』の中で、九七〇／九七一年にムイッズがジャウハルに創建を命じたとする銘板を見たと伝えている。叙述史料によれば、二年をかけて九七二年に完成した。

このモスクは、集団礼拝とフトバ(説教)を行うことのできるモスクとして建設された。カリフは、毎月週ごとに、フスタートにあったアムル・モスク(六四一年完成)、カターイーにあったイブン・トゥールーン・モスク(八七九／八八〇年完成)、そしてカイロに建設したアズハル・モスクで金曜礼拝とフトバを行ったという。一一世紀初頭、当時のカイロの城壁の北側にカリフ＝ハーキムがハーキム・モスクを建設してからは、アズハル・モスクではなく、こちらでフトバが行われるようになった。カリフ＝ハーキムを含むファーティマ朝のカリフたちは、ワクフ財、また扉や燭台といった様々なものをアズハル・モスクに寄進し、その維持・増改築・運営に寄与した。

ファーティマ朝は、シーア派の分派イスマーイール派の王朝である。国家機構として教宣組織を有し、王朝樹立後も熱心に教宣活動を続けた。その活動は支配領域外だけでなく、支配領域内にも向けられており、教義の浸透と深化のために定期的に講義が行われた。スンナ派住民がほとんどを占めていたであろうエジプトを支配するにあたって、住民を強制的にイスマーイール派に転向させるのではなく、教育を通して教義を浸透させていく方法をとったのである。講義は、最初は宮殿で行われていたが、モスクでも行われるようになった。九八八／九八九年になると、宰相イブン・キッリスの進言を受けて、アズハル・モスクにおいて、生活に必要な金品を法学者たちに渡し、モスクの近くに彼らの住居を整えるようカリフ＝アズィーズが命じ、法学者たちはそこからモスクに通ったという。生活を保障して、モスクでイスマーイール派の法学を学ばせるようにしたのである。クルアーン（コーラン）の読誦や解釈を学ぶものから、教宣長官が講義するものまで、学修内容は様々であった。また、その対象者は、男性だけではなく女性も含まれた。ファーティマ朝カリフ一族の女性などの高位の女性は宮殿で、それ以外の女性はアズハル・モスクで講義を受けた。

一一七一年、ファーティマ朝最後のカリフが死去すると、アイユーブ朝はスンナ派の復興を推し進めた。フトバはスンナ派アッバース朝カリフを認めるものとなり、アズハル・モスクではなく、引き続きハーキム・モスクで行われた。教育もまたスンナ派の教義に基づくものとなると同時に、一〇世紀頃にイランのホラーサーン地方で始まったとされる教育機関マドラサがエジプトに導入された。そのため、アズハル・モスクは、ファーティマ朝期に有していたような教育の場としての重要性を相対的に下げることとなったが、マドラサでの教育方法を取り入れるなど、変化に対応していった。

マムルーク朝期になると、このモスクは再び繁栄の時を迎えた。そのきっかけとなったのは、一二六六年に、スルターン＝バイバルス一世が、このモスクでもフトバを行うことを認めたことにあろう。これ以降、一四世紀前半にはタイバルスィーヤ・マドラサとアクブガーウィーヤ・マドラサが、一五世紀半ばにはジャウハル・クヌクバーイーのマドラサと廟が付け加えられるなど、創建時と全く同じとは言えないが、カイロでフトバを行うことのできるモスクの一つとして、また重要な教育の場の一つとして発展した。さらに、オスマン朝期の一八世紀には、キブラ側が大きく拡張されるとともに、カイロの外からやってきて学ぶ者たちのためにリワーク（出身地別宿舎）も付設された。

一九世紀末以降、組織や教育内容などの様々な変化を経て、現在は、世界各地のスンナ派ムスリムが学ぶ、最も重要な学術・教育機関となっている。

アズハル・モスク．左がガウリーのミナレット，中央がカーイトバーイのミナレット，手前の柱で半分隠れて見える右端のものがアクブガーのミナレット（筆者撮影）

問題群｜*Inquiry*

山々に守られた辺境の解放区
──カスピ海南岸地域のアリー裔政権（八六四─九三〇／九三一年）

森本一夫

はじめに

西暦八六四年、カスピ海南岸のタバリスターン地方西端部では、アッバース朝（七四九─一二五八年）カリフの権威のもと同地方を支配していたターヒル朝（八二一─八七三年）の支配に対する不満が高まっていた。この不満は、ターヒル朝の代官が牧畜や薪集めに使われていた入会地を不当に接収しようとしたことで頂点に達する。この地域の住民たちは、西隣のダイラム地方に住むダイラム人からも参加の約束を取りつけ、武装蜂起を計画するようになったのである。ダイラム地方はターヒル朝の支配領域からは外れていたが、直前に同王朝の侵攻を受けており、ここでも住民の間で反ターヒル朝の機運が高まっていた。

ここで注目すべきことが起こる。蜂起を決めた勢力は、タバリスターンの南に壁のように立ちはだかるアルボルズ山脈を越え、ライの町からハサン・イブン・ザイド（「イブン」は「〜の息子」の意）という人物を招き、指導者としたのである。ハサン・イブン・ザイドは、シーア派諸派にとっての初代イマーム（イスラーム共同体の指導者）であるアリー（六六一年没）と預言者ムハンマドの娘であるファーティマの、長男ハサンを通じた七世の男系子孫であった。これは彼が、娘を通じてであるとはいえ、預言者ムハンマドの直系の子孫であったことを意味する。ハサン・イブン・ザイドはまた、イスラーム共同体(ウンマ)の正当な指導者(イマーム/カリフ)となれるのはファーティマの男系子孫(=ファーティマ裔)で知勇をともに備えた男性のみで、そうした者は剣を振るい実権を手にしてこそ役割を果たすことができるとする、ザイド派というシーア派の一派に属していた。[1] 地域的な不満に根ざす蜂起は、こうして、ザイド派に属すファーティマ裔の指導者が、彼の一族の「本来の」権利を実現し、彼が正しいと信じる形での国家と社会を建設しようとする運動としての相貌をも持つことになった。

ハサン・イブン・ザイドを戴く蜂起勢力は破竹の勢いでターヒル朝の勢力をタバリスターンから駆逐し、独立政権の樹立に成功する。本稿が扱うのはこの政権の歴史である。この政権の君主となったのは、おそらくは前記のようなザイド派の指導者論も関係して、アリーとファーティマの長男ハサンと次男フサインの男系子孫、つまりハサン裔とフサイン裔からなるファーティマ裔の者たちのみであった。したがって、この政権は正確には「ファーティマ裔政権」と呼ぶべきところであるが、君主たちの血統にもとづく呼び名としてはアリー裔の者たちを意味する「'Alids」(英語の場合)がすでに定着している。アリー裔はファーティマ以外の女性が生んだアリーの男子の男系子孫をも含むので不正確なところはあるが、本稿でもこれに従う。やはりよく使われる「ザイド派政権」も呼び名の有力候補となるが、政権と宗派の関係はそれ自体が一つの論点となりうる性格を持つことに鑑み、本稿では採用しない。また、単にアリー裔政権と述べた場合には、カスピ海南岸地域の、かつ本稿で扱う九三〇/九三一年までのそれを指すこととしたい。

アリー裔政権は支配領域からいえば「マイナー」な一地域政権に過ぎない。しかしそれは、同時代のイスラーム圏一般におけるアリー一族(本稿では、ファーティマ裔とも、アリー裔とも、ターリブ裔(アリーの父アブー・ターリブの男系子孫)とも明確に限定できない場合にこの語を用いる。その核となるのはファーティマ裔であったと理解して間違いない)の動向と

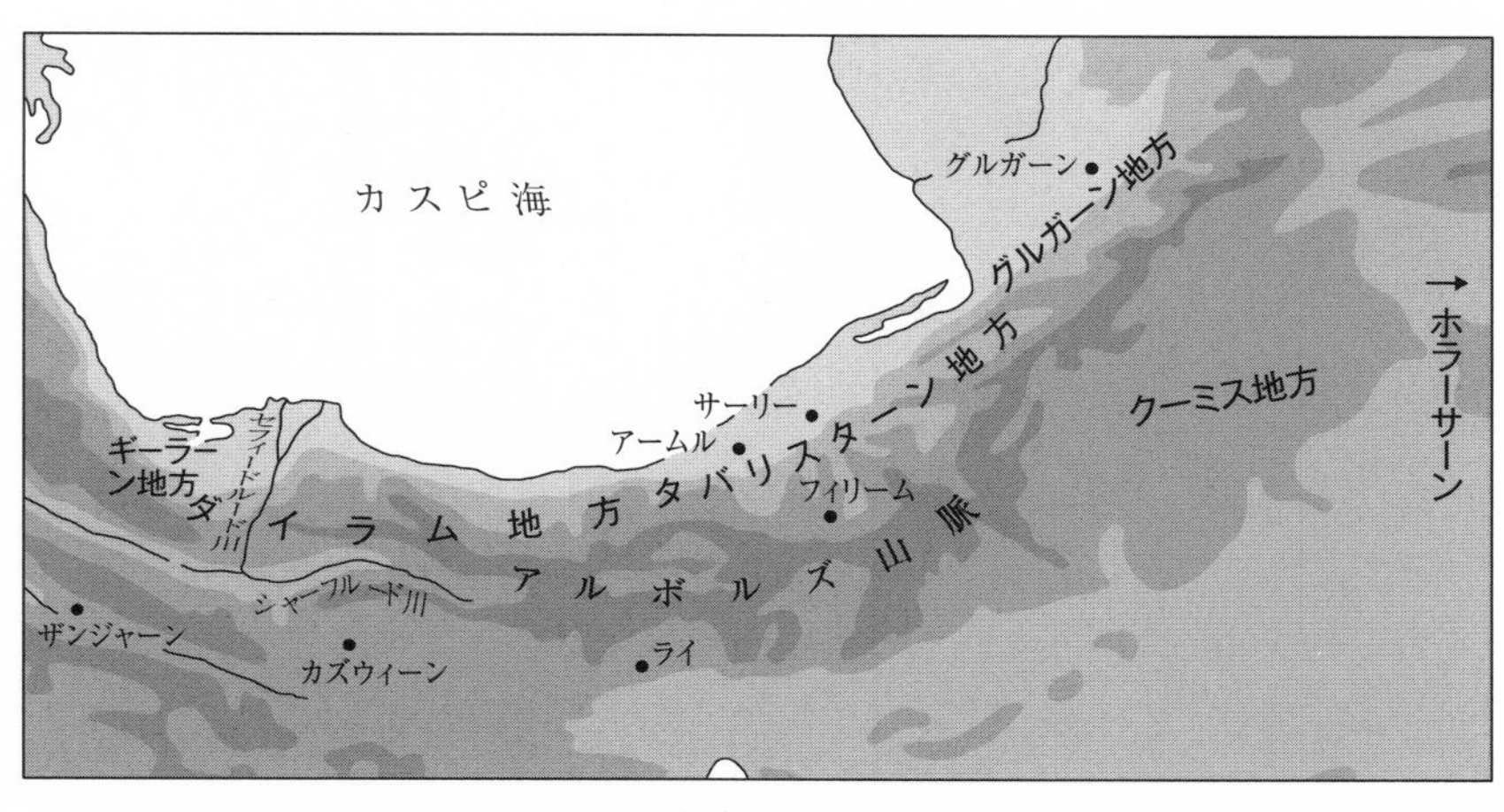

図1 カスピ海南岸地域とその周辺

深く関わる存在でもあった。そうした動向は、アリー一族による政治運動の展開にだけでなく、彼らのイスラーム圏各地への拡散と定着という問題にも関わるものである。本稿は、アリー裔政権を通じて政治運動と拡散という観点から見た同時代のアリー一族の状況を考えることも目的とする。

アリー裔政権の歴史には、少なくとももう一つ、カスピ海南岸地域という枠を大きく越え出る要素がある。それは、一〇世紀から一一世紀前半にかけてイラン高原西半とイラクを席捲したダイラム人とギール人という二つのエスニック集団のイスラームへの本格的な改宗が、この政権の存在によって引き起こされたことである。アリー裔政権は、ブワイフ朝（九三二―一〇六二年）に代表される両集団がイスラーム史の物語に登場する一つの素地を作った存在であった。このため本稿では、アリー裔政権下でダイラム人とギール人に起こった変化にも論及する。

なお、ザイド派の教義に依拠したカスピ海南岸地域におけるファーティマ裔による政権樹立は、全体に局所化したとはいえ、一六世紀前半にいたるまで断続的に続いた。九三〇／九三一年以降の動向、それと深く関わるアルボルズ山脈南麓一帯におけるザイド派の活動（およそ一二世紀まで）にも論ずべき点が多々あるが、本稿では扱わない。

本論に入る前に、地理について簡単に述べておこう［**図1**］。カスピ海南岸地域は東西に細長く延びる弧のような形をしており、その南はアルボルズ山脈によって区切られる。西の海岸部にはギーラーンの平野が、東の海岸部にはタバリスターンの平野が広がるが、その間の部分ではアルボルズからせり出した山塊が海岸に迫る。地方としてのタバリスターンは、平野の西端部から少し西に進んだ辺りで尽き、その西の山岳地帯、そして山岳地帯と海との間に延びる細長い低地は併せてダイラム地方と呼ばれる。ダイラム地方に東と南から包み込まれるように広がるのが同名の平野からなるギーラーン地方である。一方、タバリスターンの平野の東端はカスピ海東南端とアルボルズに挟まれた回廊を経てそのままグルガーン地方の平野に繋がる。アリー裔政権は、勢力が盛んな時期にはこの地方をも支配し、主邑グルガーンはその重要拠点となった。なお、タバリスターン地方は平野部とその南の山岳部からなっていたが、本稿では特に山岳部と断らない限り「タバリスターン」はその平野部を指すこととしたい。

カスピ海の水面は海抜下であるのに対しアルボルズ山脈は三〇〇〇メートル級、四〇〇〇メートル級の峰々が連なる大山脈である。このことは豊かな降水が山脈の北側一帯を潤すことを意味する。本稿の主たる舞台となる地域は、アルボルズ山脈によってイラン高原と地形的に区切られた一つの世界をなしていたのみならず、その湿潤な気候と緑豊かな景観でも大いに異なった世界をなしていた。なお、多人数からなる軍が地域外からカスピ海南岸地域を攻めようとする際、最も頻繁に使われたのは東のグルガーン地方からの平野伝いのルートであった。アルボルズ山中にも山脈を越える南北のルートが複数存在したが、それらは全て相対的に不便な山道であった。

一、アリー裔政権の興亡とその中でのダイラム人とギール人

九三〇／九三一年にいたるアリー裔政権の歴史は、九〇〇年までの第一次政権、九一四年に成立した第二次政権の

二つの時期に分けて考えるのが適当である。以下、まずはその骨子を述べるところから始めよう。次いで、両次政権期を通じてダイラム人・ギール人に起きた変化をまとめることとする。なお、本稿では、しばしば用いられる九二八年(ハサン・イブン・カースィムの敗死)ではなく、即位が確実な最後の君主が毒殺された九三〇年かその翌年(それゆえ九三〇／九三一年)をもって第二次政権の終わりと見なしている。

第一次政権(八六四—九〇〇年)

ハサン・イブン・ザイドはタバリスターンを制圧すると、ターヒル朝の拠点であったサーリーから西に五〇キロほどに位置し、以後もアリー裔政権最重要の都市となるアームルに拠点を定めた。アリー裔政権の君主はそれぞれに君主号を称しているが、ハサンが採ったのは「真実に誘う者(al-Dāʿī ilā al-Ḥaqq)」である。また、第二次政権の君主たちは「先例に則り」(Madelung 1987: 23)カランスワ帽(言葉自体からはターバンの下に着用する背の高い縁なしの釣鐘帽子と了解される)を君主位の印(#「王冠」)として用いている。アッバース朝でも同じ意味合いで用いられていたこの標識を、ハサンも用いた可能性がある。

ハサンは翌八六五年にはターヒル朝自体の、八六九年にはターヒル朝の宗主アッバース朝の、そして八七四年にはターヒル朝に取って替わったサッファール朝(八六一—一〇〇三年)の攻撃を受けタバリスターンから追われるが、その度にダイラム地方に引き籠もり、そこで調達した兵力によって短時間のうちにタバリスターンを取り返した。そのような過程の中、八六七年にはグルガーンをも手中にする。ハサン・イブン・ザイドの治世、特にその初期においてはまた、傘下の(あるいは彼と連携した)ファーティマ裔の者たちがアルボルズ山脈を南に越え、一時的にザンジャーン、カズウィーン、ライ、クーミス地方(の一部?)をも押さえた。

ハサン・イブン・ザイドは八八四年にアームルで没する。彼の死後、アームルでは、ハサンによる兄弟ムハンマドに対する後継者指名を握り潰したとされるハサンの娘婿アブー・フサイン(同じくハサン裔)が、「真実によって起つ者(al-Qā'im bi-l-Ḥaqq)」と号して君主位に就く。しかし一〇カ月後にはムハンマドがこの娘婿を倒し、ハサンと同じ「真実に誘う者」を称して君主位を受け継いだ。

ムハンマドはハサンの時代からの自身の本拠地グルガーンを拠点とした。彼の治世を掻き乱したのは、ホラーサーンに勢力を確立していたターヒル朝の旧臣ラーフィウ・イブン・ハルサマである。八九一年のラーフィウの侵入によりムハンマドはダイラム地方に押し込まれる。ところが翌年、ラーフィウの本拠地ホラーサーンがサッファール朝に奪われるという事態が起こる。アッバース朝のカリフが、自分に認めていたホラーサーン統治をサッファール朝に認めたのを見たラーフィウは、ここで一転してムハンマドに忠誠の誓いを行い、グルガーン以外の領域を返還した。さらにホラーサーンでの巻き返しを図るラーフィウは、八九六年には一時的にニーシャープールを占領し、このホラーサーンの重要都市においてムハンマドの名で金曜礼拝の説教(フトバ)が行われるというエピソードを残した。ただしラーフィウはほどなくホラズムで敗死する。

ラーフィウの一件の後、ムハンマドは再びグルガーンに拠点を戻すが、九〇〇年、サッファール朝にかわりホラーサーンで覇権を確立したサーマーン朝(八一九―一〇〇五年)の軍とグルガーン郊外で戦い敗死した。後継者に指名されていた息子のザイドは捕らえられ、サーマーン朝の都ブハラで生涯を終えることになる。旧ムハンマド陣営での、まだ子供であったザイドの息子マフディーを擁立しようとする動きも瓦解し、タバリスターンはサーマーン朝勢力の支配するところとなる。これが第一次政権の終わりである。

このような流れの中で、在地諸勢力もそれぞれに生き残りをかけた動きを見せていた。第二次政権期も含め、代表的な二つの小王朝の動向に触れておこう。ダイラム地方で最も有力であったのは、シャーフルード河谷一帯を本拠としていたジュスターン朝(九世紀末―一一世紀)であった。この王朝は両次の政権を通じてほぼ一貫してアリー裔政権を支えた。ハサン・イブン・ザイドの治世初期にアルボルズ山脈南麓一帯への進出を軍事的に支えたのもジュスターン朝であった。

タバリスターンの山間部で最も強力であったのは、フィリームを拠点とし、八四二年以降はムスリムの君主を戴くようになっていたバーワンド朝(六六五-一〇七四年/同名の後継王朝は一三四九年まで存続)であった。ターヒル朝と関係が深かったこの王朝は、両次政権を通じてほぼ一貫してアリー裔政権と対立した。タバリスターンに進出してきた外部勢力に協力するだけでなく、そうした勢力を誘い入れる動きも見せている。地の利とフットワークの軽さ(上手に逃げ回る)と巧みな外交に支えられて敵対を続けたバーワンド朝は、アリー裔政権にとって目の上のこぶであったと言えよう。

第二次政権(九一四-九三〇/九三一年)

ムハンマド・イブン・ザイド敗死を承けたアリー裔政権の残党は、通例に従いダイラム地方に退き、そこで反抗を企図した。ここで指導者として浮上してきたのがハサン・ウトルーシュである。彼は「真実を助ける者」という意味の「ナースィルリルハック(al-Nāṣir li-l-Ḥaqq)」(短く言うと「ナースィル」)という君主号で知られる。ナースィル・ウトルーシュは血統においては第一次政権のハサン、ムハンマド兄弟と異なりフサイン裔であったが、同じメディナの出身であった。

ウトルーシュは、第一次政権崩壊後間もない時期にジュスターン朝などのダイラム人勢力と結んでタバリスターン奪還を試みるが果たせなかった。そこで活動の方向を転換した彼が行ったのが、ダイラム地方北部とセフィードルード川より東側のギーラーンでの布教活動であった(なお、セフィードルード川以西のギーラーンは同じ時期にアームル出身の布教者の活動によってスンナ派イスラームを受け容れる)。それぞれダイラム地方とギーラーン地方の住民であったダイラ

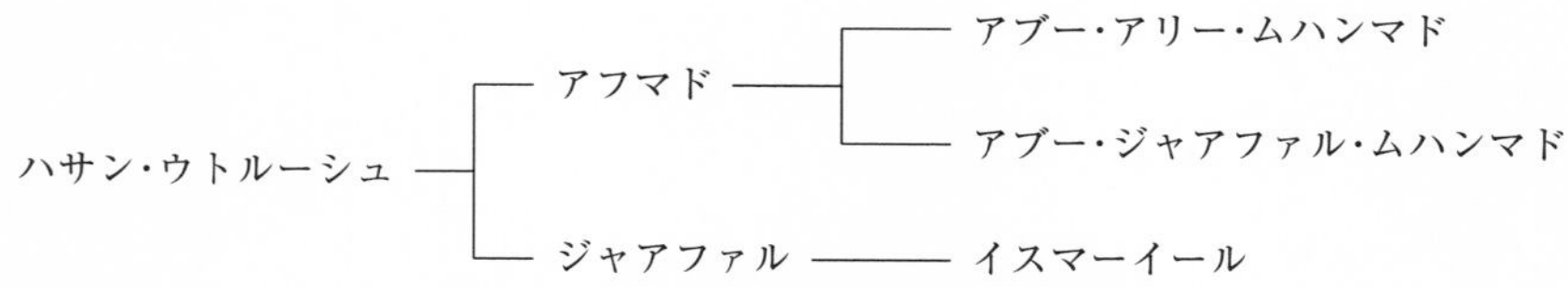

図2　第二次政権君主たちの親族関係

ム人とギール人の多くはその時期までイスラームを受け容れていなかったが、彼は、自ら村々を回って展開したというこの活動によりザイド派イスラームへの集団改宗を実現したのである。これは、それまで頼っていた在地の支配者たちの動向に左右されない、ダイラム人とギール人を主体とする自前の勢力の確保を意味した。続けて彼は、このことがジュスターン朝の王との間に引き起こした紛争に勝ち、この王朝を実質的にも臣従させることに成功する。こうして九一四年、サーマーン朝の勢力をタバリスターンから駆逐し、アームルを拠点として第二次政権を樹立した。

ウトルーシュの軍を統率したのはハサン裔のハサン・イブン・カースィムであった（出身地は不明）。ハサンはクーデタによりウトルーシュを幽閉するという事件を起こしたが、ウトルーシュへの支持の広がりを前に和解の道を選んだ後、その後継者に指名されている。しばしば略奪行為などに走ったダイラム人とギール人に厳しい姿勢を取ったことから、タバリスターンの人々の支持を受けていたとされる。それに対し、ダイラム人・ギール人側はウトルーシュの息子たちを支持していた（Madelung 1975: 210）。こうして、九一七年にウトルーシュが没すると、ハサン・イブン・カースィムとウトルーシュの息子たちとによる勢力争いが展開することになる（以下、**図2**参照）。なお、ウトルーシュの男子たちとその男子たちは、皆がウトルーシュにちなんで「ナースィル」と呼ばれた（君主となった者全員が「ナースィルリルハック」という完全な形での君主号を称した蓋然性も高いと思われる）。ウトルーシュの家系が君主の家系（＝「王家」）として、ファーティマ裔の中でも特別な地位を占めると考えられるようになっていた表れと言えよう。

ウトルーシュが没すると、ウトルーシュの息子たちのうち娘をハサン・イブン・カースィムに嫁がせていたアフマドがハサンをアームルに迎え、ハサンによる統治が開始された（称号は「真実に誘う者」)。しかしウトルーシュの別の息子ジャアファルはこれに従わず、ライのサーマーン朝勢力の助けを得てハサンをギーラーンに追う。その後は、九二三年にハサン・イブン・カースィムがタバリスターンの山岳地帯に逃れざるをえなくなるまで、対立を続けるハサンとジャアファルとの間をアフマドが行ったり来たりし、破れた側はギーラーンに逃れてそこから巻き返すという形での争いが続いた。

ハサン・イブン・カースィムが去った後、アフマドは二カ月のうちに、そしてジャアファルも九二五年には没してしまう。その後の動きの中で目立ってくるのが、ダイラム人・ギール人武将たちの台頭と彼らによるウトルーシュ裔の者たちの傀儡(かいらい)化である。例えば、ジャアファル死後、アームルで君主位に擁立されたアブー・アリー・ムハンマドはダイラム人武将マーカーン・イブン・カーキーに廃されるが、マーカーンはその際、ジャアファルの年端もいかない息子イスマーイールを奉じていた。しかもイスマーイールはマーカーンの父方のいとこハサン・イブン・フィールーザーンの異父兄弟であった。廃位されたアブー・アリーがマーカーンからアームルを奪い返した際の鍵となったのも、彼がギール人武将アスファール・イブン・シールーヤの支持を取りつけたことであったし、アブー・アリー没後、兄弟アブー・ジャアファル・ムハンマドがマーカーンにアームルを再奪取されたのも、彼がアスファールの支持を失った後のことであった。

アームルを押さえたマーカーンは、逼塞していたハサン・イブン・カースィムを君主に推戴する(九二六年)。こうして内訌を押さえた(かに見えた)九二八年、二人はアルボルズを越えてライを占領した。この時マーカーンは、遠くバグダードの征服にさえ言及したと伝えられる。しかし、サーマーン朝に走りグルガーンの統治者となっていたアスファールがタバリスターンに攻め寄せると彼らの企図は水泡に帰す。ハサン・イブン・カースィムがアームル近郊であえなく敗死してしまったのである。これ以後、タバリスターンの支配権は、アスファール、彼を弑逆したギール人武将マルダーウィージュ・イブン・ズィヤール(ズィヤール朝(九三一―一〇九〇年頃)の創始者)、マーカーン、そして一時彼に取って替わったハサン・イブン・フィールーザーンの争うところとなる。この争いの過程は同時に、アリー裔政権の命脈が尽きていく過程でもあった。

この時期に傀儡として君主位についたウトルーシュ裔の人物が二人いる。一人はアブー・ジャアファル・ムハンマドである(二度目の即位)。彼は九二八年にアスファールがタバリスターンを手中にした際に君主位に推戴された。ただし、当時アスファールが従っていたサーマーン朝がそれを認めなかったため、ブハラに送られ抑留されてしまう。もう一人は、かつてマーカーンが推戴したイスマーイールである。彼は、九三〇年かその翌年にハサン・イブン・フィールーザーンに推戴されたが、ほどなく毒殺された。このイスマーイールの在位が、ウトルーシュ裔の者がアリー裔政権の君主位を保持した最後の確かな事例となった。前記の通り、本稿は、この暗殺が第二次政権の終わりを画すという立場を採る。

アブー・ジャアファルのその後にも触れておく必要がある。彼は九三一年(まで)にはブハラでの抑留生活を脱してライに赴き、アスファールに取って替わっていたマルダーウィージュの庇護下に入った。彼がマルダーウィージュに与えられた軍を率いて行ったタバリスターンのマーカーンに対する攻撃(九三一年)は不首尾に終わる。しかしマルダーウィージュを継いだ兄弟ウシュムギールが九三五年にマーカーンを破ると、アブー・ジャアファルはアームルを与えられている。ただし、九三五年のこの時点までには、彼はウシュムギールを君主ないし宗主として戴く立場になっていたものと考えられる(Madelung 1967: 43)。名目的にせよファーティマ裔出身の君主を戴くという形式は、遅くともこの時までには姿を消していたと考えられるのである。

アリー裔政権とダイラム人・ギール人

アリー裔政権は、アッバース朝の宗主権のもとでホラーサーンを掌握した勢力を主な相手に、グルガーンとタバリスターンをめぐって争った。そうした外部勢力との争い、あるいは政権内での内訌に破れて危機を迎えた際に、この政権の君主たちが逃れ、巻き返しを図ったのは、ダイラム地方と(ウトルーシュの布教以降は)ギーラーン地方であった。このことからも窺われるように、この政権は、版図西半出身のダイラム人およびギール人の戦力を軍事的な支柱としていた。ここで、アリー裔政権のこのような特徴が深く関わるなかで、同政権の時代にダイラム人・ギール人に起こった変化をまとめておこう。

八六四年の蜂起開始時点では、ジュスターン朝上層部とシャーフルード河谷の一部の住民などを除き、ダイラム人とギール人の大多数は在地の信仰に従う非ムスリムであったと考えられる(ジュスターン朝の改宗も不確実)。アルボルズ山脈という天然の防壁に守られたカスピ海南岸地域は、全体にムスリム勢力による支配の確立が遅れた地域である。それでもタバリスターンは、七六一年にはアッバース朝の実効支配を受けるようになっていた。また、八三〇年代末の記録からは、少なくとも同地方平野部の社会の上層では、ムスリムが多数を占めるようになっていたことが窺われる。タバリスターン山間部に拠ったバーワンド朝の場合も、八四二年以降はムスリムの王を戴くようになっていた。九世紀半ば時点でのダイラム地方とギーラーン地方は、ムスリム勢力の支配や宗主権を認めない最後のポケット地帯となっていたのである。

ダイラム人とギール人は、彼らの具体的な活動が記録され始めるサーサーン朝後期から末期にはすでに優秀な戦士として知られていた。集団戦法を採る歩兵として有名であり、短い投槍と壁のように並べて用いた大きな楯を特徴としていた。史料中では「ダイラム人」だけが言及されることが多く、彼らの戦闘能力も「剽悍な山の民」といった言葉で説明されることが多いが、実際には「ダイラム人」が平野出身のギール人をも含むことが多いのは文脈などから明らかである。「ダイラム人」一般の戦闘能力を山岳部での生活との関連のみで説明するのには、多分に型にはまったところがあるように思われる。

「ダイラム人」はその戦士としての評判により、七世紀以後のムスリム勢力によって「トルコ人」と並ぶ難敵として認識されていた。実際、ムスリム勢力がタバリスターンに進出する過程で、彼らは同地の在地勢力と結んだ「ダイラム人」と戦っている(Madelung 1975: 200)。また、アルボルズの山中から出現してはその南の一帯を略奪して回るダイラム人の集団もいた(Qumī 2006: 706-710)。アルボルズ南麓には彼らに対峙するムスリム勢力側の前線基地から発展したカズヴィーンの町があったが、小規模なグループの略奪行などを止めるのは難しかったようである。

ダイラム人・ギール人とアリー一族の政治運動との関わりは、ハサン裔のヤフヤー・イブン・アブドゥッラーの時代に遡る。七八六年のメディナでの蜂起に加わり、蜂起が潰えた後は各地で潜伏生活をおくっていたヤフヤーは、ジュスターン朝の庇護を受けシャーフルード河谷に落ち着いた。そして七九二年、カリフを意味する「信徒の長」を称しアッバース朝への挑戦を公にしたのである(Treadwell 2012: 59)。ヤフヤーの活動は、安全保障と多額の年金を得た彼がアッバース朝に降るまで数年続いたものと見られる。

一般に、ヤフヤーの活動を契機とするダイラム人のイスラームへの改宗は大規模なものとはならなかったと考えられている。ジュスターン朝の王も非ムスリムのままであった。しかし彼の活動が、アッバース朝体制と対峙していたダイラム人たちの間に、アリー一族の人々がアッバース朝に抗う際の旗頭となりうるという知識を残したことは間違いない。八六四年にタバリスターン地方西端部のムスリムがハサン・イブン・ザイドを指導者として招くことを決めた際、蜂起に加わったダイラム人たちは、仮にそのことが持つザイド派的な意義づけ(後述)の詳細は理解しなかったとしても、その反アッバース朝的な意味合いは理解したであろう。

ファーティマ裔の君主とその周辺の外来者たちが、時々の有力者に率いられたダイラム人(とギール人)の戦力に頼るという構造は両次政権を通じて同じであったが、時期による差違も見られる。第一次政権を支えたのは、政権樹立以前からの自前の基盤を維持したジュスターン朝といった勢力による協力であった。それがウトルーシュ期になると、新たにザイド派に改宗しウトルーシュに従うことで機会を掴んだダイラム人・ギール人の武将たちが前面に出てくる。同時にジュスターン朝も、一旦ウトルーシュと矛を交え、降ったことによりその相対的な立場が弱まる。ウトルーシュ期は、ダイラム人・ギール人に対する政権中枢の抑えが最も利いていた時期と言えるであろう。しかしそのような状態は長続きしない。ウトルーシュ没後に生じた政権内部の抗争の中で、集団改宗以後に政権に加わったダイラム人・ギール人武将たちの台頭が進み、ほどなく彼らはウトルーシュ裔の者たちを傀儡化するようになっていったのである。

アリー裔政権の存在はダイラム人・ギール人にどのような変化をもたらしたと言えるであろうか。最も重要なのは、アリー裔政権の目を通じて世界を見るようになった彼らが、アルボルズ山脈の向こう側の世界に対し新たな心象を抱くようになったことであろう。これはもちろん、彼らがムスリムになったことによるところが大きいが、ここで述べたいのはそのことのみではない。現実には「マイナー」な地域政権に過ぎなかったとはいえ、アリー裔政権(少なくとも第二次政権)は(次節でも見るように)イスラーム共同体全体の指導者を称す君主を戴き、しかも君主たちの(少なくとも)ほとんどはメディナからの移住者とその子・孫であった。この政権は、理念と実際の両次元において、その主要な構成員に、当時のイスラーム圏全体――カスピ海南岸地域から見ればアルボルズ以南の地――を自らとの直接的な関係のもとで意識させるような性格を持っていたのである。九二八年にライを押さえたマーカーンは遠くバグダードの征服に言及したと伝えられるが、そのことの持つ意味は、それに先立つアリー裔政権での彼の活動を踏まえてこそより良く理解できるであろう。同じことは、後に実際にバグダードを征服することになるブワイフ家の面々についても言える。彼らは、ハサン・イブン・カースィムが率いるウトルーシュ軍の中で頭角を現し、マーカーンやマルダーウィージュの陣営を渡り歩いた後、自らの勢力を確立した人々であった。

二、ファーティマ裔の政権・ザイド派の政権としてのアリー裔政権

次いで、ファーティマ裔の政権、ザイド派の政権としてのアリー裔政権の姿をより詳しく見ることとしよう。カスピ海南岸地域にこのような政権が成立したのはどうしてなのであろうか。ファーティマ裔政権にしてザイド派政権であったことによってこの政権にはどのような特徴が見られることになったのか。また、この政権は、同時代のアリー一族およびザイド派の動向の中にどのように位置づけられるのであろうか。

タバリスターン地方西端部とアリー一族・ザイド派

そもそも、タバリスターン地方西端部の人々は、なぜ域外のライにまで赴きハサン・イブン・ザイドを招聘したのであろうか。実はハサンは、まずは地元で指導者探しをした蜂起勢力に対し、彼らの依頼を断ったあるハサン裔の人物が、より適格な人物として示唆した候補者であった。このハサン裔の人物、ムハンマド・イブン・イブラーヒームは、ハサン・イブン・ザイドの妻の兄弟であり、政権樹立後はその一員として重要な役割を果たしている。ハサンとの姻戚関係や直系の先祖たちに関する情報を勘案すると、おそらくはメディナ出身であったと考えられる。では、その彼はなぜタバリスターン地方西端部にいたのか。また、同地の人々が彼に指導者となるよう依頼しようとしたのはどうしてなのであろうか。このことは、同地にザイド派の教説が広がっていたことによって説明される。

ここで改めてザイド派について必要な範囲で説明を行っておこう。ザイド派とは、シーア派のうち、七四〇年にイラクのクーファでウマイヤ朝(六六一－七五〇年)に対し蜂起したフサインの男系の孫ザイド・イブン・アリーのイマーム位(イマームに特殊な霊的権能などを想定しないザイド派の場合、カリフ位と読み替えても問題ない)を認める一派を指す。

ザイドが蜂起した時代、アリー一族には、イスラーム共同体に対する指導者位とイスラームに関する正しい知識を預言者ムハンマドから正しく受け継ぐのは自分たちであると信じる者が少なくなかったと考えられる。そのような信念は、特に近しかったとされるムハンマドとアリーとの関係、また、ファーティマ裔の場合にはファーティマを通じた直系の血縁関係によっても根拠づけられていた。しかし、武装蜂起に踏み切り、現に存在する「不当な」カリフ政権からイスラーム共同体の指導者位を奪取しようとする行動主義は、六八〇年のフサインによる蜂起未遂事件(いわゆるカルバラー事件)以降、アリー一族の間では影を潜めていた。そのような中で蜂起したザイドをイマームと認めることから分かるように、ザイド派は、実際に共同体の指導者位を手中にし「あるべき」国家と社会を建設するために武器を手に起ち上がるファーティマ裔の者のみをイマームと認める。ザイド派はまた、イマームの要件としてイスラーム諸学の学識と敬虔さをも重視する。つまりこの派のイマームとは、当代最高と認められる学識を持つ篤信のファーティマ裔の男性で、かつ、必要ならば剣を手に公然と決起し自らへの忠誠の誓いを呼びかける行動力と手腕の持ち主でなくてはならない。

ここで注意しなければならないのは、信条一般や戒律に目を転じると、ザイド派内にはかなり大きな多様性が存在することである(Strothmann 1912b: 33, 88)。しかも相異なった立場をとる複数の派が同時に存在することが多く、それらが対立状態に陥ることも少なくなかった。また、「正義」のために既存の体制に挑むと称して蜂起したザイド以後の全てのファーティマ裔の男性を自動的にザイド派と考えてよいわけではないことにも注意が必要である。ファーティマ裔の者が血統を根拠に自らのイスラーム共同体の指導者としての地位を宣言するのに、彼がザイド派としての自己意識を持っている必要はなかった。例えば、アッバース朝初期の七六二年にメディナで蜂起したハサン裔のムハンマド・イブン・アブドゥッラー(通称「純粋なる魂」/後にダイラム地方で活動したヤフヤー・イブン・アブドゥッラーの兄)は、後世のザイド派によって同派のイマームであったとされ、彼の軍にザイド派の本拠地クーファからやってきた同派の者たちが参加したことも確認できるが、彼自身がザイド派という意識を持っていたかどうかは疑問である(Elad 2016: 46-47)。このように、特にザイド以後の一〇〇年ほどについては、ザイド派という集団の輪郭はかなりあやふやであり、後のザイド派が創り上げた自派の歴史についての語りを突破して実際の状況を理解しようとする試みは困難を伴う。

カスピ海南岸地域とザイド派との間に実質的な繋がりが生じたことが分かる最初の出来事は、ヤフヤー・イブン・アブドゥッラーによる前述のダイラム地方での活動である。ヤフヤーが自分をザイド派と考えていたかどうかは不分明であるが、彼のもとに集まった支持者の中には確実にクーファのザイド派が含まれていた。また、ヤフヤーは後のザイド派の多くによってイマームであったとされる。いずれにしても、彼の活動に際してムスリムとなったダイラム人たち(前記のように、改宗は一般に大規模であったとは考えられていない)は、それをザイド派と呼べるかどうかは措くとしても、ファーティマ裔ないしアリー一族の者がイスラーム共同体を率いることを是とする信条を受け容れたことであろう。

カスピ海南岸地域におけるザイド派教説の流布が確かに認められるのは、ザイド派イマームを称していたことが確実なカースィム・イブン・イブラーヒーム・ラッスィー(八六〇年没/ハサン裔)の時代になってからである。このイマームをメディナ周辺の村々の一つであるラッスに訪れ、教えを乞うた人々に関する記録からは、ハサン・イブン・ザイドの蜂起の震源地となるタバリスターン地方西端部の人々が、クーファの人々とともに目立つ存在であったことが分かるのである。

ラッスィーの教説がタバリスターン地方西端部に広まっていた具体的な理由は不明である。しかし、このことを考えるに当たっては、それに先行するヤフヤー・イブン・アブドゥッラーの活動とともに当時の同地域が帯びていた辺境としての性格を考慮に入れることが必要であろう。ザイドの蜂起以降、特にアッバース朝期に入ってから、アリー一族の者たちによる蜂起は何度も起こったが、彼らの主要な居住地であったメディナが位置するヒジャーズ地方での蜂起も、ザイド派を含むシーア派の拠点であったクーファを擁するイラクでの蜂起も、ともに持続的な成功を収めた例はなかった。前者は人的・経済的資源に乏しく、後者における体制側の軍事的な優位は覆し難かったからである。これに対し、辺境での蜂起であれば、持続的な権力の樹立に成功した事例が存在した。ヤフヤー・イブン・アブドゥッラーの兄弟で、彼とともに七八六年の蜂起の現場から逃亡したイドリースが、モロッコでイドリース朝(七八九―九八五年)を建てた例がそれである。ホラーサーンで兵を挙げウマイヤ朝を倒したアッバース朝革命という重要な先例も踏まえるならば、辺境に活路を見いだすという戦略には充分な理が認められたに違いない。そして数ある辺境を見回す時、かつてヤフヤーが(おそらく数年にわたって)活動し、アッバース朝体制との折り合いも悪かったダイラム地方が、有望な選択肢として浮かび上がってくるのは必至であったろう。タバリスターン地方西端部は厳密にはダイラム地方に隣接する地域であるが、このような流れの中でそこで布教が成功したということは充分考えられよう。なお、近年では、ダイラム地方でのアリー一族による政治的・宗教的宣伝は、ヤフヤー・イブン・アブドゥッラー以後も続いていたのではないかという推論も提出されている(Madelung 2012)。

アリー一族にとっての「新天地」

ハサン・イブン・ザイドによる政権樹立は、ザイド派という立場から見れば布教の成果として自派の政権が成立したと解されうる出来事であった。では、同じ出来事はアリー一族の個々の成員にとってはどのような意味を持ったのであろうか。次に、アリー一族の多くの者たちにとって、アリー裔政権の成立が、様々な機会を期待させる「新天地」の出現を意味していたことを見てみたい。史料中には、ハサン・イブン・ザイドの時代に彼の「親族」が三〇〇人以上到来し、彼はそれらの人々を厚く遇したという記述がある(Madelung 1987: 129; Ibn Isfandiyār 1987: I: 243)。また、八七四年に侵攻してきたサッファール朝は、七〇名の「ターリブ裔」を捕らえたと主張している(Ṭabarī 1985-2007: XXXVI: 160)。こうした数字の正確さは措くとしても、政権樹立後、かなりの数の者たちがその支配領域を目指したのは間違いない。

一部の人々は、政権に参画しよう、政権から利益を得ようとして到来した。特に興味深いのは、「生活」のためにメディナを離れたと伝えられるアリー一族のある集団の事例である。この集団は、(おそらくは支持者も含めてであろうが)人数が膨れあがった様子を警戒したアッバース朝側の地方王朝(ドゥラフ朝(九世紀初―八九七年))に攻撃されるといった困難を経ながらカスピ海南岸地域にいたった。注目されるのは、この集団から、アリー裔政権で重要な役割を果たす者が複数出ていることである。この集団は、成立間もないアリー裔政権が傘下の(あるいは提携関係にある)ファーティマ裔の者たちを通じてカズウィーンおよびザンジャーン、そしてライを押さえた際の統治者たち(ともにフサイン裔)、さらにはタバリスターンの重要都市サーリーの統治者となったフサイン裔の者を含んでいたのである(Qumī 2006: 639-641)。

アリー裔政権が成立したカスピ海南岸地域で「一旗揚げる」道は、政権の権威に服し、政権に参加することだけではなかった。後にイエメンでいわゆるラッスィー朝(八九七―一二五八年)を樹立することになるハサン裔のヤフヤー・イブン・フサイン(「真実に導く者(al-Hādī ilā al-Ḥaqq)」という称号で知られる)は、ムハンマド・イブン・ザイドの治世に住地ラッスを離れアームルを訪れたことが知られている。この時のヤフヤーには、明らかにムハンマドに取って替わろうとする野心があった。ヤフヤーはカースィム・ラッスィーの男系の孫であり、祖父の教説の信奉者による支持を期待できたのである。しかしヤフヤーは、彼が周囲の者に自分を「イマーム」と呼ばせていたことから政権側の警戒を招き、慌ててアームルを退去している。

メディナに住んでいたフサイン裔のアブー・ジャアファル・アフマドの事例にも触れておこう。彼は兄弟とともに

「タバリスターン」に移住したが、それは時のアリー裔政権君主(おそらくハサン・イブン・ザイド)の統治に不満を持つ「タバリスターンのザイド派」からイマームとして招かれた結果であった(Ibn Funduq 1989-1990: II: 492)。アフマドの場合も結局は政権の領域外に逃れることになったが、右のヤフヤーの場合も、このアフマドの場合も、アリー裔政権の君主にとって、同じファーティマ裔の血統と政治的な野心を併せ持つ者は、自らの立場を脅かす危険な存在となりえたことを示している。ファーティマ裔の最適任者による統治を標榜するザイド派の指導者論は世襲を前提としない。このことは、現に政権を握る側の権力維持に対しては不利に働いたものと考えられる。

政権の中核的な成員が下克上を試みることがあったことにも触れておこう。ウトルーシュに対するハサン・イブン・カースィムのクーデタはその好例であるが、他にもそのように見える事例がある。一つは先に触れたハサン・イブン・ザイドの娘婿による一〇カ月間の君主位保持である。彼が、伝えられるようにハサンによる兄弟ムハンマドへの後継者指名を握り潰して君主位に就いたのだとすると、それは典型的な身内の裏切りということになる。この娘婿は、八六四年に蜂起の指導者になることを依頼され、自分は断ったもののハサン・イブン・ザイドを紹介したムハンマド・イブン・イブラーヒームの息子であり、ハサンにとっては、妻の兄弟の息子であった。いま一つは、事件史の概観では省いたが、ハサン・イブン・ザイドの治世に彼が捕虜になったという誤報が流れた際に、前記のサーリー統治者が君主位を称した事例である。アリー裔政権の存続のためにそうしたという解釈も成り立つが、隠された野心が不幸なタイミングで露わになった事例と見る方が自然であろう。彼はハサンの赦免の言葉にもかかわらず逃亡し、結局サーマーン朝に走っている。

アリー一族の者がどこかで蜂起すると同族の者たちがそこを目指すという現象は、それ以前にも見られた。イドリース朝については信頼できる細かな情報が残されておらず詳細は不明であるが、それでもやはり同じような動きがあったことが窺われる(Ibn ʻInaba 2004: 191; Benchekroun 2017: 300)。しかし、アリー裔政権の成立がもたらしたアリー一族の者たちの動きは、おそらくそれまでにない規模のものとなったと考えられる。このことには後に触れることとしたい。

ザイド派政権としてのアリー裔政権

アリー裔政権がザイド派の政権であったことによってもたらされた特徴にはどのようなものがあるであろうか。このことに関してはまず、この政権がアッバース朝カリフの権威を明確に否定していた点で、ターヒル朝やサーマーン朝など、敵対した周辺の諸勢力と異なっていたことが指摘できる。史料中では、アッバース朝の宗主権下にある勢力とアリー裔政権との間のこの違いは、前者が掲げる黒旗(黒はアッバース朝の「王朝色」)とその逆をいく後者の白旗との対比という形で言及される。さらに、第二次政権のハサン・イブン・カースィムとジャアファルの現存貨幣からは、二人がそれぞれカリフ号とカリフの別称である「信徒の長」の称号を用いていたことが分かる(Stern 1967: 217-220; Vardanyan 2010: 359-360)。第一次政権については同様の論拠がなく議論が難しいが、少なくとも第二次政権の君主たちはアッバース朝に対抗してカリフを称していたと考えていいだろう。

タバリスターンとグルガーンではザイド派以外の者がムスリム人口の多数を占めたと考えられるが、彼らに対する宗教政策についての情報は乏しい。関連の記録が残るのはハサン・イブン・ザイドについてのみである。彼が治世の最初期に治下の住民一般に遵守させるべき条項を示した布告の内容が記録されている(Madelung 1987: 128-129; Ibn Isfandiyār 1987: I: 239-240)。その布告の諸条項、具体的には、万事においてクルアーン(コーラン)とムハンマドの慣行(スンナ)およびアリーの見解を拠り所とすること、アリーが(ムハンマド死後の)イスラーム共同体で最も優れた人物であったと表明すること、「神の敵たちとアリーの敵たち」(最初の三人のカリフ)がアリーより優れていたという伝承を伝えるのを止めることというアリーの地位に関わる諸条項、また、礼拝時の浄めの際に履き物の上から足を拭うのを止めることやアザーン（礼拝の呼びかけ）で「最善の行いに来たれ」という文句を唱えることといった儀礼の実践に関わる諸条項からは、彼が、彼の一族が預言者から受け継いできたと考えていた信仰と実践を、アリー一族に特権的な権威を認めるわけではないスンナ派の住民に対し強制しようとしていたことが分かる（布告は「シーア派に喧嘩を売ること」の禁止をも含んでいた）。ハサン・イブン・ザイドの布告はまた、神の予定説や擬人神観を標榜することと「神の正義と唯一性」を奉じる人々に圧迫を加えることとを禁じており、彼が神学においては理性重視のムウタズィラ派の立場から伝承主義的な立場を禁圧しようとしていたことが理解される。

ハサン・イブン・ザイドについては、少なくとも治世初期の彼が相当強硬な宗教政策を採ったことを窺わせる報告が他にも存在する。しかし、アリー裔政権による統治が続いたことによってタバリスターンやグルガーンが広くザイド派化するということはなかった。また、アリー裔政権統治下においても、両地方からは多くのスンナ派学者が出ている。これらのことからは、ハサン治世の初期に見られたようなザイド派化の志向は——おそらくは急速に——影を潜めていったことが推測される。それは単に支配の経験がそうさせただけではなかったであろう。アリー裔政権の支配層の者たちが常にザイド派の信仰と実践の護持や弘布に熱心であったとは限らないことも考慮する必要がある。例えばウトルーシュの息子ジャアファルは、ハサン・イブン・カースィムに対抗しようとアッバース朝の宗主権下にあるサーマーン朝勢力を頼った際、黒旗を掲げることとサーマーン朝君主の名で貨幣を打刻し金曜礼拝を行うことを約束している（彼が「信徒の長」を称していたことが分かる当人であることに注意）。度重なる戦争とそれに伴うグルガーン、タバリスターン喪失を考えても、アリー裔政権がスンナ派住民のザイド派化に持続的に注力したとは考えにくい。

ザイド派自体に目を向けると、一口にザイド派を奉じた政権といっても、実際は一枚岩ではなかったことが分かる。すでに述べたように、八六四年時点でタバリスターン地方西端部に広がっていたのはカースィム・ラッスィーの教説であったが、先述の布告などからは、ハサン・イブン・ザイドの教説には信仰と実践の両面にわたってラッスィーの教説と異なる部分があったことが分かる。例えば、「最善の行いに来たれ」という文句をアザーンの一部とすることは、ラッスィーの教説には含まれていない(Madelung 1965: 133-134／ラッスィーはこの点に関してザイド派でも例外的であった)。

ハサンの教説は第一次政権が崩壊するとともに顧みられなくなったと考えられるが、今度はウトルーシュが、ラッスィーとハサンのそれとそれぞれに異なるところを持つ独自の教説を確立し、それが新規改宗のダイラム人とギール人の間に広まった。ウトルーシュの教説とラッスィー、ハサン両者の教説の相違点の例としては、彼の場合は前二者と違い神学において伝承主義的な傾向が強かったことに触れておこう。

こうして第二次政権においては、ダイラム人の多くとギール人はウトルーシュの教説を奉じるナースィル派、タバリスターン地方西端部の住民とダイラム人の一部はラッスィーの教説を奉じるカースィム派という形の大まかな棲み分けのもと、両派並存の状態が続くことになった。なお、この間にカースィム派は、アームルでの試みが失敗に終わったヤフヤー・イブン・フサインが八九七年にラッスィー朝樹立に成功した結果、イエメンに拠点を持つようになっていた。カスピ海南岸地域でのカースィム派の存続は、この地域とイエメンのザイド派との間に継続的な交渉を生じさせることになるが、このことには改めて後に触れる。

アリー裔政権の君主たちはザイド派のイマームを称していたのかという問題にも触れておきたい。政権の君主を称している以上は当然全員がイマームを称していたと思われるかもしれないが、学界の大勢はそうは考えていない。研究者間で意見が一致しているのはウトルーシュがイマーム位を主張していたことのみとさえ言えるかもしれない。しばしば言われるのは、ハサン、ムハンマド兄弟とハサン・イブン・カースィムが帯びていた「真実に誘う者(al-Dāʿī ilā al-Ḥaqq)」という称号は、それ自体が単なる宣教者(dāʿī)という含意を持っており、彼らがイマームを称していなかったことを示すということである(Madelung 1965: 155-158)。また、明らかに世襲の原理によってウトルーシュ死後に君主となった彼の子たちと孫たちに関しては、明白に要件を欠く彼らがイマームを称していなかったことは当然のことであるかのようにさえ扱われる。そうした議論が行われる際には、主として後のザイド派の指導者論の中で定式化された、学識などの要件を欠くがゆえにイマームとは認められえない同派指導者の地位に関する理論などが参照される。

しかし、この問題には議論の余地があるように思われる。特にハサン、ムハンマド兄弟については、ムハンマドの治世にアームルから退散せざるをえなかったヤフヤー・イブン・フサインの敵意が、カースィム派による彼らの評価に決定的な影響を与えたことが広く認識されている。カースィム派はやがてザイド派の間で最有力となり、現在参照可能なザイド派の関連文献のほとんどはイエメンの同派が伝えたものである。本人たちはイマームを称していたのにその事実が後に抹殺された可能性は低くないように見受けられる。「真実に誘う者」という称号の含意にしても、前記のように、当の称号を帯びていたハサン・イブン・カースィムがカリフを称していたことが現存貨幣から確認できる。常識的には、カリフを称すザイド派の人物は同時にイマームも称していると考えられよう。貨幣資料からはさらに、一時はアッバース朝の黒旗を掲げることにさえ同意したジャアファルでさえ「信徒の長」を称していたことが分かるのである。ハサン・イブン・ザイドにはイマーム論やイスラーム法学についての著作があったという記録も踏まえるならば、筆者には、個々の人物に文武にわたる適格性があったと考えられるかどうか、後のザイド派が彼らをイマームと考えたかどうかは別として、アリー裔政権の君主たちが一貫して自らのイマーム位を主張していた可能性はかなり高いのではないかと思われる。

ただしこれは、君主がイマームを称していた可能性が高い分、アリー裔政権の運営がザイド派の理論により良く則したものであったと主張するものではない。政権の中枢に位置した人々は、ザイド派の理論にもとづく権威と正当性を主張しながらも、様々な場面においてそれと乖離した形で現状維持を図ろうとした。ダイラム人・ギール人を中心とする指導層の人々がウトルーシュの子や孫などを「ナースィル」と奉り、彼らが世襲の原理によって君主位に就くのをよしとしたのはその顕著な例である。また、第一次政権崩壊時の政権中枢の人々が、まだ子供だったマフディーを推戴しようとしたことや、第二次政権ではまだ未成年であったイスマーイールが実際に君主位に就いたことも、指導者は成人でなければならないとするザイド派の理論に反している。ここに共通して見て取れる政権の世襲化・王朝化に向けた動き、ザイド派理論と現実政治との間の緊張を孕んだ関係も、アリー裔政権がザイド派と抜きがたい関係を持つ政権であったがゆえに出来した特徴と言うことができよう(Strothmann 1912b: 47-63; Crone 2004: 106)。

アリー一族の同時代的な動向とアリー裔政権

最後にアリー一族の同時代的な動向の中でのアリー裔政権の位置づけに触れる。まず述べたいのが、八六四年のアリー裔政権の成立が、八六一年末のカリフ・ムタワッキル(在位八四七―八六一年)の暗殺を契機にアッバース朝中央が極度に不安定化する中で頻発したアリー一族による一連の蜂起の一環をなすものだったことである。八七〇年には終わったと考えることができるこの混乱期に起こった蜂起としては、①ヤフヤー・イブン・ウマル(フサイン裔/八六四年、クーファ)、②イスマーイール・イブン・ユースフ(ハサン裔/八六五年―、ヒジャーズ地方)、③フサイン・イブン・ムハンマド(フサイン裔/八六五年、クーファ)、④アブドゥッラー・イブン・アフマド(フサイン裔/八六六年、エジプト)、⑤イブン・スーフィー(ハサン、フサインの異母弟ウマルの男系子孫/八六七―八七三年頃、エジプト)、⑥アリー・イブン・ザイドとイーサー・イブン・ジャアファル(ともにハサン裔/八六九―八七〇年、クーファ)を旗頭とするものなどがあった。これらは、兄弟がナジュド高原(アラビア半島)のヤマーマ地方に小政権(ウハイディル朝、八六七―一一世紀半ば)を樹立することになる②を除けば、いずれも持続的な政権樹立には繋がらなかったが、これほどの頻度で蜂起が続発したのは、アリー一族の歴史の中でも初めてのことであったと言える。

これらの蜂起の中には、直接間接にハサン・イブン・ザイドの蜂起との間に関連を見いだすことができるものがある。特に重要なのはヤフヤー・イブン・ウマル①の蜂起である。ハサン・イブン・ザイドの蜂起に関する主要な記録においては、ハサン自身が該当すると明言されるわけではないが、ヤフヤーの蜂起とその鎮圧の過程で多くのアリー一族の者たちが各地に逃れたことが伏線として触れられる(Madelung 1987: 18; Ibn Isfandiyār 1987: I: 228)。また⑤のイブン・スーフィーはヤフヤーの異父兄弟であり、おそらくは蜂起直前のヤフヤーと面会してもいる。ハサンの蜂起との関連は、④のアブドゥッラー・イブン・アフマドについても指摘できる。彼は、仲間と一緒にメディナから「生活」のために移住してハサンの麾下(きか)に入り(あるいは彼と提携し)、政権初期にカズヴィーンとザンジャーンの統治者となった人物の兄弟であった。

ムタワッキルは、歴代のアッバース朝カリフの中でもアリー一族に対し特に強硬な政策を採ったことで知られる。カルバラーのフサイン廟を取り壊させて農地としただけでなく、メディナではアリー一族の経済基盤や社会的な影響力に攻撃を加えている。その治世が突然終わり、アッバース朝中央がカリフ、トルコ系軍人、ターヒル朝(イラクにも勢力を持っていた)といったアクターが入り乱れる混乱状態に陥ったこの時期、アッバース朝体制に対する不満を募らせ経済的にも追い詰められていたアリー一族の一部の者たちが蜂起を繰り返した。それらの蜂起の一部は相互に繋がりを持っており、ハサン・イブン・ザイドの蜂起はその一つであったということになる。実際のところ、八六六年には、クーファのアッバース朝当局によってハサン・イブン・ザイドからの複数の書簡が摘発されるという事件が起こっている(Ṭabarī 1985-2007: XXXV: 142)。また、逸話的ではあるが、アリー裔を称し八六九年の南イラクでいわゆる「ザンジュの乱」を起こしたアリー・イブン・ムハンマドに対し、ハサンが系譜を問う書簡を送ったところ、「余計なお世話」という返答が届いたという伝承もある(Bīrūnī 1923: 332)。ハサン・イブン・ザイドが、カスピ海南岸地域での自らの活動をより広い枠組みの中で捉える視野を持っていたことは明らかであろう。

アリー裔政権の、直接の支配領域をこえたこのような繋がりは、その後も存続した。八七九／八八〇年にメディナで蜂起し一時同地を押さえたハサン・イブン・ザイドの父方のいとこは、ハサンに対する忠誠の誓いを呼びかけたとされる(Iṣfahānī 1949: 720; cf. Ṭabarī 1985-2007: XXXVII: 6(ただし誤訳))。また、やや位相を異にする話題ではあるが、ムハンマド・イブン・ザイドがイラクやヒジャーズのアリー一族に金銭を送り、ナジャフのアリー廟やカルバラーのフサイン廟の営繕にも資金を送っていたとされることにも触れておきたい(Ṭabarī 1985-2007: XXXVIII: 24などには、アリー一族に対する秘密裏の送金が露見した際に、カリフ・ムウタディド(在位八九二―九〇二年)が、かつて見た夢を理由にそれを許可したという、やや位置づけに窮する報告が伝わる)。

次に述べたいのは、アリー裔政権が存続した時期にアッバース朝体制とアリー一族との間の関係性、ひいてはアリー一族のあり方自体に変化が見られたこと、そしてアリー裔政権もそのような変化を促進させる一要素となったと考えられることである。この変化を端的に示すのが、アリー一族のナキーブ職の創設と普及である(Morimoto 2003; Bernheimer 2013: 63-69)。ナキーブとは、主として都市とその周域を単位として置かれたアリー一族の代表者であり、管轄下の者たちの監督と彼らが享受した諸種の特権の差配を職務とした。アリー一族に対する統制の手段という面も持つが、アリー一族に与えられた司法上の一定の特別扱いを担う働きを持つなど、彼らの特権を象徴する職でもあった。ここで注目されるのが、この職がムタワッキル暗殺後の時期にアッバース朝によって創設されたと見られ、一〇世紀半ば頃までには、アッバース朝の実効支配が及んだ領域をこえ、西はエジプトから東は西トルキスタンにいたる諸地域に広く見られるようになったことである。

この職の創設と普及が指し示す変化は、ムタワッキル治世の八五一年に、彼の命によりアリー一族の者たちがエジプトから「イラク」(おそらくサーマッラーを指す)経由でメディナに移送されたという出来事と対比すると分かりやすい(Kindī 1908: 198)。ここでの施策は、潜在的な脅威であるアリー一族の者たちの拡散を抑制し、集団としての彼らをその故地メディナや監視の目が届く首都などに留めおこうとするアッバース朝カリフ政権の志向を反映していると言える。エジプトからの同様の移送はトゥールーン朝(八六八—九〇五年)期の八七一年にいたってもなお行われたことが分かり(Ya'qūbī 1960: II: 510／その際の移送先はメディナ)、ムタワッキル期以後にもこうした施策が放棄されたわけではないことが分かる。しかし、このような施策が九世紀後半には無理を来すにいたっていたであろうこと、ましてやムタワッキル暗殺後のような混乱期においてはなおさらそうであったろうことは、世代とともに進んだと考えられるアリー一族の人数の増大を思い浮かべるだけで容易に理解される。これに対し、ナキーブ職の普及は、アリー一族が様々な地域に広く分散して暮らしている状況を所与の条件とした上で、それぞれの土地で彼らを社会に統合するという体制が成立したことを意味するのである。

君主の(少なくとも)ほとんどがメディナ出身のファーティマ裔かその子・孫であり、「新天地」として多くの同族を引きつけたアリー裔政権は、このような流れの中で成立した政権であり、同じ流れを加速させた政権であった。象徴的な例を挙げるならば、「タバリスターンのザイド派」にイマームとして招かれたもののアリー裔政権の領域から逃れざるをえなくなった前記のメディナ出身者、アブー・ジャアファル・アフマドは、九世紀末までにはニーシャープールに定着したと考えられ、彼の男系子孫たちは、息子を皮切りに一一世紀初めにいたるまで同都市のナキーブ職を世襲している(Bernheimer 2013: 78-82)。そしてこの家系からナキーブ職を奪い取ったハサン裔の家系も、父がメディナから移住した結果住んでいたクーファから、今度は自分がタバリスターンに移住し、本人か息子がハサン・イブン・カースィムの軍で活動したという人物を先祖に持っていた(Ibn Funduq: 1989-1990: II: 602; Rāzī (attr.) 1998-1999: 57; Marwazī al-Azwarqānī 1988-1989: 137-138)。アリー裔政権は、カスピ海南岸地域とグルガーンのみならず、ホラーサーンなどの、両地方を直接・間接に取り巻くイスラーム圏東方の諸地域へのアリー一族の拡散と在地社会への彼らの定着という過程を加速させる働きを持ったと考えられるのである。

最後に、ラッスィー朝とアリー裔政権との関係にも触れておこう。前記のように、アリー裔政権の君主たちは、第一次政権においてはハサン・イブン・ザイドの教説、第二次政権においてはウトルーシュの教説を採っていた。これに対し、タバリスターン地方西端部の住民の間には政権成立以前からカースィム・ラッスィーの教説が広がっていた。イエメンにおけるラッスィー朝の成立はこのねじれと関係する。タバリスターンのカースィム派の間にややもするとラッスィー朝のイマームを支持する動向が見られたことは、少数とはいえ同地方出身の戦士たちがヤフヤーの軍に参加し勇名を馳せたことから、同朝成立当初から明らかであった(栗山一九九八：九―一二頁)。

九三〇／九三一年にいたるまでの間、ラッスィー朝側の態度は自分たちのイマームを唯一のイマームと認めるよう求めることで一貫していた。しかし、総じて言えば、カスピ海南岸地域での反応はカースィム派の間においてさえ芳しいものではなかった。アームルでの経緯もあり、第一次政権のムハンマド・イブン・ザイドがヤフヤーの権威を認めたとは考えられない。ウトルーシュは、自分の支配領域に住む者は自分に、ヤフヤーの支配領域に住む者はヤフヤーに従わなければならないと述べたとされるが、これとても自分の支配領域に住んでヤフヤーに従うという選択肢は認めなかったことを意味する(Strothmann 1912b: 101; Madelung 1987: 89／この報告はヤフヤーが九一一年に没したのに対しウトルーシュのイマーム位宣言は九一四年のことだとされていることと矛盾しているように見えることにも注意)。イエメンではヤフヤーが没すると息子ムハンマド(「神の定めた信仰に適う者(al-Murtaḍā li-Dīn Allāh)」／在位九一一―九一三年)、ついでその兄弟アフマド(「神の定めた信仰を助ける者(al-Nāṣir li-Dīn Allāh)」／在位九一三―九三三年)がイマームとなるが、カスピ海南岸地域のカースィム派の大部分はそれには従わず、ウトルーシュとそれに続く第二次政権の君主たちに従ったと考えられる(Madelung 1965: 171-172)。ムハンマドの息子ヤフヤーはカスピ海南岸地域に移住し、祖父ヤフヤーと同じ「真実に導く者」を称し自らのイマーム位を宣伝したが、これも不首尾に終わっている(Madelung 1965: 172)。ただし、彼は祖父ヤフヤーの教説を広めることには貢献し、そのことはカスピ海南岸地域のカースィム派の強化に繋がった。九三〇／九三一年までの間にそれが表面化することはなかったが、それ以後のカスピ海南岸地域におけるザイド派の歴史は、ナースィル派とカースィム派の対立を一つの基調とすることになる。そしてそこにはイエメンのザイド派との間でさらに続いたこのような交渉が深く絡んでくる。ザイド派という紐帯によるカスピ海南岸地域とイエメン北部との間の繋がりが本当に興味深い展開を見せるのは実はまだ後のことであるが、そのような交渉は九三〇／九三一年にいたるアリー裔政権の歴史にも確かに一つの色合いを加えていたと言えよう。

おわりに

八六四年、ターヒル朝の代官による入会地接収の試みがアリー裔政権の成立という帰結に繋がったのは、そこにいくつかの条件が重なりあっていたからである。ダイラム地方・ギーラーン地方という、アッバース朝体制に抗い続けるポケット地帯が残存し、しかもその住民がヤフヤー・イブン・アブドゥッラーの活動に関係した経験を有していたこと。そのことに目をつけてであろう、カースィム・ラッスィー一派のザイド派布教の手がタバリスターン地方西端部に及んでいたこと。ムタワッキルの暗殺を契機としてアッバース朝中央が混乱し、相当な人数に達していたと考えられるアリー一族の者たちが相対的な行動の自由を得たこと。そうした条件としてはこのような事項を挙げることができる。換言すれば、アリー裔政権の成立は、辺境のイスラーム化を通じたイスラーム圏の地理的拡大、ウマイヤ朝・アッバース朝に抗う形で展開したアリー一族とザイド派の政治運動、一王朝としてのアッバース朝の活力の盛衰、アリー一族という一つの出自集団の規模の推移という、それぞれに別個の論理とリズムで進んでいた様々な事象が重なり合った時に生じた出来事であった。そしてそれらの事象のいくつかは、アリー裔政権のもとで新たな展開を見せることになる。ムスリムとなっていただけでなく、すでに「カリフ」傀儡化の経験さえ持つにいたっていたと考えられるダイラム人・ギール人勢力が、イラン高原西半とイラクへ進出していったことはその一つである。また、アリー一族の者たちによるアリー裔政権支配領域への移住が、彼らのさらなる移住と拡散に向けたスプリングボードとなったことも忘れてはならない。アリー裔政権は確かに「マイナー」な政権である。しかしそれは、こうした諸事象を通じてイスラーム史の展開を見通すことを可能とする絶好の素材でもあるのである。

注

（1）後により詳しく述べるように、ザイド派には信条や実践に関し様々な見解を持つ諸派が含まれる。本稿では必ずしもそうした相違にこだわらず、九三〇／九三一年までのカスピ海南岸地域のアリー裔政権を理解する上で問題とならない限り、九―一〇世紀頃以降のザイド派で主流となった見解をザイド派のものとして扱う。例えばここでは、指導者を出すことができる範囲を、ファーティマの男系子孫ではなく、より広くアリーの父アブー・ターリブの男系子孫（ターリブ裔）とする見解を採った、一〇世紀頃まで存在したとされる少数派の見解などを捨象している。また、武装蜂起をイマーム／カリフの必須条件とはしなかった一派の見解も無視している。

参考文献

菊地達也（二〇〇九）『イスラーム教「異端」と「正統」の思想史』講談社選書メチエ。

栗山保之（一九九八）「ザイド派イマームの軍の構成とその活動」『中央大学アジア史研究』二二号。

Arendonk, C. van (1960), *Les débuts de l'imāmat zaidite au Yemen*, J. Ryckmans (trans.), Leiden, E. J. Brill.（原著 *De Opkomst van het Zaidietische Imamaat in Yemen*, 1919）

Benchekroun, Ch. T. (2017), "Écriture et réécriture de l'histoire des Idrissides", I. Ḥasan (ed.), *La littérature aux marges du 'adab*, Beirut, Diacritiques Editions et Presses de l'Ifpo.

Bernheimer, T. (2013), *The 'Alids: The First Family of Islam, 750-1200*, Edinburgh, Edinburgh U. P.

Bīrūnī, al- (1923), *al-Āthār al-bāqiya ʿan al-qurūn al-khāliya*, C. E. Sachau (ed.), Leipzig, Otto Harrassowitz.

Crone, P. (2004), *Medieval Islamic Political Thought*, Edinburgh, Edinburgh U. P.

Elad, A. (2016), *The Rebellion of Muḥammad al-Nafs al-Zakiyya in 145/762*, Leiden and Boston, Brill.

Felix, W. and W. Madelung (1995), "Deylamites", E. Yarshater (ed.), *Encyclopaedia Iranica* (http://www.iranicaonline.org/articles/deylamites) 最終閲覧日二〇二二年一月一二日。

Ḥakīmiyān, A. (1989-1990), *ʿAlawiyān-i Ṭabaristān*, 2nd ed., Tehran, Ilhām.

Ibn Funduq (1989-1990), *Lubāb al-ansāb wa-l-alqāb wal-a-ʿqāb*, M. al-Rajāʾī(ed.), in 2 pts., Qom, Maktabat al-Marʿashī al-Najafī.

Ibn ʿInaba (2004), *ʿUmdat al-ṭālib fī ansāb Āl Abī Ṭālib*, M. al-Rajāʾī (ed.), Qom, Maktabat al-Maʿrashī al-Najafī.

Ibn Isfandiyār (1987), *Tārīkh-i Ṭabaristān*, ʿA. Iqbāl (ed.), 2nd ed., Tehran, Khāwar.

Iṣfahānī, Abū l-Faraj al- (1949), *Maqātil al-Ṭālibiyyīn*, A. Ṣaqr (ed.), Cairo, ʿĪsā al-Bābī al-Ḥalabī.

Khan, M. S. (1975), "The Early History of Zaydī Shiʿism in Daylamān and Gīlān", *Zeitschrift der Deutschen Morgenländischen Gesellschaft*, 125-2.

Kindī, Muḥammad b. Yūsuf al- (1908), *Kitāb al-wulāt wa-Kitāb al-quḍāt*, Rh. Guest (ed.), Leiden, Brill.

Madelung, W. (1965), *Der Imam al-Qāsim ibn Ibrāhīm und die Glaubenslehre der Zaiditen*, Berlin, De Gruyter.

Madelung, W. (1967), "Abū Isḥāq al-Ṣābī on the Alids of Ṭabaristān and Gīlān", *Journal of Near Eastern Studies*, 26-1.

Madelung, W. (1975), "The Minor Dynasties of Northern Iran", R. N. Frye (ed.), *Cambridge History of Iran*, Vol. 4, Cambridge, Cambridge U. P.

Madelung, W. (1985), "ʿAlids of Ṭabarestān, Daylamān, and Gīlān", E. Yarshater (ed.), *Encyclopaedia Iranica* (https://iranicaonline.org/articles/alids-of-tabarestan-daylaman-and-gilan) 最終閲覧日二〇二二年一月一二日。

Madelung, W. (coll. and ed.) (1987), *Arabic Texts concerning the History of the Zaydī Imāms of Ṭabaristān, Daylamān and Gīlān*, Wiesbaden, Franz Steiner.

Madelung, W. (1988), *Religious Trends in Early Islamic Iran*, Albany, N.Y., SUNY Press.

Madelung, W. (2012), "al-Mahdī al-Ḥaqq, al-Ḫalīfa al-Rašīd und die Bekehrung der Dailamiten zur Šīʿa", H. Biesterfeldt and V. Klemm (eds.), *Differenz und Dynamik im Islam*, Würzburg, Ergon.

Marwazī al-Azwarqānī, al- (1988-1989), *al-Fakhrī fī ansāb al-Ṭālibiyyīn*, M. al-Rajāʾī (ed.), Qom, Maktabat al-Marʿashī al-Najafī.

Maʿṭūfī, A. (2015-2016), *Zaydiyān-i ʿAlawī dar Ṭabaristān, Daylamistān, Astarābād wa Gurgān*, Tehran, Nigāh.

Minorsky, V. (1964), "La domination des Daylamites", V. Minorsky, *Iranica: Twenty Articles*, Tehran, The University of Tehran.(一九三二年発表論文の著作集収録版)

Minorksy, V. (1991), "Daylam", B. Lewis et al. (eds.), *Encyclopaedia of Islam, New Edition*, Volume II, 4th impression, Leiden, E. J. Brill.(分冊版刊行一九六一年)

Morimoto, K. (2003), "A Preliminary Study on the Diffusion of the *Niqāba al-Ṭālibīyīn*", H. Kuroki (ed.), *The Influence of Human Mobility in Muslim Societies*, London et al., Kegan Paul.

Pingree, D. and W. Madelung (1977), "Political Horoscopes Relating to Late Ninth Century ʿAlids", *Journal of Near Eastern Studies*, 36-4.

Qumī, Ḥasan b. Muḥammad (2006), *Tārīkh-i Qum*, M.-R. Anṣārī Qumī (ed.), Qom, Kitābkhāna-ʾi Marʿashī Najafī.

Raḥmatī, M.-K. (2013-2014), *Zaydiyya dar Īrān*, Tehran, Pazhūhishkada-ʾi Tārīkh-i Islām.

Rāzī, Fakhr al-Dīn al- (attr.) (1998-1999), *al-Shajara al-mubāraka fī ansāb al-Ṭālibiyya*, M. al-Rajāʾī (ed.), 2nd ed., Qom, Maktabat al-Marʿashī al-Najafī.

Stern, S. M. (1967), "The Coins of Āmul", *The Numismatic Chronicle*, 7th Series, 7.

Strothmann, R. (1912a), *Kultus der Zaiditen*, Strasbourg, Verlag von Karl J. Trübner.

Strothmann, R. (1912b), *Das Staatsrecht der Zaiditen*, Strasbourg, Verlag von Karl J. Trübner.

Ṭabarī, al- (1985-2007), *The History of al-Ṭabarī*, E. Yarshater (general ed.), 40 vols., Albany, N.Y., SUNY Press.

Treadwell, L. (2012), "Qur'anic Inscriptions on the Coins of the *ahl al-bayt* from the Second to Fourth Century AH", *Journal of Qur'anic Studies*, 14-2.

Vardanyan, A. (2010), "Numismatic Evidence for the Presence of Zaydī ʿAlids in the Northern Jibāl, Gīlān and Khurāsān from AH 250 to 350 (AD 864-961), *The Numismatic Chronicle*, 170.

Yaʿqūbī, al- (1960), *Taʾrīkh al-Yaʿqūbī*, 2 vols., Beirut, Dār Ṣādir.

Zysow, A. (2016), "The Zaydīs and Rayy: The Path to Inclusion and Back", *Der Islam*, 93-2.

焦　点 | *Focus*

ヨーロッパにおける帝国観念と民族意識

――中世ドイツ人のアイデンティティ問題

三佐川亮宏

一、「共通の出自」という神話

中世のヨーロッパ人が抱く「エトノス」観念を大きく規定したのは、セビーリャのイシドールス(五六〇頃―六三六年)の「民族(ゲンス) *gens* とは一つの共通の起源に出自する集団である」という定義である(Isidorus 1911: 345)。この「共通の出自」にさらに他の客観的要件も付加することで、近代の研究者による定義を先取りしたのが、プリュム修道院長レーギノ(九一五年没)である。「個々の民族 *nationes populorum* は、出自、風俗習慣、言語、そして法において互いに区別される」(Regino von Prüm 2004: 22)。ただし、近代の「国民(ネーション)」と決定的に異なるのは、民族(ナーツィオ) *natio* の成員が *populus*、すなわち政治的指導層たる貴族・聖職者に限定されている点である。集団的自己意識の担い手は、なお階層限定的であり、理解されているのは、研究者が「貴族ネーション」と呼ぶものの先駆的形象である。

これに対し、M・ヴェーバー(一八六四―一九二〇年)は、未完に終わった『経済と社会』の「エトノス共同体」の章で、「エトノス集団」を次のように規定した。「外的容姿、習俗、または双方の類似性、あるいは植民や移住の記憶を根拠として、出自の共通性を有するとの主観的な確信を抱き、かつそれが共同体形成の喧伝にとって重要となる段階に達している場合――ただし、氏族(ジッペ)はこの限りではない――、我々は、こうした人間集団を〝エトノス的〟集団と呼ぼうと思う。その際、血縁的共通性が客観的に存在するか否かは、全く別の問題である」(Weber 2001: 174)。

核心となる「出自の共通性を有するとの主観的な確信」という一節は、その後のナチズム流の疑似人種理論の時代を見事にくぐり抜け、第二次世界大戦後の研究の方向性に決定的とも言える影響を与えた。「ネーション」の定義をめぐる果てしない議論においても、最も重要なファクターが、レーギノの列記した客観的属性(出自、風俗習慣、言語、法)ではなく、最終的には主観的な帰属意識に帰着すること、つまり、それは実態というよりむしろイデオロギーの所産であるとの認識は、アンダーソンが近代の「国民」を端的に「想像の共同体」と表現して以来、我が国でも広く受容されるに至ったと言えよう。実はイシドールスもまた、通常は省略されがちであるが、先の引用に続けてもう一つの定義を与えていた。「あるいは、独自の結集によって他の民族(ナーツィオ)とは区別される集団である」。

それでは、種族的には雑多なポリエスニック集団であるにもかかわらず、中世のヨーロッパ人に対し(主観的には)一個の純粋な「血縁共同体」であると確信せしめ、かつ「独自の結集」を可能とせしめた、その〝絆〟とは一体何であったのか。

二、「エトノス生成論」と「諸分国構造論」

戦後ドイツにおける中世エスニシティ研究で重要な画期をなすのは、ヴェンスクスの「エトノス生成論」(Wenskus 1961)とヴェルナーの「諸分国構造論」(Werner 1997 他)である。

ゲルマン民族移動期前後の民族(ゲンス)を取り上げた前者は、民族社会学の「エトノス生成 Ethnogenese」の理論を援用しつつ、血縁や身体的特徴といった所与の生物=遺伝学的属性の重要性を明確に斥けた。ヴェンスクスによれば、成員相互を内的に凝集させる紐帯として機能したのは、ヴェーバーが強調した「主観的な確信」、特に文化的な「記憶」=「歴史意識」である――「部族形成について問うことは、それ故究極的には精神史上の問題、つまり政治観念の歴史の問題なのである」(Wenskus 1961: 13)。その政治観念の中で最も重要なのは、共通の祖先に出自するという(フィクショナルな)確信を基軸として結ばれた過去の歴史の共有関係である。「ある共同体がエトノスとして存在し始めるのは、自らに固有の歴史的・エトノス的伝統を生み出した時である。伝統形成は歴史的存在の前提である」(Wenskus 1961: 54)。「歴史意識」は、国王を始めとする支配者層や知識人を主たる担い手として形成・保持され――「貴族ネーション」の階層限定性を想起されたい――、その集団的自己意識の表現を最終的には独自の「民族の起源説話 *Origo gentis*」の創出に見出した。ゴート人の「スカンディナビア起源説話」(六世紀)、フランク人の「トロイア起源説話」(七世紀)、ザクセン人の「マケドニア起源説話」(一〇世紀)等々。要するに、民族は、ロマン主義的な「民族精神論」(ヘルダー、J・グリム)の前提とは異なり、〝自然〟にではなく重層性と可変性を併せもつ歴史的伝統集団として形成された。しかも、それは、併合・吸収・同化といったダイナミックに変動する様々な離合集散のプロセスに絶えず晒され続けていたのであって、この人間集団は、決して固定的・静態的な出自共同体ではなかったのである。

移動期後の民族とフランク帝国との関係を、「諸分国構造論」として論じたヴェルナーによれば、恒常的な変容プロセスは、中世初期になると政治的性格を強く刻印されることになった。メロヴィング朝、特にカロリング朝統治下のフランク全体王国は、支配民族たるフランク人の下に征服・編入された各々の非フランク系民族に対し、行政単位としての「分国 *regna*」をあてがうことで統合を図り、結果的に諸民族に新たな政治的形象と独自のアイデンティティを与えることとなった。ただし、ヴェルダン条約(八四三年)によって成立した東西フランク王国におけるその後の展開は、異なった経過を辿ることとなる。「西」では、フランク人が各分国(ブルターニュ、プロヴァンス、セプティマニア、アキテーヌ、ガスコーニュ等)に対して支配民族の地位を維持したのに対し、「東」では、カロリング王家が各分国

（ザクセン、バイエルン、シュヴァーベン等）の非フランク系貴族との結び付きを強めた結果、諸民族の地位は相対的に強化された。しかも、九一一年にカロリング王家が断絶し、九一九年にザクセン人を国王に戴く新王朝が誕生してフランク人支配に終止符が打たれると、各分国の指導的地位にあった非フランク系の頭領的大貴族（プリンケプス）は、王権によって副王類似の「大公 *dux*」の地位を容認されることになったのである。

両者の所論を統合すると、「ドイツ人」のエトノス生成について次の見取り図を描くことが可能となる。民族移動からローマ帝国内における建国へと至る経過において、離合集散を経て新たに形成されたポリエスニックな団体としての民族（ゲンス）の多くは、その後フランク帝国の支配下に編入され、「分国」を枠組みする政治的変成プロセス――「再ゲンス化」（ヴェルナー）――をくぐり抜けることでさらに大きく変質を遂げた。このうち東フランク王国を構成する複数の民族から後に二次的に形成されたのが、「ドイツ人」である。

三、「ドイツ」の起源

筆者の手元にある高校教科書では、「分裂するフランク帝国」について次の記述が見える。「彼（カール大帝）の死後内紛がおこり、八四三年のヴェルダン条約と八七〇年のメルセン条約により、帝国は東・西フランクとイタリアの三つに分裂した。これらはそれぞれのちのドイツ・フランス・イタリアに発展した。東フランク（ドイツ）では、一〇世紀初めカロリング家の血統がとだえ、各部族を支配する諸侯の選挙で王が選ばれるようになった。ザクセン家の王オットー一世は、ウラル語系のマジャール人やスラヴ人の侵入を斥け、北イタリアを制圧して、九六二年教皇からローマ皇帝の位を与えられた。これが神聖ローマ帝国の始まりである。皇帝位はドイツ王が兼ねたが、皇帝はイタリア政策に熱心で本国をおろそかにし、国内に不統一をもたらした」（『詳説世界史 改訂版』山川出版社、二〇一九年）。

東フランク王国から「ドイツ王国」への移行時期は曖昧であるが、遅くともオットー一世以降の国王が〝ドイツ〟のそれと見なされていることは確かである。そして、ローマでの皇帝戴冠とイタリア統治を目指す歴代皇帝の積極的政策は、本国たる「ドイツ王国」の内的統合の阻害要因になった、と……。

ビスマルクによる第二帝政樹立に先駆けて繰り広げられた「中世皇帝政策論争」において、ジーベルがプロテスタント＝小ドイツ主義の立場から展開した主張を彷彿とさせる論理である。それはともかく、一九世紀以降のドイツ学界においても、第二帝政の一八七一年とのアナロジーで〝第一帝国〟の「誕生年」探しがおこなわれ、八四三年(ヴェルダン条約)、八八七年(東西フランク王国の最終的分離)、九一一年(東カロリング王家断絶)といった画期が提案されてきたこともまた事実である。特に重視されたのは九一九年(非フランク王権の成立)であり、前記の引用文もこの解釈を踏襲しているように読める。

これに対して、史料所見は全く異なるクロノロジーを提示している。「ドイツ人」・「ドイツ」という民族的・地理的名称が初めて自称として使用されたのは、一〇〇〇年頃のことである。「ドイツ王国・国王」に至っては、一〇七〇年代以降まで待たねばならない。

筆者は、〝ドイツ〟なる「民族」と「王国」の存在を自明の前提とした「神聖ローマ帝国論」は、その因果関係において逆転させる必要があると考えている。ポスト・カロリング期に〝ドイツ人〟が二次的に形成される、その舞台を提供したのは、未だ存在しなかった「ドイツ王国」などではなく、普遍的・キリスト教的に刻印され、ゲルマン系、ラテン系、スラヴ系の諸民族が多元的に共生する「中世ローマ帝国」であった。歴代オットー朝皇帝、特にオットー一世から三世の時代(九六二―一〇〇二年)にかけての半世紀近くに及ぶ集中的なイタリア政策こそが、まさに分国を枠組みとする旧来の諸民族の次元を超えた共属意識形成を促し、〝ドイツ人〟という超民族(ゲンス)的にして近代的ネーションに先行する「原基(プロト)的ネーション」(ホブズボーム)の形成を実現する起爆剤として作用したのである。

以下ではその経過の点描を試みることとするが、その前に「ドイツ」という言葉の起源について一言しておく。

現代ドイツ語の形容詞 *deutsch* の歴史は、中高ドイツ語の *diutsch* を経て、古高ドイツ語 *diutisk* へと遡る。この語が初めて用いられたのは一〇〇〇年頃である。それは、ラテン語作品の俗語翻訳に際し、*in diutiscûn*、現代ドイツ語に置き換えるならば *auf deutsch* という組み合わせで、ゲルマン語系の俗語を指称した。つまり、*diutisk* が形容する対象は当初言語に限られていた。

diutisk の語源は、ゲルマン語の名詞 *theudo*（＝フォルク Volk、ラテン語の *gens*）と、出自・起源・属性を示す接尾辞 *-isk* に求められる。ところが、これと同じ語源を有する中世ラテン語形容詞 *theodiscus* に目を向けるならば、その歴史はカール大帝期（七六八―八一四年）にまで遡らせることができる。七八六年、イングランドの教会会議に派遣された使節がローマ教皇に宛てた書簡中で、アングロ＝サクソン語を指して用いたのが最初である。*theodiscus* はその後、八七六年に史料に初出する古典ラテン語風の形容詞 *teutonicus* に徐々に取って代わられ、一一世紀半ばにその姿を消していくことになる。

二つの形容詞の圧倒的大半は、アルプス以北では一〇世紀半ばまで「言葉 *lingua*」という名詞との組み合わせでのみ機能した。*lingua theodisca / teutonica* が指称する言語は、聖職者が用いる教養語としてのラテン語、あるいはそこから派生したロマンス語と対比されたゲルマン語系の諸々の俗語であった（フランク語、古ザクセン語、アングロ＝サクソン語、ゴート語、ランゴバルド語、古ノルド語）。つまり、この時期の、*lingua theodisca / teutonica* の語義は、〝ドイツ語〟という固有名詞にはまだ限定されてはいなかった。それは、「フォルク（民族／民衆）の言葉」という普通名詞の語義の下に、ゲルマン語系の俗語全般を広く指し示す概念だったのである。それを〝ドイツ〟なる固有名辞に転換させたのは、〝ドイツ語〟を話す人々が抱いた言語ナショナリズムなどではない――。イタリア人である。

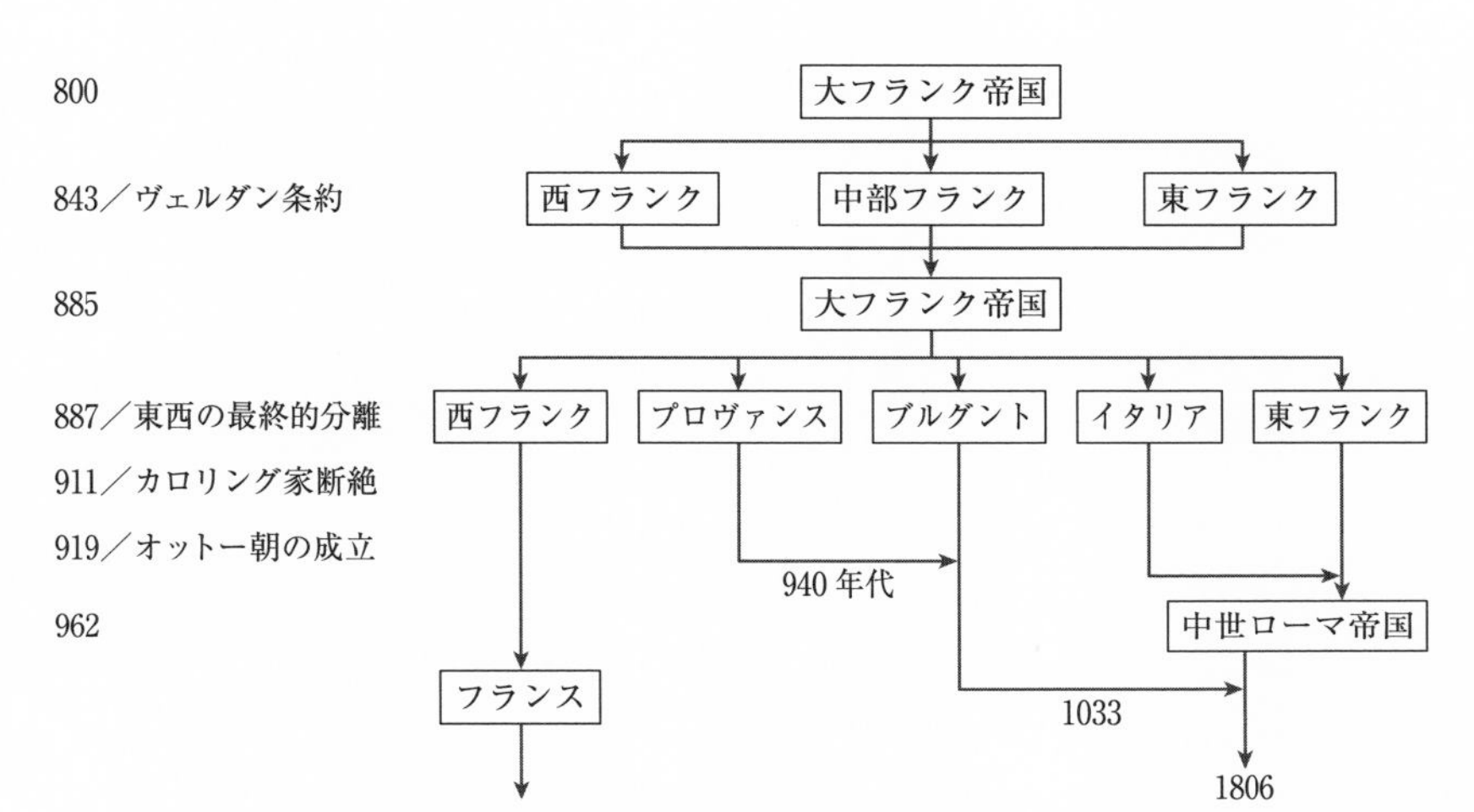

図1 大フランク帝国の分裂と再統合

四、大フランク帝国の分裂

後の「ドイツ」の空間的枠組みが初めてその姿を見せるようになるのは、カール大帝の孫たちの時代である[**図1**]。八四三年に締結されたヴェルダン条約で、ルートヴィヒ二世(在位八四三―八七六年)が得た東フランク王国がそれである。大フランク帝国の分割相続をめぐってカロリング王家の三人の兄弟が激しく争い、均等に三分割することで最終的に合意した結果であった。末弟のシャルル二世(〝禿頭王〟)は、西フランク王国の領有を認められた。長兄の皇帝ロータル一世が継承した南北に細長い中部フランク王国は、彼の死後、ロートリンゲン、ブルグント、そしてイタリアの三つに再分割された(八五五年)。その後「東」は、メールセン条約(八七〇年)、リブモン条約(八八〇年)でロートリンゲンを併合して〝ドイツ〟の、「西」は〝フランス〟の母胎になっていくであろう。

この事件をもって、「ドイツ王国」あるいは「フランス王国」の成立を画するのは、もとより性急すぎる。王家の事情に基づく分割相続は、領域画定に際して王国の住民たちの言語的・民族的帰属を考慮してはいなかった。そもそも、ヴェルダン条約自体、あくまでも暫定的性格の妥協の産物であって、さらなる分割、あるいは逆に再統合の可能性を内に秘めていた。三つの部分王国の将来は、なお全くオープンな状況にあったのである。

なお、東フランク国王ルートヴィヒ二世は、「ドイツ人王」という渾名で呼ばれることが多い。これは、一八世紀の歴史家が「ゲルマン」＝「ドイツ」という(今日でもしばしば見られる)誤った解釈を前提として与えた所産である。同時代人が彼に与えた渾名は、「ゲルマーニアの国王 *rex Germaniae*」すなわちライン川以東の地方の国王であって、「ドイツ人」という概念はこの頃まだ存在しなかった。

カール大帝の曽孫の世代になると、各部分王国では国王たちの死が相次いだ。その結果、東フランク国王ルートヴィヒの三男で、唯一人生き残ったカロリング家の正嫡カール三世は、東フランク国王(八七六年)、皇帝(八八一年)に加え、西フランク国王の地位も獲得した(八八五年)。こうして、カール大帝の大フランク帝国は再び蘇ることになった。しかし、自身の実力ではなく、王家内の偶発的事情によって王位を手にしたカールは、政治的資質と後継ぎを欠く皇帝であった。二年後、甥のアルヌルフ(在位八八七―八八九年)は、ノルマン人(ヴァイキング)の侵攻に有効な対策を打てないカールを見限り、クーデターで彼を廃位した。

八八七年の皇帝失脚事件の結果、大フランク帝国は再度分裂した。今回は五つの部分王国にである――東・西フランク、(高地)ブルグントとプロヴァンス(低地ブルグント)、そしてイタリア。しかも、各部分王国の新国王は、「東」を除きもはやカロリング家の出ではない。「西」では、対ノルマン人防衛戦で名声を得たパリ伯ウード(後にフランスのカペー朝を開くユーグ・カペーの祖父の兄)が王位に就いた。部分王国の中で一番最後にこの道を踏み出したのは「東」である。九一一年にアルヌルフの息子ルートヴィヒ四世(〝幼童王〟、在位九〇〇―九一一年)が一八歳で早世し、東カロリング家の血統がついに断絶したからである。

当時、東フランク王国は、五つの分国から構成されていた。フランケン、ロートリンゲン、ザクセン、バイエルン、

図2 オットー1世時代の中世ローマ帝国
（出典：Gerd Althoff, Hagen Keller, *Heinrich I. und Otto der Grosse: Neubeginn auf karolingischem Erbe*, Bd. 2, Göttingen-Zürich 1985, S. 258）

シュヴァーベンがそれである[図2]。前二者はフランク系であり、非フランク系のザクセン、バイエルン、シュヴァーベンの民族名は、既に古代末期に登場していた。これらの諸民族は、その後フランク人の支配下に相次いで統合されていく過程で、行政上の単位である分国、すなわち後の大公領を枠組みに再編成され、新たな政治的・民族的集団に生まれ変わっていた。ヴェルナーの言う「再ゲンス化」のプロセスである。現代のドイツを特徴づける地域的な「多元性」と「対等性」の調和的な共生関係、例えば地方分権的連邦体制は、この時期にその淵源を有する。

五、「中世ローマ帝国」の成立とドイツ人のエトノス生成

その〝ドイツ〟へと向かう大きな一歩が踏み出されたのは、九一九年である。ザクセン人のハインリヒ一世(在位九一九―九三六年)が、これまでのフランク人王権に代わり、オットー(ザクセン)朝を樹立したのである。新国王は、フランク人の頭領的大貴族(プリンケプス)と提携しつつ、東フランク王国の分裂・解体の危機を克服したのみならず、ノルマン人に代わる新たな脅威となった遊牧民族マジャール(ハンガリー)人にも勝利を収めた。さらに、長男オットーの結婚に際して、次男以下を将来の王位継承候補から外し、長子のみによる王位単独相続を定めた。内紛・分裂の原因であった分割相続に終止符を打ち、王国非分割の原則を採用することで、王位交代を超えた国家の安定性と連続性が担保されることになったのである。

オットー一世(大帝、在位九三六―九七三年)は即位当初、相続から排除された兄弟や各地の大公の叛乱に悩まされた。しかし、その鎮圧後、アウクスブルク近郊でマジャール人を決定的に破り、西ヨーロッパ世界における覇権的地位とキリスト教世界の防衛者としての権威を確立した(九五五年)。もっとも、隣接する「西」のフランク王国では、王位を取り戻した西カロリング王家が支配の正当性原理としての「フランク的伝統」の独占を主張していた。それ故、歴

史的・政治的伝統のみならず独自の王国名すら欠く「東」の非フランク人国王が、最高の普遍的正当性原理である「ローマ」を志向するのは理の当然であった。その締め括りとなったのが、九六二年にサン・ピエトロ教会で挙行された皇帝戴冠式である。この時に樹立され、実に一八〇六年まで存続した帝国は、一三世紀半ば以降「神聖ローマ帝国 *Sacrum imperium Romanum*」と自称するようになるが、当時は単に「帝国 *imperium*」あるいは「ローマ帝国 *imperium Romanum*」と呼ばれた。皇帝として「聖ローマ教会の守護者」となったオットーは九六八年、東方辺境のマクデブルクの地に大司教座を設置し、エルベ川以東の異教徒のスラヴ人に向けた伝道組織を確立した。オーデル川の向こうにポーランドが誕生したのも、この頃である。

皇帝の強大な軍事力と行政機構を支えたのは、大公らの世俗貴族と並ぶもう一つの柱、帝国教会である。重要ポストの司教には多くの場合、皇帝の有能な側近聖職者である宮廷礼拝堂付き司祭が叙任され、帝国教会は人的・物的の両面において保護・育成された。その見返りとして高位聖職者は、「首都なき王国」を巡幸する宮廷の給養や軍役奉仕の提供といった様々な「国王奉仕 *servitium regis*」を義務づけられた。戴冠式の塗油儀礼を通じて聖性を帯びた皇帝は、「聖」と「俗」が一体化した「教会帝国」の頂点に君臨する、現世における「神の代理人 *vicarius Dei*」に他ならなかったのである。こうした政治神学的イデオロギーとしての神権的(テオクラシー)君主観念は、孫のオットー三世(在位九八三―一〇〇二年)とオットー朝最後のハインリヒ二世(在位一〇〇二―一〇二四年)の時代に頂点に達した。

特にオットー三世は、支配の中心をアルプス以北からローマに移し、古代帝国の伝統を復活させ、教皇との提携により普遍的・キリスト教的皇帝権を樹立するという壮大な統治プログラム、「ローマ帝国の改新 *Renovatio imperii Romanorum*」を構想した。九九八年に始まる斬新な様々の試みは、アルプスを挟む南北世界の政治的・文化的融合を促したのみならず、帝国の外のポーランド、ハンガリーに初の大司教座を設置することにも成功した。しかし、「改新」は、皇帝が二二歳の若さで夭折したことによって中断の憂き目にあう。ただし、それは同時に思わぬ遺産を後世

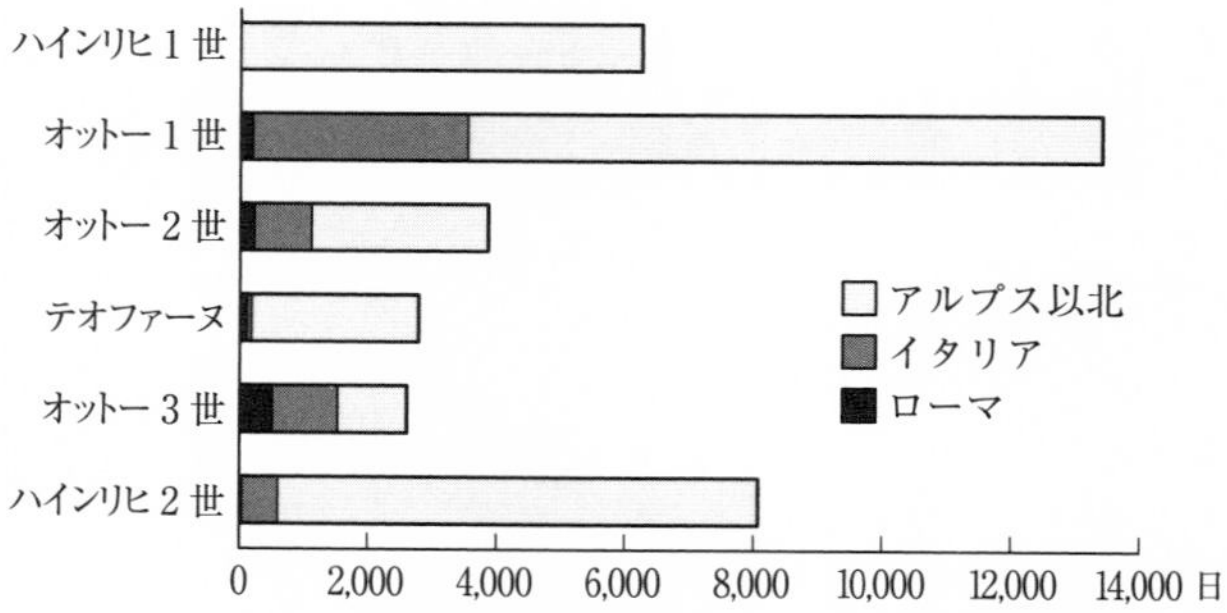

図3　オットー朝歴代統治者のイタリア・ローマ滞在期間（出典：三佐川 2013：473頁）

に残すこととなった。「ドイツ人」の登場である。

オットー朝は、「北」のザクセン人とフランク人のみにより担われた弱体な王権としてスタートした。「南」のバイエルンとシュヴァーベンの両分国の統治は、国王に次ぐ存在である大公の手に委ねられていた。それ故、民族間に内在する旧来の支配・従属関係が超克され、フランク人、ザクセン人、バイエルン人、シュヴァーベン人のすべてが相互に対等な関係において王国統治に参与する、そうした契機が与えられない限り、「ドイツ人」の形成は困難である。それを可能としたのが、オットー三代による他に類を見ない集中的かつ長期に及ぶイタリア政策(九六二—一〇〇二年)であった[**図3**]。遠征への動員は、イタリア王国と境界を接する「南」の両大公領をも巻き込み、軍事行動は、前例のない程の規模と継続性をもって展開された。その結果、一個の「運命共同体」へと統合されたアルプス以北の諸民族は、帝国奉仕という「対外活動」を共に遂行する過程で、それまでの枠組みを超越した新たな「我々意識」を育んでいったのである。

一方、イタリアでは早くから、*theodiscus/teutonicus* の指称対象を言語から言語集団へと拡大すると同時に、後者の内容を特定の民族へと限定していくプロセスがパラレルに進行していた。北イタリアのランゴバルド人は、本来ゲルマン語系の俗語を用いていたが、彼らの母語は、六世紀後半に始まるイタリア定住が長期化する過程で、卑俗ラテン語=ロマンス語へと変化しつつあった。そのランゴバルド王国をカール大帝が七七四年に征服して以降、アルプス以北からは様々な民族が支配者層として流入・定住し始めた。そのため、例えば二つの俗語が混交する裁判集会などの場では、北から到来するゲルマン語系の諸民族(フランク人、バイエルン人、シュヴァーベン人等)を、ロマンス語系のそれと区別する必要が生じたのである。この言語が実際には多様な方言であることは、ロマンス語を話すイタリア人にはあまり重要ではなかった。この言語集団の名前は、一〇世紀半ば頃、東フランク王国の住民の総称、「ドイツ人 *Theodisci/Teutonici*」へと拡大された。この民族名を用いたことが初めて確認されるのは、ランゴバルド人の生まれで、後にオットー一世の側近となったクレモナ司教リウトプランド(九二〇頃—九七二年?)である。彼は、『報復の書』(九五八—九六二年成立)や『コンスタンティノープル使節記』(九六九年頃成立)の中で度々、ロマンス語系の西フランク王国との対比で、オットーが統治するゲルマン語系の東フランク王国の住民の総体を指して「ドイツ人 *Teutonici, gens Teutonica*」と呼んだ。〝ドイツ人〟という民族名は、イタリア人=「他者」による「差異化」の視点から、包括的に一個の言語=民族共同体として認識された他称概念として初めて誕生したのである。

そして一〇〇〇年頃、この他者命名の民族名は、イタリアの地においてオットー三世とその側近たちによって自称として受容されたのである(クヴェーアフルトのブルーノ『プラハ司教アーダルベルト伝』、タンクマル『ヒルデスハイム司教ベルンヴァルト伝』他)。最も有名なのは、『ベルンヴァルト伝』(二五章)が伝えるオットーの「ローマ人弾劾演説」である。一〇〇一年、一部のローマ市民は、「改新」の中心地たるローマに恒常的に滞在し始めた〝よそ者〟のザクセン人皇帝による長期支配に嫌気が差し、一斉に蜂起した。

「この間に敬虔で穏和な皇帝は、僅かのお伴のみを連れてある塔に登り、彼らに向け次の演説をおこなった。「汝らは余のローマ人ではないのか。余は汝らのために我が故郷 *patria* と我が親族を後にしたのだ。汝らへの愛故に、余は我がザクセン人とすべてのドイツ人 *Theotisci*、すなわち我が血を犠牲にしたのだ。余が汝らを導いた我らの帝国の最遠の地は、汝らの父祖がかつて世界を征服した時にさえ、足跡をしるしたことのなかったところではないか。かように、余は汝らの名、汝らの名声を大地の果てまで拡げようと欲した。汝らを余は養子とした。汝らを余は他の誰にもまして慈しんだ。汝らの故に余は敢えて皆から嫌われ、憎まれさえしたが、それは汝らを余が誰にもまして慈しんだからだ。しかるに汝らは今や汝らの父を排斥し、余の友人たちを残虐に殺した。汝らは余を斥けることなど決してなし得ないにもかかわらず、余を斥けた。けだし、余は、全き父の愛をもって包み込んだ汝らが、余の心から放逐される如きことを決して赦しはしないからだ」」(Thangmar 1841: 770)。

山田欣吾は、「恩知らずのローマ人批判」の行間から読み取れる皇帝自身の葛藤とその歴史的文脈を見事に要約している。「この悲痛な繰り言は、オットー三世が、文字どおり犠牲をいとわずようやくその理想を実現したと信じた「ローマ人の帝国」が、当のローマ人にとっては、全くなにほどの価値もなかったという苦い現実をはっきり示した。ローマ人にとって、それはまさに「ドイツ人のローマ帝国」に他ならなかった。恐らくイタリア人のもとで用いられていた語法をうけて、皇帝は、この演説で初めてアルプス以北の自国民を「ドイツ人」という言葉で表現した。そうしたドイツ人とその国を、「ローマ帝国復興」という理想のためにあえて放置しなければならなかったのだ、という皇帝の自己告発の背景には、恐らくドイツ人の側からの皇帝政策批判が伏在していたであろう」(山田 一九九七：一四〇頁)。著者が目撃者としてその文言を正確に伝えているとするならば、実は皇帝オットーこそ、自らが「ドイツ人」であることを公言した歴史上最初の人物ということになる。

一方、民族名のイタリアにおける受容という所見は、「イタリア体験」とそれに伴う異文化接触がもう一つの要因であったことを示唆している。「我々」とは言語を始めとする習俗、法慣習、物質・精神文化等を異にする異郷の地で遭遇した「他者」に対する対立感情――「恩知らずのローマ人」――は、翻って旧来の閉ざされた「自己認識」にも大きな変化をもたらさずにはおかなかった。その際に〝触媒〟として作用したのは、共通の「故郷 *patria*」への帰属意識であった。

「ローマ帝国」という一種の仮想空間は、西欧カトリック世界を構成する諸民族が多元的に共生する巨大な「場」

を提供していた。それは同時に、諸民族の遭遇が引き起こす他者認識の反作用として、内に向かっての新たな「我々意識」の醸成を促すプラットホームとしても機能した。この所見は、ドイツ人のみならずイタリア人についても妥当する。すなわち、「北」のオットー朝の王国の状況と同じく、イタリアもまた本来は多民族的に規定された多極的な権力構造を有しており、アペニン半島には、北・中部のランゴバルド人、教皇が統治するロマーニャ地方のローマ人、南イタリアのランゴバルド系およびビザンツ＝ギリシア系の諸民族が混住していた。イタリア王国の住民の総称としての「イタリア人 *Italienses / Italici*」という術語は、オットー一世の第一次遠征が始まる一〇世紀半ばまでは存在しなかった。その王国は、諸司教と在地貴族層が割拠する北イタリア、トスカーナ辺境伯領、スポレート大公領、旧ラヴェンナ総督領、そしてローマ教皇領等々の様々な政治的単位から成る複合国家であった。

ところが、政治的に互いに競合するこれらイタリアの諸民族も、九六二年以来「ローマ人のローマ帝国」ではなく、「ドイツ人のローマ帝国」という政治的現実に直面する中で、「よそ者」に対する「差異化」の裏返しとして、「イタリア人」としての共通の民族感情の萌芽を育み始めたのである。一〇世紀のイタリア王国に由来する唯一の『年代記』は、ソラッテ山麓のアンドレアス修道院の修道士ベネディクトの手になるものである(九六八／九七二年以降成立)。その叙述は、まさに「よそ者支配」に対する嘆き節――「嗚呼、イタリア王国が幾多の民族によっていかに衰退させられたことか！」――に満ち溢れている。

六、「帝国」と「王国」の狭間

「ローマ帝国を担うドイツ人」――ブレーメンの司教座聖堂学校の教師アダム(一〇八五年以前没)がこの見解を初めて明確に表現したのは、「叙任権闘争」さなかのことである(『ハンブルク大司教事績録』(一〇七二―七五／七六年成立))。

「今日、ドイツの人民 *Teutonum populi* の下で、ローマ帝国の統治権 *summa imperii Romani* と神への崇高な礼拝が栄え、花開いている」(第一巻一〇章／Adam von Bremen 1917: 11)。

ところで、皇帝の地位は、確かに数々の世俗的な権力——他の諸国王に対する序列の上昇、西欧における覇権的(ヘゲモニアール)地位の確立、教会政策への影響力強化、先進地イタリアがもたらす経済的利益等々——のさらなる獲得を容易ならしめた。「皇帝の冠は、支配者が統治する領域において、状況によっては彼の権威に一定の重要性を与え得た。〔中略〕しかし、既に国王が有する諸々の権限に、それが新たに何かを付け加えるということはなかった」(Tellenbach 1982: 241)。これらの世俗的権力は、戴冠以前に充足されていなければならない前提条件であった。「皇帝権 *imperium*」はまた、王権とは異なる独自の権力装置を備えていたわけでもない。純粋に権力史的に見た場合、それは覇権的な国王支配のいわば拡大版にすぎない。

むしろ、皇帝権の本質は宗教的な権威の次元に存する。皇帝の最大の使命は、カール大帝の時代以来「キリスト教帝国 *imperium Christianum*」として理解された西欧カトリック世界の全教会の母にして頭たる「聖ローマ教会の守護者」たることにある。九六二年にオットー一世が蘇らせたローマ皇帝権は、カール大帝のそれに直接連なるのみならず、コンスタンティヌス大帝、ローマ教皇、否、イエス・キリスト誕生以前のユリウス・カエサル、アウグストゥスにまで遡る長大な歴史と伝統を有する。古代末期以降のキリスト教歴史神学において、第四にして最後の世界帝国たる「ローマ帝国」(後述)の統治者たる者は、神の召命によって現世の最高位を委ねられた「神の代理人」として、「神の国」の完成に至る人類の「救済史」を正しき方向へと教導し、最後の審判において神の前で申し開きをする責務をその双肩に担わねばならないのである。

エトノス生成の証しとしてヴェンスクスが決定的に重視した「歴史意識」、すなわち独自の「起源説話」に関しても、「ドイツ人」のそれは、当然ながら普遍的・キリスト教的救済史の色彩を濃厚に帯びることになる。一〇七七―

八一年頃、ケルンないし近郊のジークブルクの一修道士が中高ドイツ語で綴った『アンノの歌』の物語は、天地創造に始まる。「四世界帝国論」に依拠しつつバビロニア、ペルシア、ギリシアの歴史を次々に駆け抜け、第四にして最後の帝国たる「ローマ帝国 *rîche ci Rôme*」へと至る(一八一二八詩節／*Das Annolied* 1986: 24-38)。

不詳の詩人によれば、「ドイツの諸ラントに対して *wider diutsche lant*」派遣されたユリウス・カエサル(!)がそこに見出したのは、各々独自の国(ラント)のみならず、固有の起源説話と歴史を有する四つの自立した民族(ゲンス)(フランク人、ザクセン人、バイエルン人、シュヴァーベン人)の姿であった。カエサルは勇者たちを一〇年の歳月を費やして征服し、最後に同盟を締結した。勝利の後カエサルはローマに凱旋する。ところが、彼を待ち受けていたのは、勝者に相応(ふさわ)しい歓迎ではなく、兵員の多くを喪失したのは彼の高慢さの故であるとの非難の言葉であった。カエサルは、再び「ドイツの諸ラントへ *ci diutischimo lante*」と戻り、かの地を支配する有力者たちに窮状を訴え、同盟を求めた。「ガリアとゲルマーニアから *zir Gallia unti Germânia*、夥しい数の軍勢が彼の下に集結し」、その軍隊がローマに迫ると、カトー、ポンペイウスそして元老院はエジプトへと逃走した。(「黙示録」を連想させる)この世で知られている限り最も激しい戦いが繰り広げられたが、最後に勝利を手にしたのはカエサルであった。彼はすべての国々を征服したことを喜び、ローマに入城した。その際ローマ人は、彼に対する歓迎の標として新たな慣習を採り入れた。それまで多くの者に分有されていた権力のすべてを一手に掌握したカエサルに敬意を表すべく、彼らは支配者を *Ihr*(複数形の敬称)を用いて呼び掛けるようになったのである。「この新たな慣習を名誉と考え、カエサルはその後、ドイツの人々 *diutischi liuti* にも教えさせた。彼は、ローマの宝物庫を開き、数多くの宝石を取り出し、従者たちに高価な絹や金を分け与えた。爾来、ドイツの男たち *diutschi man* は、ローマで愛されまた重んぜられた」——。

カエサルと「ドイツの男たち」が織りなす歴史絵巻は、「ドイツ人」がその形成を皇帝像の原型とも言うべきカエサル——「彼に因(ちな)んで今日でもなお国王たちは皇帝(カエサル) *keisere* と呼ばれている」——への服従と同盟関係に負っており、同時にまた、一君支配体制国家としてのローマ帝国の樹立も、カエサルと「ドイツ人」との提携を通じて初めて実現し得たことを見事に描き出した。一言で表現するならば、これは *Origo gentis Teutonicorum et Romani imperii*、「ドイツ人の起源説話」にしてなおかつ「ローマ帝国の建国神話」に他ならない(トーマス 二〇〇五)。中世盛期にようやくドイツ人を結集せしめた〝絆〟、すなわち「中世ドイツ人のアイデンティティ」とは、皇帝を立てローマ帝国を担うという、フィクショナルにして政治的・救済史的な確信の念に他ならなかったのである。「ローマ帝国なくしてドイツ・ネーションなし」(Moraw 1997: 39)——。

それでは、「ドイツ王国」という名称は、いつ出現したのだろうか。これもイタリア人による命名である。一〇二四年に始まったザーリアー朝は、一〇三三年にブルグント王国を編入した。(未だに独自の名を欠く)「アルプス以北の王国」、ブルグント、イタリアの〝三位一体〟から構成される多民族国家としての中世ローマ帝国の形がここに出来上がった。新王朝はまた、オットー朝の帝国教会政策を継承・発展させたが、教皇グレゴリウス七世(在位一〇七三—八五年)が「叙任権闘争」を開始した時、教皇権と真正面から衝突する結果となった。この闘争の本質は「聖俗分離革命」、すなわち皇帝による高位聖職者の叙任の是非という問題を超えた、「聖」と「俗」の区分の明確化にあったからである。

一〇七六年、グレゴリウス七世は国王ハインリヒ四世(在位一〇五六—一一〇五年)を破門に処することで、その聖性を剝ぎ取った。翌年のカノッサ事件で国王が屈服したことは、現世における「神の代理人」たる地位を事実上放棄することを意味した。加えて、教皇は、「ローマ帝国を担うドイツ人」という皇帝側の主張さえも否認した。彼は、ローマで教皇によって皇帝に戴冠される以前の国王、すなわち「ドイツ人の国王 *rex Teutonicorum*」の統治権が妥当する領域を、本来の権力基盤であるアルプス以北の王国、すなわち「ドイツ王国 *regnum Teutonicum*」に限定しようと試みたのである(Müller-Mertens 1970)。皇帝権が主張する「ドイツ人のローマ帝国」に対するアンチテーゼとしての

「ドイツ王国・国王」という政治的プロパガンダの言葉は、以後教皇書簡を通じて広く普及・定着することになった。長年の闘争に終止符を打ったのは、一一二二年に締結されたヴォルムス協約である。その教皇側の文書は、国王による高位聖職者の叙任手続きに関して、まさに「ドイツ王国」と「帝国のその他の領域」を峻別したのであった。

「ローマ帝国」を志向する皇帝権と、それを「ドイツ王国」に限定しようとする教皇権。両者の狭間で揺れ動く「ドイツ人」の複雑に捻れたアイデンティティ。ここに垣間見えたのは、中世盛期・後期の政治史を規定する特殊〝ドイツ的〟な基本モチーフである。その後、「宗教」(ルターによる「ローマ」との決別と宗派化の進行)、そして「政治」(ヴェストファーレン条約による領邦分立体制の確定)の双方の領域で、彼らのアイデンティティは、さらに幾重にも引き裂かれていくことになるであろう。残されたほとんど唯一の〝絆〟は、共通の「言語」によって結ばれた「民族(フォルク)」なるフィクションである。それが隣国フランスの自由・平等な個人に立脚した「国民(ナシオン)」という政治的原理に対するアンチテーゼ(「民族精神」)として〝発見〟され、遠き古ゲルマン時代にまで遡る彼らの新たな「歴史」が知識人の手で構築され始めるのは、一八〇六年の「帝国」の終焉を目前に控えた一八世紀後半、ロマン主義の時代のことである。

参考文献

トーマス、ハインツ(二〇〇五)『中世の「ドイツ」――カール大帝からルターまで』三佐川亮宏・山田欣吾編訳、創文社。

三佐川亮宏(二〇一三)『ドイツ史の始まり――中世ローマ帝国とドイツ人のエトノス生成』創文社。

三佐川亮宏(二〇一六)『ドイツ――その起源と前史』創文社。

三佐川亮宏(二〇一八)『紀元千年の皇帝――オットー三世とその時代』刀水書房。

山田欣吾(一九九七)「ザクセン朝下の「王国」と「帝国」」『世界歴史大系 ドイツ史』第一巻、山川出版社。

【史料】

Adam von Bremen (1917), *Hamburgische Kirchengeschichte*, hg. v. Bernhard Schmeidler, Hannover-Leipzig, Hahnsche Buchhandlung.

Das Annolied (1986), hg., übers. u. kommentiert v. Eberhard Nellmann, 3. Aufl., Stuttgart, Philipp Reclam Jun.

Isidorus Hispalensis Episcopus (1911), *Etymologiarum sive originum libri XX*, ed. by Wallace Martin Lindsay, Vol. 1, Oxford, Lib. IX, 2, Oxford Clarendon Press.

Regino von Prüm (2004), *Das Sendhandbuch*, hg. u. übers. v. Wilfried Hartmann, Darmstadt, Wissenschaftliche Buchgesellschaft.

Thangmar (1841), *Vita Bernwardi episcopi Hildesheimensis*, hg. v. Georg H. Pertz, *Monumenta Germaniae Historica*, Scriptores IV, Hannover, Hahnsche Buchhandlung.

【研究文献】

Brühl, Carlrichard (1990), *Deutschland-Frankreich : Die Geburt zweier Völker*, Köln-Wien, Böhlau Verlag.

Fried, Johannes (1994), *Der Weg in die Geschichte : Die Ursprünge Deutschlands bis 1024*, Berlin, Propyläen Verlag.

Moraw, Peter (1997), „Vom deutschen Zusammenhalt in älterer Zeit", *Identität und Geschichte*, hg. v. Matthias Werner, Weimar, Hermann Böhlaus Nachfolger.

Müller-Mertens, Eckhard (1970), *Regnum Teutonicum : Aufkommen und Verbreitung der deutschen Reichs- und Königsauffassung im früheren Mittelalter*, Köln-Graz, Hermann Böhlaus Nachfolger.

Tellenbach, Gerd (1982), „Kaiser, Rom und Renovatio : Ein Beitrag zu einem großen Thema" (1982), in: ders., *Ausgewählte Abhandlungen und Aufsätze*, Bd. 2, Stuttgart 1988, Anton Hiersemann.

Weber, Max (2001), *Wirtschaft und Gesellschaft : Die Wirtschaft und die gesellschaftlichen Ordnungen und Mächte : Nachlaß*, Teilbd. 1: Gemeinschaften, hg. v. Wolfgang J. Mommsen, (Max Weber Gesamtausgabe, Abt. 1, Bd. 22), Tübingen, J. C. B. Mohr.

Wenskus, Reinhard (1961), *Stammesbildung und Verfassung : Das Werden der frühmittelalterlichen gentes*, Köln-Graz, Böhlau Verlag.

Werner, Karl Ferdinand (1997), „Völker und Regna", *Beiträge zur mittelalterlichen Reichs- und Nationsbildung in Deutschland und Frankreich*, hg. v. Carlrichard Brühl, Bernd Schneidmüller, München, Oldenbourg.

コラム｜Column

修道院改革とヨーロッパ初期中世社会の変容

大貫俊夫

カール大帝が築いたフランク帝国が瓦解すると、外来民族の侵入も相まってヨーロッパ世界は混乱期に入った。この混乱とそこからの立ち直りのプロセスに見る社会の変容は、これまで多くの研究者の関心を集めてきた。その一端を理解する鍵として、一〇世紀初頭、政治情勢が落ち着いていたオットー朝東フランク＝ドイツ王国の西部地域ロートリンゲンで始まった修道院改革を取り上げよう。ここで言う「改革」とは、修道院の再建、院長選挙権の回復、ベネディクト戒律の導入、典礼の刷新、所領の回収などを指し、王権の保護（*libertas regia*）がそれらを保障した。従来は、修道院と王権・教皇権との結びつきや、慣習律に基づく修道院の系譜関係が問題になっていた。しかし、本コラムはそうした動向から一線を画し、オットー朝王権による手厚い保護を享受したトリーアのザンクト・マクシミン修道院を取り上げ、いかに当時の修道院改革が社会の変容に寄与し、次の時代、すなわち盛期中世のダイナミズムを準備したかについて考えてみたい。

ザンクト・マクシミンは、ローマ帝国治下トリーアの北門（ポルタ・ニグラと呼ばれる）から出て五〇〇メートルほどのところに創建された。しかし、その初期の具体相はよくわかっていない。考古学調査によって二世紀頃にはローマ式墓地の存在が確認され、四世紀にトリーア司教聖マクシミヌスが埋葬されると聖職者が集住するようになり、これがいつしか修道院になったようだ。ポスト＝カロリング期に至り、修道生活を阻害していたのは俗人院長の存在で、九三四年の改革までのあいだ院長はロートリンゲン公ギーゼルベルトであった。国王ハインリヒ一世の恩顧により地元有力者からの自由を勝ちとった修道士たちは同僚のオゴーを院長とし、ようやくベネディクト戒律に従って生活できるようになったのである。

「改革」概念については、近年オランダのファンデルプッテンが改めて検討を加えている。彼はフランドル地方の修道院を取り上げ、この「改革」をある特定の時点に、特定の院長や聖俗のリーダーのイニシアティヴによって断行されるようなものではなく、一連のプロセスとして理解するべきだと主張した。これは傾聴に値する説である。事実、ザンクト・マクシミンも定説として九三四年を改革の年としているが、同時代の史料は存在せず、後世の年代記による（ときに相矛盾する）断片的な証言に依拠しているに過ぎない。

しかしいずれにせよ、ザンクト・マクシミンはこの修道院改革により新たな活力を得て、世俗社会に相当のインパクトを与えるようになった。以下、農村および都市との関わりについてそれぞれ見てみよう。

フランク期以来、修道院は広大な所領を獲得したことが知られている。これを詳細に分析した岡地稔によると、オットー朝期におけるザンクト・マクシミンの所領の配置は、不完全ではあるが半径一〇〇キロメートルほどの円を描くまでになっていた。そして、修道院改革を経てこの所領をめぐり大きな変化が生じた。俗人院長が排除された結果、院長の所領と修道士共同体(*conventus*)のそれとに所有権が分割されたのである。このことはもっと高く評価されてよい。修道院経営の安定、ひいては地域社会の安定におおいに貢献したことが想定されるからである。院長の交代のたびに修道院所領が離合集散していては(実際それまでそうだった)安定した修道生活は望めないし、何より領内に住む農民たちの生活にも影響があったに違いない。

次に都市社会に目を向けてみよう。改革直後の九四二年、修道院の教会堂が新築され、その後一〇年間で二回も拡張された。この新築事業は明らかに当時の修道士数の増加を反映したものだが、その際、建物の西側が民衆用に分割され、俗人も典礼にあずかれるようになった点が興味深い。修道院改革は都市住民の宗教生活を下支えする契機にもなったのである。

都市との関わりでは、遠隔都市の成立・発展を一手に引き受けたことにも触れなければならない。九三七年、国王オットー一世はザンクト・マクシミンから修道士アンノらをエルベ川沿いのマクデブルクに派遣し、マウリティウス修道院を創建した。ここを王家の墓所とし、修道士の祈りを求めたわけだが、目的はそれだけではなかった。このとき修道院は、王から市域と城塞の支配権、広大な土地の所有権を獲得したのである。さらに救貧院や学校など、市民生活に不可欠な施設の運営も託されたほか、商人やユダヤ人の保護権までも得ていた。ザンクト・マクシミンが直後の九四〇年に受領した大規模な所領確認証書は、修道院新設に成功し、王権から厚い恩顧を獲得したことを端的に示している。九七三年にマクデブルクは大司教座に昇格し、ザンクト・マクシミン出身の初代大司教アーダルベルトは、マウリティウス修道院のほぼすべての財産を引き継いで大司教座としての格を確かなものにした。マクデブルクはザクセンの東端に位置し、エルベ川の向こうは支配の安定しないスラヴ人居住地である。最初に派遣されたアンノら、多くのザンクト・マクシミン出身の修道士が東方伝道に携わっていたに違いない。

一〇世紀の改革修道院として、ザンクト・マクシミンはあくまで一例に過ぎない。ポスト＝カロリング期の修道院は、互いにネットワークを築きながら漸次的に改革を成し遂げ、結果として社会のキリスト教化を推し進め、安定した所領経営や、荒廃した都市生活の復興や、その東方への移植を実現した。そうした営みを総体として描き出す試みはいまだ果たされてはおらず、今後の課題となっている。

焦点 Focus

聖像（イコン）と正教世界の形成

中谷功治

はじめに

ビザンツ（東ローマ）帝国をおもな母体に独自の成長をとげた正教キリスト教において、信徒たちの信仰生活に不可欠の要素となったものにイコンがある。イコンとは、しばしば聖像ないし聖画像と訳される。イエス・キリストや聖母マリア、そして天使たちに加えて十二使徒や殉教者など、信徒たちから聖なる存在とされた人物の肖像画がイコンである。

狭い意味では、イコンは板の上に絵の具で描かれた前記の者たちの人物像パネルとなるが、広くは聖堂の壁面などに作成されたフレスコ画やモザイク画、さらには織物や写本挿絵などの画像もこれに含まれる。要するに、描かれる素材をとわず、聖なる人物の表象物すべてがイコンなのである。独特の様式で描かれたこれらイコンに対し、ビザンツを中心とした東方の正教会では特別な敬意が表される。イコンに接吻したり、これを奉じて行進したりする行為は、現在にも継承される独特の振る舞いである。

本稿では、この聖なる画像イコンがキリスト教における崇拝の対象物としてどのように成長していったのかを、イコンをめぐる最大の論点、いわゆるイコノクラスム(イコンの破壊)を含めて論じてゆく。最新の研究をもとにそのプロセスをたどりながら、現在明らかになっている点や課題を提示したい。イコノクラスムに注目するのは、イコンをめぐって戦わされたこの議論こそは、その後の正教世界の成立において決定的と言ってよい影響力をもったからである。

考察に先立ち、注意したいことが二点ある。第一に、イコンという用語のもとになった古代ギリシア語の「エイコーン eikōn」について。近代語でイコナ eikona となるこの語の意味は、おおむね英語の image に相当する。つまり、広く「像」全般を指しており、古代においてはこの語に「聖なる」意味あいはなかった。史料にイコンという用語が登場したとしても、それが敬意を集める存在であったとはかぎらないのである。

加えて、歴史の具体的過程を述べる以下において、イコンをめぐる教会神学については最小限度の言及に留めることにしたい(辻 一九七〇、メイエンドルフ 二〇〇九)。そして、そのこととも関連するが、信者のイコンに対する尊崇の態度には「崇拝」という表現を採用する。教会の公式見解からすれば、対象をあがめる行為である「崇拝」(英語なら worship、adoration といった用語が相当する)は、キリスト教では唯一、神のみに捧げられる。これに対し、イコンに描かれた人物などに対する態度は、対象を通じて神とのとりなしを祈る行為であり、こちらは「崇敬 veneration」と呼ばれる。教会の教義において、「崇拝」と「崇敬」は厳格に区別される。さもないと、イコンへの信徒の態度は偶像崇拝となりかねないからである。

けれども以下では、いわゆるイコノクラスムをめぐっての微妙な議論を紹介する場合を除き、「崇拝」と「崇敬」の細かい表現上の区別はしない。それは、文字が読めないことも多い市井の人々にとって、崇拝と崇敬を区別することは困難だったと思われるからである。教会関係者でない大多数の信者の心情を想定して、本稿ではイコンなどに対する態度に便宜的に「崇拝」という用語をあてたい。

以下では、まずイコン崇拝の先行例となる、聖人やその聖遺物への崇拝の成長について概観することから始めよう。

一、聖人崇拝と聖遺物

古代地中海世界の覇者ローマが帝政へと移行するころ、支配下のパレスチナの地に誕生したキリスト教は、約三百余年の歳月をへた四世紀末に帝国国教の地位を獲得する。世界宗教へと成長するキリスト教は、源を同じくするユダヤ教と同様にことばを基軸にした宗教であった。イエスの教えを広めその生涯を語り継いだ十二人の使徒に加え、草創期の教会を支えた教父たちや迫害により殉教した人々の事績や発言は後世へと継承された。キリスト教が公認されると、教会を保護する立場となったローマ皇帝たちは、教義の統一や聖典の選定を推し進めていった。

ユダヤ教と袂を分かったキリスト教の信者は、十字架上で死んだイエスをこの世に人間として降下した神の子、救世主(キリスト)として尊崇した。このユニークな信条もあり、イエスの地上での活動や十字架上での死という人間的な要素が、キリスト教の信仰のありかたに大きく影響をおよぼしてゆく。そのひとつに聖人崇拝という現象があった。

聖人 holy men とは、キリスト教化が進む帝国各地に出現したイエスの生き方を模範として生きた人たちである。聖人たちは「神の力」を体現し、神と人間とのあいだを媒介する仲介者となった(なお教会から正式な認定を受けた場合には聖者 saints となる)。たとえば、彼らは予言などにより災害を回避したり、身体や心の病を治癒し、適切な助言により共同体のトラブルを解決して人々を和解に導くなど、社会の階層をこえた活躍によって支持者を獲得していった。このような聖人たちは早くも紀元後二〇〇年頃から登場したようであるが、その存在がより明確となるのはキリスト教が公認された四世紀頃である(Brown 1981; ブラウン 二〇〇六)。

東方では、著名な教父たちに加えて、修道制の勃興にかかわる人物たちが聖人となった。エジプトの砂漠で一人禁欲生活にいそしんだ聖アントニオス(三五六年没)や同じくエジプトで仲間たちと共住の修道生活を始めた聖パコミオス(三四六年頃没)、さらにシリアの荒野で一人柱頭の上で長年生活したシュメオン(四五九年没)らの名を挙げることができる。西方では、なかば伝説的な人物であるトゥール市の守護聖人マルティヌス(四世紀頃)、同じくガリア属州のオーセールの司教ゲルマヌス(四四八年没)、そして西ローマ帝国崩壊期のノリクムで活躍した聖セウェリヌス(四八二年没)などがその例となる(指 一九八八、合阪 一九九〇)。

聖人は男性に限定されることはなかった。たとえば、殉教者テクラは伝説上では使徒パウロの従者とされる。彼女は小アジアのイサウリアやキリキア地方で活躍したが、古代末期にはセレウケイア(セレウキア)市にあるテクラの聖堂が多くの巡礼者を集めるとともに、彼女を信奉する女子修道院が創建された。また、ローマの貴族出身の小メラニア(四三九年没)は、夫とともに財産を放棄して修道生活を始め、後に帝国各地での活躍が伝えられている(足立 二〇〇四)。

市井の人々から尊崇を集めた聖人たちの活躍は、弟子たちによって伝記や奇跡譚として書き留められた(聖者伝文学 hagiography)。さらに、彼らが教会から正式に聖者と認定される条件としては、死後の奇跡が不可欠であった。そこから生身の聖人だけでなく、彼らの亡骸を納めた棺や遺骨などその一部が人々に奇跡をもたらし、それらが聖遺物として崇拝の対象となってゆく。

すでに四世紀に教父ニュッサのグレゴリオスは聖テオドロスの聖遺物に言及して、それは生きた聖人と同等に機能すると述べている(Nyssi Gregorii 1863: col. 740B)。五世紀にかけてキリスト教ローマ帝国の首都として成長しつつあるコンスタンティノープルにも、使徒である聖ルカや聖アンデレなどの聖遺物が次々と「移葬 translatio」されてきていた。

なお、聖人たちとは異なり天上へと昇ったイエスの場合は事情が少々異なる。イエスにまつわる聖遺物となったのは、コンスタンティヌス大帝の母ヘレナが聖地巡礼の際に奇跡的に発見したとされる彼が磔にされた「真の十字架」であったり、また生前に彼が顔を拭ったとされる布切れ(聖顔布とも呼ばれる)が、後に聖遺物として威力を発揮することになった。

聖遺物崇拝は、批判的な言説はあったものの、確実にキリスト教社会に定着していった。この現象は地中海世界の東と西とでおおむね異なることはなかった。古代末期は聖人たちが活躍し、彼ら自身だけでなく彼らにゆかりの聖遺物が崇拝を集める社会として成熟していったのである。死去した聖人の亡骸の奪い合いが生じるケースもめずらしくなかったという。

けれども人々の聖なるモノを崇拝したいという心情は以上にとどまらなかった。聖人の遺骨と接触した布や油などもつぎつぎと奇跡を引き起こした。そして、さらにその先にあったのは、聖人たちの姿が描かれた画像に特別な意味が認められる時代である。

二、画像崇拝の展開

五世紀以降になると、東西分裂後のローマ帝国と歩調を合わせるように、キリスト教は地中海世界の西方と東方で次第に異なる道をたどり始める。西方は五世紀後半にローマ帝国の支配が最終的に消滅し、ゲルマン系の諸王国が各地に展開した。六世紀には皇帝ユスティニアヌス一世による再征服活動が見られたものの、東のビザンツ帝国の支配がおよんだのは北アフリカのカルタゴ地域やイタリア半島とその周辺に限定された。ローマ教皇も、当面のところは元来のローマ司教という立場と大差ない状態が続いた。

ゲルマン人諸族やフン族の侵攻を何とかかわした東帝国では、キリスト教の教義論争が断続的に時に激しく展開されたが、これと並行して聖遺物崇拝の後を追うように聖画像(イコン)が人々からの尊崇を集めるようになってゆく。七世紀にかけて、聖遺物と同じような力をこれらの画像が示し始めたのである。これは古代世界で普通に見られた、君主などの偉人や英雄を顕彰する立像や胸像の制作が衰退していくのとは対照的な現象であった。

ユダヤ教の流れをくむキリスト教は、積極的にキリストなどの人物像を表現してきたとはいえない。けれども、国家の公認を受ける四世紀以降になると、信仰にかかわる主要人物が聖堂内に描かれたり、伝統的な石棺装飾などで天使像が十字架とともに表現されたりするようになった(ラウデン 二〇〇〇)。人々は日常の礼拝時にキリストや聖母マリア、そして聖人たちの姿を見かけるようになったはずである。

ただし、これらはあくまでも装飾としての人物像にすぎなかった。問題なのは、これらの画像が人々の崇拝の対象となり、神とのとりなしの役割を果たす存在、つまり聖遺物と同等に扱われるようになったことにある。というのも、人物を描いた画像を崇拝することは偶像崇拝に陥る危険性をともなったからである。キリスト教においても『旧約聖書』の「モーセの十戒」は尊重されており、その第二「あなたはいかなる像も造ってはならない。〔中略〕いかなるものの形も造ってはならない。あなたはそれらに向かってひれ伏したり、それらに仕えたりしてはならない」(「出エジプト記」二〇章)にあるように、偶像崇拝は明確に禁じられていた。

このため古くは二〇〇年頃、教父のテルトゥリアヌスは図像が崇拝と結びつくことを強く警戒した。とりわけ人々が礼拝を行う場所に信仰に直結する人物の画像があることの危うさが指摘され、キプロスの府主教エピファニオス(四〇三年没)らも画像が崇拝されることを危惧している。その一方で、前述のニュッサのグレゴリオスは同じく殉教者テオドロスの堂内に描かれたイコンについて、「沈黙していても壁面から話すことができる」(Nyssi Gregorii 1863: col. 737)と述べている。同じくエフェソスの主教のヒュパティオス(五三一年没)も教会芸術に教育的な価値を認めた。

西方でも、ヒッポの聖アウグスティヌス(四三〇年没)が画像の価値に言及する一方、教皇グレゴリウス一世(六〇四年没)は画像の教育的な重要性を指摘した。このように教父たちは、人は神的なものをどのようにして認識するのか、いかにすればそれを描くことができるのか、あれこれと議論を重ねていたのである(Kitzinger 1954)。

史料において聖なる図像の存在が確認できるのは六世紀末頃になる。これらの記述は伝説的な要素が色濃く、信憑性について議論が絶えないものであるが、そのいずれもがキリストの顔が奇跡的に写されたとされる布について伝えている。

小アジアのカッパドキアにあるカムリアナイ村には、ある言い伝えが残されていた。時代は下るものの、偽ニュッサのグレゴリオスの説教(七-八世紀前半頃)に登場するエピソードでは、ディオクレティアヌス帝の迫害時代にこの村の役人の妻の前にキリストが出現したという。この時、キリストは布で自分の顔をぬぐい、それを残した。また別の言い伝えが、ミテュレネ主教ザカリアが書いた『教会史』、より正確にはこの著作のシリア語での要約(五六九年)に存在する。そこでは、ヒュパティアという名の異教の女性が、この村の泉でキリスト像を写した布を発見したのだという。後にこれらの画像は「人の手によらないもの acheiropoieta」と呼ばれ、その一枚は首都コンスタンティノープルに移された(Hamilton & Brooks 1899: Book 12, ch. 4, 320-321)。

五七〇年頃に執筆された「ピアツェンツァ巡礼記」も、エジプトのメンフィスの教会にイエスが顔を拭いたとされる亜麻布があって、人々が崇拝していたと伝える(Geyer 1965: 173)。

さらにエヴァグリオスの『教会史』(四巻二七)では、東方のエデッサ市にも「マンデュリオン」と称されるキリストの聖なる布があって、五九〇年頃にペルシア軍によって攻囲された町を奇跡的に救ったと伝えられる(Bidez & Parmentier 1898: 174-175; Cameron 1983: 80-94)。

聖なる画像がきわだった活躍を見せるのは、七世紀に入り帝国が対外的な危機を迎えてからであった。ヘラクレイオス帝の東方遠征中の六二六年、首都対岸にいたったサーサーン朝ペルシア軍はカルケドン市を攻撃する一方、彼らと同盟を結ぶアヴァール人たちはトラキア側から首都を包囲攻撃した。『テオファネス年代記』は、この時に聖母マリアの支援と仲介によって敵は撃退されたと記すが、テオドロス・シュンケッロスによる具体的な記述では、総主教セルギオスが聖母のイコンを掲げて城壁に沿って行列したとある。同様のことは詩人ピシディアのゲオルギオスの作品にも見られ、前述の「人の手によらない」キリストのイコンはペルシア軍との戦闘にお守りとして持ち出されたと伝えている(Belting 1994: Appendix 2-3)。

『シュケオンのテオドロス伝』と『聖地について』

キリストやマリア以外の画像についても見ておこう。記述内容の信憑性はそれほど高くないが、聖人伝史料からは人々の生活の中に浸透していたイコンの姿が確認できる。ここでは六世紀から七世紀初頭に活躍した人物を主人公とする『シュケオンのテオドロス伝』を紹介する(Festugière 1970)。

テオドロスはユスティニアヌス一世治下の小アジア、ガラティア属州に生を受けた聖人で、六一三年の死去後に弟子の修道院長ゲオルギオスによって伝記が執筆された。シュケオンはアンキュラ市(現在のアンカラ)へと通じる街道沿いの小さな町であった。売春婦の息子であったと伝えられるテオドロスは、若くして隠遁生活の道を選び、後に聖地や首都にそれぞれ二度にわたり旅する一方、現地の司祭からさらに主教となった。また、皇帝マウリキオスの即位を予言し、その後の皇帝たちともかかわったと記述されている。

『テオドロス伝』ではじめて画像が登場するのは第八章である。一二歳の少年テオドロスは疫病に罹患した(ユスティニアヌス時代のペストであろうか)。彼は村の近くにあった洗礼者ヨハネの聖堂に運ばれ、内部の聖域の入り口の近くに寝かされた。ここで彼は病から回復するのだが、それは彼の上にあったイコンから雫が落ちたためだったという。

第一三章では、少年テオドロスは「詩篇」の暗誦を試みるが、思うようには進まなかった。そこで彼は、シュケオン近くの聖クリストフォロスの教会において記憶力が良くなるようにキリストのイコンに向けて祈った。そしてこの願いは無事かなえられたという。

一四歳で修道士を志したテオドロスは、後に聖地への旅行を経験し、帰国後は多くの奇跡を起こして評判が高まった(第三九章)。ところが彼はふたたび病気のために重篤となる。今回も彼は回復するのだが、そこにはまたもイコンが介在した。彼のベッド脇にはイコンがあったが、それは有名な治癒聖人コスマスとダミアノスのものであった。テオドロスがイコンに描かれた両名を見つめると、二人は彼が天国に召されるのを留めてくれたという。

さらに第一〇八章、テオドロスがピシディアのソゾポリスに旅をした時のこと。この都市にある聖母の聖堂には、甘い香りの油がしみ出すことで有名なイコンが奉納されていた。このイコンの前でテオドロスが祈ると、油が泡となって集まり、彼の両目へとこぼれ落ちた。

第一三九章では、二度目の首都訪問が終わろうとするとき、テオドロスとの別れを惜しむ修道士たちは、彼の似顔絵を描こうとした。しかし、聖人がモデルとなることを認めなかったので、絵描きは密かにテオドロスを盗み見して絵を完成させた。結局、聖人はこの絵描きを盗人と批判しつつも、この絵に祝福を与えた。

以上このように、七世紀には聖人伝の記述に奇跡を起こすイコンが頻繁に登場するようになる。テッサロニケの守護聖人であるデメトリオスも「イコンにあるような姿で」人々の前に奇跡的に出現したとの記述が残っている(Lemerle 1979: miracles 8, 10, 15(pp. 102, 115, 162))。

ただし、注意が必要な点もある。それは後述する聖像論争が大きな影響力を持つビザンツ社会においては、後世になってからの史料改竄(かいざん)の可能性が無視できないのである。そこで注目されるのが帝国外の西方の史料である。ここでは、七世紀末にアイルランドの修道士アダムナンが執筆した『聖地について』での、彼が聖地に巡礼したガリアの司教アルカルフから聞いた逸話を挙げておきたい。

六八三／六八四年頃、聖地からの帰路に帝都を訪問したアルカルフは、ここで興味深い話を耳にしたという。それは遠征への出発を前にしたある兵士の話で、彼は証聖者ゲオルギオスの肖像画を前にして戦いでの無事を祈ったのだが、兵士はあたかもゲオルギオスその人が目の前にいるかのように画像に話しかけていた、というものである。しかも、無事に帰還したこの兵士は、ふたたびゲオルギオスの肖像画に対しかつて同様に話しかけ、礼を述べたのだという(Bieler 1965: 231-232)。

アルカルフが聞いた話には、他にも聖母マリアや証聖者ゲオルギオスのイコンが奇跡を起こす場面が登場する。たしかに以上は事実レベルではいたって不確かな情報ではあるが、七世紀末のコンスタンティノープルで流布していた話としては無視できない。イコンは聖人との直接のコンタクトはないが、イコンに描かれた人物はまなざしを見つめる者に向けている。信者たちにとっては、彼らが相対する聖なる人物の姿に神性が実際に存在すると感じた可能性は高そうである。

なお、西方では記録は多くはないものの、それでもトゥールのグレゴリウスの『殉教者の栄光』の中には、刺されたキリストの画像が血を流したり、裸なので着物を求めた、といった話題が登場する(Gregory of Tours 1988: 21, 22)。

トゥルロ公会議

七世紀にイスラーム勢力の脅威を受ける中で、ビザンツ帝国におけるイコンの位置づけはさらに伸張し、世紀末には聖遺物と同等の位置に到達したらしい。人々はキリストや聖人たちの肖像画に花冠をかけたり、ロウソクを灯したりした。聖画像への崇拝が本格化しつつあったのである。現存する最古のイコン、テッサロニケの聖デメトリオス聖堂のモザイク画やシナイ山の聖カテリナ修道院のいくつかのイコンも六・七世紀の制作である。

イコン崇拝の発展を裏づける史料に、六九二年にコンスタンティノープルで開催された教会会議、いわゆるトゥルロ公会議の決定がある。この公会議のカノンの第八二は、今後キリストは人として表されるべきであり、神の子羊として表されてはならない、と定めた(Nedungatt & Featherstone 1995)。つまり、キリストは人類の罪を取り除く神の子羊として象徴的に表現するのではなく、受肉した人間の姿で表現すべき、としたのである。

キリストを表す印としては、ギリシア語で「イエスス(Ι)、クリストス(Χ)、テウー(「神の」Θ)、ヒュイオス(「息子」Υ)、ソーテール(「救世主」Σ)」の単語の頭文字を集めた「ΙΧΘΥΣ」(イクテュス)=「魚」によって暗示する場合や、洗礼者ヨハネの発言「世界の罪を取り除く神の子羊を見よ」(「ヨハネによる福音書」一章二九節)から子羊をもっても表されてきた。しかし、これ以後はヒゲをはやした姿での表現が主流となってゆく。

このトゥルロ公会議の決定は、宗教画像についての最初の教会法規であった。この決定に合わせるように、時の皇帝ユスティニアノス二世は、発行するノミスマ金貨において、従来なら表面に描かれる自分の肖像を裏面に移し、表面にはヒゲをはやしたキリストの上半身を刻印させた。彼は若いキリスト像を描いたコインも発行しているが、わたしたちにもなじみのある長い髪とあごヒゲ姿が、この後さらに広まってゆく。

また十字の印は足で踏みつけてはならず、よって聖堂の床面の表現(モザイク)に十字架は使わないようにと規定された(カノン第七三)。イエスが処刑されたとされる十字架の木片は聖遺物、「真の十字架」として崇拝されたが、同時に十字の印は人としてのキリストの死を連想させる信仰のシンボルであった。

この公会議では聖母や聖人たちへの言及はなく、イコンへの崇拝についてはいぜん不明瞭なままではある。けれども、新たなキリスト像の位置づけを受けて、聖なる画像が重視されつつあった七世紀のビザンツ社会の実情が反映されているように推測される。

三、いわゆるイコノクラスムをめぐって

八世紀に入り、聖画像への崇拝がさらに進展したと推測されるビザンツ帝国において、この流れへの反動が発生した。いわゆるイコノクラスムである。

イコノクラスムとは、字義どおりには聖なる画像であるイコンの破壊を意味する。このことばは八・九世紀のビザンツ史と不可分なほどに結びつき、かつては「イコノクラスムの時代」と呼ばれたりもした。たとえば、オストロゴルスキーの『ビザンツ帝国史』の記述によるならば、イコノクラスムの概要は次のようになる(オストロゴルスキー 二〇〇一)。

七一七年に即位したレオン三世は、その直後に約一年間におよんだイスラーム軍による首都攻撃を退け、国家を存亡の危機から救った。その後も毎年のように小アジアへの侵攻を受けるなか、七二六年にエーゲ海で火山が噴火し、それにともなう大地震によって各地に多大な被害が出た。皇帝はこの災難を自分たちの信仰生活への神の怒りとみなし、イコンへの批判を開始した。コンスタンティノープルの大宮殿入り口の青銅門に掲げられていたキリストのイコンが撤去される際には、これに反対する市民たちの間で死傷者が出る騒動となった。まもなくギリシアでは軍団がイコン支持を表明して反乱を起こし(その後に鎮圧)、七三〇年には、教義にかかわる重大事項の変更には公会議の決定が必要だと主張する総主教のゲルマノスが罷免された。

七四一年にレオン三世が没すると、娘婿の将軍アルタバスドスがイコン支持の立場から簒奪を試みた。しかし、勃発した内乱で最終的に勝利したのはレオンの息子コンスタンティノス五世(在位七四一―七七五年)であり、イコノクラスムは継続されることになった。七五四年には首都アジア側のヒエリア宮で公会議が開催され、正式にイコノクラス

ムが決議される。これに勢いをえたコンスタンティノス五世は、その後イコン支持者たちへの迫害を強化する。とりわけ迫害を受けたのは修道士たちで、彼らは還俗・妻帯を強制されるという屈辱的なあつかいを受けたり、首都の修道院は政府によって接収されて兵器庫などに転用されたりした。このような弾圧の動きは、コンスタンティノス五世を支持する各地のテマ将軍たちによっても実施された。

コンスタンティノス五世の後を継いだ息子のレオン四世も父親の政策を継承したが、彼の妻のエイレネは夫が治世五年で死去すると、摂政として新たな政治の舵取りに乗りだす。彼女は官僚出身の総主教タラシオスと連携しつつ、七八七年に入念な準備の末に小アジアのニカイアにて宗教会議を開催した。この第二回目のニカイア公会議では、イコノクラストたちによるヒエリア公会議の決定が撤廃され、イコン崇拝を是認する決定がなされた(Sahas 1986)。

ここにイコンは復活したが、九世紀初頭の対ブルガリア戦争で帝国が大敗を喫すると、八一五年に皇帝レオン五世は再びイコノクラスムへと政策を転換させた。最終的にイコンが復活するのは八四三年のことで、かつてと同様に幼少の皇帝を補佐する母親、摂政のテオドラがこれを主導した。このように、二回にわたるイコノクラスムは一世紀以上にわたって教会のみならず帝国の政治や社会に多大な影響を与えた。

ところが、以上のようなイコノクラスム像は、二〇世紀後半以降、厳しい批判を受けることになった。まずは主要な情報源とされてきた『テオファネス年代記』をはじめとする叙述史料の内容が詳しく吟味され、これまで語られてきたストーリーが通用しないことが指摘された。イコノクラスムと軍隊との関係を批判したW・ケーギ、安易なイコン迫害像に一貫して疑念を提示したP・シュペック、そして小アジアなど東方でのイコノクラスム推進派とバルカン半島以西でのイコン支持派という地理上の対立図式を批判したP・シュライナーらの名前があげられる。さらに七〇年代からは本格的な研究書の刊行もあいついだ。ギリシア語・ラテン語以外のオリエントの史料をも活用して、ユダヤ教やイスラームからの影響を否定し、さらに修道士迫害との関連づけを批判したS・ゲロウであり、教皇庁との関係などをテキストから詳しく検証したD・シュタインらである(中谷 一九九二)。

前世紀末には、第一次イコン派迫害を伝える事実上唯一の聖人伝である『小ステファノス伝』を校訂・翻訳したM-F・オゼピーもイコノクラスム迫害の実態には批判的である。出来事の神話性を指摘する彼女は、レオン三世治下で騒乱のもととなった青銅門のキリストのイコンの存在そのものにも疑問を提示した(Auzépy 2007; 中谷 二〇一七)。以上のような修正主義的な研究の流れを、今世紀になってさらに推し進めたのがL・ブルベイカーである。美術史を専門とする彼女は、バーミンガム大学でのかつての同僚、J・ホルドン(プリンストン大学)との連名で、まず『イコノクラスム時代のビザンツ(六八〇頃─八五〇年頃):史料』(二〇〇一年)を刊行し、二〇一一年には前著の歴史篇となる大著を公にした(Brubaker & Haldon 2001; 2011)。以下では、ブルベイカーらの研究に依拠しつつ、イコノクラスム研究の現状について確認していこう。

修正主義の立場の根源にあるのは、テキストの改竄とそれにもとづく歴史の捏造の可能性ということになる。これまでイコンをめぐる八・九世紀の動向は「イコノクラスム」という概念で語られてきた。けれども、当時にこの用語が存在していたわけではない。同時代の人々が使ったのは「イコノマキー」ということばであった。イコノマキーとは、直訳するなら「聖像にかかわる争い」、「聖像論争」となる。一方でイコンを支持する者たちは、論争相手たちに「イコノクラスト」(イコン破壊者)というレッテルを貼った。ここからは当然のことのように、聖像論争とはイコン擁護派とイコン破壊派との抗争というかたちがつくられた。

ところが、修正主義者たちが厳密な史料検証から明らかにしたことは、この時代にイコンが実際に破壊されたとの具体的な証言は非常に乏しいということであった。たしかにモザイクの壁面などにおいて元の図像が改変されたり、十字架に置き換えられたりした事例は存在する。それでも、レオン三世やコンスタンティノス五世の治世と時期を区切って、そこでの皇帝政府の宗教政策としてのイコンの破壊となると、それは推測の域を出ない。それだけにより中立的な見地に立つならば、迫害を含めたイコン破壊活動をイメージさせる「イコノクラスム」という呼び方は誤解を招きかねない。むしろ「聖像論争」がより適切な表現となるだろう。

さらに注意したい事実がある。それは、ヨーロッパを中心としたキリスト教徒にとって「イコノクラスム」という表現は、一六世紀に始まるヨーロッパで発生した宗教改革運動に関連して生じた動きを連想させる、ということである。聖書のみを中心としたプロテスタント信仰にとっては、カトリック教会の教えは伝統に根ざしてはいるものの、たとえば聖母マリアとか聖人たちへの尊崇の態度は正しい信仰とはみなされない。実際、新教徒たちの世界では、修道院も次々と解散させられていくことになった。近代の「イコノクラスト」から見るならば、八世紀のビザンツ皇帝たちとは、数百年も時代に先んじた運動家とのイメージを投げかけたのかもしれない(Boldrick et al. 2013)。

それでは、いわゆるビザンツ帝国の「イコノクラスト」たちはどのような見解を有していたのだろうか。残された記述はわずかで、七八七年の第二ニカイア公会議の議事録に残された、異端者論駁用に提示された情報からの推測しかない。

七五四年にヒエレイア公会議で表明されたことは、どうやら次のような点であったらしい。

① キリストを人間としては描いてはならない。なぜなら、その画像は彼の人性のみを表していて、結果としてキリストの神性との区分けがなされないから。

② 聖母や聖人たちの肖像画も禁じられる。それは彼らの記憶を侮辱することになる。

③ 一方、画像をともなう教会の典礼用の聖具を破壊してはならない。そのためには、総主教や皇帝からの特別な許可が必要である。ただし、新たな制作は禁じられる。

④ 画像の霊的な価値など、教会の外にある霊的な権威は否定される。

⑤ キリストの真のイメージとは聖餐 communion であり、パンがキリストの体、ワインは彼の血である。

⑥ 同様にキリスト磔刑のシンボルとしての十字架も尊重される。

⑦ 神と人間の間の仲介者は聖職者であり、彼らの用いる言葉が、聖人たちについては聖遺物やイコンよりも祈りが大切である。

以上に対し、イコン擁護派は、七八七年の会議では過去の教父たちからの文言の引用に加えて、ダマスクスのヨハネス(七四九年没)の画像擁護論を援用した。簡潔にまとめるなら、イコンとは地上に姿を見せたイエス・キリストを描いたものであり、キリストの肖像を拒否することはキリスト教の教義の中核である受肉の否定につながる。そしてキリストや聖人たちを描いたイコンへの「崇敬」は、教会の歴史のなかで承認されてきた伝統である。

ともかく、ヒエレイア公会議の決定では、どうやらイコンを破壊することは率先して奨励されてはいなかったらしい。ところが、『テオファネス年代記』などの後世の記述では、具体性を欠いたまま次々とイコンが破壊され、さらには聖遺物の廃棄さえもがイコノクラストたちの「暴挙」として語られる。修正主義的な立場からするなら、これらの破壊活動というのは、後になってイコン支持派が創作したり、データを改竄したりした可能性が濃厚であるというわけである。

たとえば、史料状況がある程度好転する九世紀前半の第二期の聖像論争では、イコン支持者たちへの迫害は首都を中心とし、その処罰も配流などが基本となっていた。それゆえ、その評価は暴力的なイメージをともなう第一期に比べて激しくなかった、とされる。けれども、このようなストーリーもまた再検討を迫られることになる。後世の史料記述を通じての捏造の可能性という修正主義の流れを受けて、ブルベイカーは結局のところイコノクラスム自体が後の時代になって「創作された」ものではないのか、という挑発的とも思える議論を提起した(Brubaker 2012)。

以上、イコノクラスムについての修正主義的な研究の流れを紹介してきた。ブルベイカーらの見解は賛否の分かれるところであろうが、それでも近年とりわけ厳密さを増しつつある史料への態度を踏まえるならば、これから研究を進めるにあたっては無視しえないものがあるように思う。そこであらためて、いわゆるイコノクラスムに関係する素朴な疑問を提示しておこう。

まず、どうしてこの時期のビザンツ帝国においてのみ長期にわたる聖像論争が勃発したのか。本稿では聖人・聖遺物・イコンへの崇拝の発展という国内的な流れを中心に述べてきた。しかし、七世紀に始まるビザンツ国家の存立がかかるほどの対外危機、とりわけ偶像崇拝を徹底して排除するイスラームとの長期にわたる対峙の観点において、これと連動するように発生したかのような聖像論争について、実証レベルにおいてどれだけの具体的な関連性が提示できるのであろうか。

また、イコノクラスムと直接結びつかないにせよ、コンスタンティノス五世治下における修道士迫害の記述は何を意味しているのか。聖像論争が終結した九世紀中頃から、ビザンツ社会において前後の時代をはるかに上まわる多くの聖人伝が執筆され、修道院活動が活発化することとはどう関係しているのだろうか。聖像論争第二期における反対派修道士たちへの迫害ともあわせて、より詳しく検討する必要があるように思う。

前述したように、イコノクラストと小アジアのテマ軍団の結びつきは史料的には確認できない。けれども、一世紀をへて反イコン政策を開始した皇帝が、レオン三世と五世という同名の、しかも同じ小アジアの有力テマ軍団の司令官出身であったことは、やはり気になる。さらにこのことに関連して、イコン崇拝の復活を成し遂げたのが、摂政をつとめる二人の皇太后であった点もある。これらは単なる偶然なのだろうか。

おわりに――正教世界の成立へ

八四三年、イコン崇拝を否定する八一五年の公会議の決定が取り消され、イコンは再び復活する。正教会では七八七年の第二ニカイア公会議を最後の普遍公会議として、その信仰の根幹が確定した。現在も毎年「正教勝利の日」として祝われているように、イコンの復活は正教会にとってきわめて重要な記念日となった。そしてブルベイカーの説に従うなら、それは「イコノクラスムの時代」が歴史として本格的に語られ始める起点でもあった。

この後、イコンはビザンツ教会をはじめとする正教会において不可欠の要素となっていった。イコンを擁護する議論は、七八七年の段階ではダマスクスのヨハネスの著作『聖なる画像について』などが知られるだけであったが、第二次聖像論争期には排斥された元総主教のニケフォロス一世やストゥディオス修道院長のテオドロスらによって、いっそうの理論的な裏づけが整えられた。

一方で偶像崇拝の疑いを回避するため、正教世界ではイコンとして人物を描く際には厳格な様式が求められることになった。さらに、キリストやマリア、聖人たちはイコン以外のかたちで表現することは制限されていった。この後、西方のカトリック世界とは異なり、教会に関係する人物だけでなく、皇帝などの彫像が制作されることはなくなっていく。

イコン重視の姿勢は、教会での典礼儀式のあり方にも深くかかわっていくことになった。正教会の聖堂内においては、今日でも目にするイコノスタシスが登場した。「聖障」とも訳されるイコノスタシスとは、聖職者が儀式を執り行う聖域を一般信徒たちから区分する仕切りを、聖人たちを配した多くのイコン・パネルで覆いつくしたものである。イコノスタシスに加え、聖堂の壁面を覆うフレスコ画やモザイクがこれに加わり、正教会は見た目においてもイコンの教会と呼ぶにふさわしいかたちを備えるにいたった。

以上のような流れは、西方のカトリック教会とは相当に異なるものとなった。実際ビザンツの教会とカトリック教会は聖像論争の終結にもかかわらず、関係の溝はいっこうに埋まることはなかった。最新の研究によれば、教会管轄権をめぐる東西教会の対立は聖像論争が原因であるかどうか、はっきりしない。七八七年の公会議については、俗人である官僚のタラシオスを摂政エイレネがコンスタンティノープル総主教に抜擢した手続きにローマ教皇は疑念を提示したし、公会議の決定事項についてはラテン語への翻訳に誤訳があったためにフランク王国側からは、偶像崇拝を疑われる始末であった。さらにここに、八〇〇年クリスマスの国王カールの皇帝戴冠事件が発生し、東西関係は不安定なままであった。九世紀後半には、あらたに聖霊の発出をめぐるいわゆる「フィリオクェ問題」が発生した。こうして地中海東方に位置するビザンツ教会は、西方のカトリック教会と距離を置くようになり、見た目だけでなく実質的にも、後の正教会へと歩みを進めることになった。

参考文献

合阪學(一九九〇)「エウギッピウス『聖セウェリーヌス伝』の研究」『大阪大学文学部紀要』第三〇巻。

足立広明(二〇〇四)「キリスト教古代末期における女性と禁欲主義」『関学西洋史論集』二七号。

オストロゴルスキー、ゲオルグ(二〇〇一)『ビザンツ帝国史』和田廣訳、恒文社。

指珠恵(一九八八)「アンブロシウスと聖遺物崇敬――アリウス派論争を中心に」『西洋史学』一四九号。

辻佐保子(一九七〇)「ビザンツ的表象の世界」『岩波講座　世界歴史　中世五』第一一巻、岩波書店。

中谷功治(一九九二)「イコノクラスムの時代について――八世紀のビザンツ」『待兼山論叢　史学篇』二六号。

中谷功治(二〇一七)「イコンの教会――ギリシア正教会とイコノクラスム」指昭博・塚本栄美子編著『キリスト教会の社会史――時代と地域による変奏』彩流社。

ブラウン、ピーター(二〇〇六)『古代末期の形成』足立広明訳、慶應義塾大学出版会。

メイエンドルフ、ジョン(二〇〇九)『ビザンティン神学――歴史的傾向と教理的主題』鈴木浩訳、新教出版社。

ラウデン、ジョン(二〇〇〇)『初期キリスト教美術・ビザンティン美術』〈岩波　世界の美術〉、益田朋幸訳、岩波書店。

Auzépy, Mary-France (2007), *L'histoire des iconoclasts*, Paris, ACHCByz.

Belting, Hans (1994), *Likeness and Presence: A History of the Image before the Era of Art*, E. Jephcott (tr.), Chicago, University of Chicago Press.

Bidez J. & L. Parmentier (eds.) (1898/rep. 1979), *The Ecclesiastical History of Evagrius*, London, AMS.

Bieler, Louis (ed.) (1965), *Itineraria et alia geographica*, Thrnhout (Adamnani De locis sanctis), Brepols.

Boldrick, Stacy, Leslie Brubaker, Richard Clay (eds.) (2013), *Striking Images, Iconoclasms Past and Present*, London, Routledge.

Brown, Peter (1981), *The cult of the saints, its rise and function in Latin Christianity*, Chicago, University of Chicago Press.

Brubaker, Leslie & John Haldon (2001), *Byzantium in the Iconoclast Era (ca. 680-850) : The Sources An Annotated Survey*, Aldershot, Ashgate.

Brubaker, L. & J. Haldon (2011), *Byzantium in the Iconoclast Era c. 680-850: a History*, Cambridge, Cambridge University Press.

Brubaker, L. (2012), *Inventing Byzantine Iconoclasm*, London, Bristol Classical Press.

Cameron, Averil (1983), "The history of the image of Edessa: the telling of a story", *Okeanos, Essays presented to Ihor Ševčenko* (=*Harvard Ukrainian Studies*, vol. 7).

Festugière, A.-J. (ed.) (1970), *Vie de Théodore de Skéon*, 2 vols., Brussels, Scoiété des Bollandistes.

Geyer, P. (ed.) (1965), *Itineraria et alia geographica*, Thrnhout (V. Antonini Placentini Itinerarium, 44), Brepols.

Gregory of Tours (1988), *Glory of the Martyrs*, R. van Dam (tr.), Liverpool, Liverpool University Press.

Hamilton, F. J. & E. W. Brooks (trs.) (1899/rep. 1979), *The Syriac Chronicle known as that of Zachariah of Mitylene*, London, Palala Press.

Kitzinger, Ernst (1954), "The Cult of Images in the Age before Iconoclasm", *Dumbarton Oaks Papers*, 8.

Lemerle, Paul (ed./tr.) (1979), *Les plus anciens recueils des miracles de Saint Démétrius*, vol. 1 : texte, Paris, CNRS.

Nedungatt, George & Michael Featherstone (eds./trs.) (1995), *The Council in Trullo Revised*, Roma, Pontificio Istituto Orientale.

Nyssi Gregorii de S. Theodoro Martyre (1863), *Patrologia Graeca*, vol. 46.

Sahas, Daniel (1986), *Icon and Logos : Sources in Eighth-Century Iconoclasm*, Toronto, University of Toronto Press.

焦点 *Focus*

初期イスラーム時代の史料論と西アジア社会

亀谷 学

預言者ムハンマドの宣教から始まったとされる初期のイスラーム共同体の歴史について、残されている史料の量は豊富である。しかしそれとはうらはらに、一九世紀末以来、欧米の研究者を中心に、これらの史料の性格、とりわけその信頼性について、多くの議論が行われてきた。そしてそれはイスラームの成立の状況や、初期イスラーム時代の国家や社会がどのようなものであったかという見方に変化を迫るものとなった。

「イスラーム」という巨大な現象の勃興期に関して信頼できる同時代史料が存在しないとするならば、我々が利用できるのは「すでにイスラームが所与のものとなってはいるが、その解釈は定まらず、それを巡って争いが行われていた時代に作成された史料」ということになる。そこには相争う立場・党派の考え方を反映した伝承が選択され、新たな意味を付与されたと考えられる。

このような不確実性のある史料を用いてどのように歴史叙述を組み立てるかについては、この分野を専門とする研究者の立場・姿勢が問われるが、楽観的な立場をとる研究者は、明らかに信頼できないと見分けられる史料以外については、なんらかの事実を反映していると考え、それらに大いに依拠して研究を行う。一方で、懐疑的な研究者は、ほとんどの史料は信頼できないという地点から出発し、その「信頼できなさ」を証明しようとするか、自らが信頼できると考える一部の史料から歴史的事実を再構築しようとする。

もちろん二つの立場は明確に分かれているわけではなく、極端な楽観派と懐疑派の間に様々な立場がグラデーションとして存在する。特に、懐疑派の議論の多くは一枚岩ではなく、それぞれ個別に議論を立てていることが多く、それらを総合して一つの史料像を描くのは難しいということに注意しなければならない。また、懐疑派が彼らの考える「信頼できる史料」を用いて作り上げた歴史理解の中には、ムスリムによって伝えられた伝承史料を用いて行われた先行研究の影響を受けている部分も少なくない。それは、これまでの初期イスラーム時代史理解が、主にムスリムによる伝承史料によって構築されてきたからであって、それらを完全に捨て去って初期イスラーム時代史を再構築することが想像以上に困難であるという理由による。また、懐疑派の議論の中でも影響力の大きい研究は、極端な主張をしていることも多く、それらが全面的に受け入れられているわけでもないが、個々の分析には看過しえない説得力を持つものがしばしばある。そうした議論をどこまで採り入れ、どこまで採り入れずに歴史的事実、歴史像の再構築を行っていくかを示すことが、初期イスラーム時代史研究者には求められているのである。

以下、第一節では初期イスラーム時代に関してどのような史料が生成され、展開されたかについて時系列順に整理する。第二節では、時系列順に生じた歴史的な事象に焦点を当て、それがどのような史料からどのように研究されうるか、という点を検討する。そして第三節では、より信頼性の高い様々な史料を用いて、初期イスラーム時代の社会をどのように再構築できるか、その事例を示すこととしたい。

なお、本稿では、主にムスリムによって伝達され、書物の形に編纂され、書写されてきたことで現在まで伝わっている史料を伝承史料と、貨幣やパピルス文書、碑文のようにその時代に作成された実物として残っている史料を実物史料と呼ぶこととする。また、本稿で扱う初期イスラーム時代史の範囲は、イスラームの始まったとされる七世紀初頭から同時代の歴史叙述が現れる九世紀とし、扱う地域は狭義の西アジアに加えて、北アフリカを含むこととする。

一、ムスリムによる歴史史料の生成と展開

まず本節では、ムスリムが自らの共同体の歩みについて、どのようにその歴史叙述を発展させていったかについて確認してゆくとしよう。初期イスラーム時代の歴史については、一次史料として扱われる歴史叙述の多くはアラビア語史料であるため、以下では主にアラビア語史料の展開について扱うことになる。

イスラーム世界における歴史叙述の展開をまとめたロビンソンは、初期イスラーム時代のアラビア語による歴史叙述の発展を三段階に分けている(Robinson 2003)。以下、ロビンソンの記述に沿いながら、その概略を見てゆこう。

① 第一段階　六一〇―七三〇年(ムハンマドの宣教からウマイヤ朝後期まで)

ムスリムの伝承によると、ムハンマド時代から、主に『クルアーン』(『コーラン』)の文言を書き留めるために、羊皮紙や木の板、骨などが用いられ、書き言葉での記録が行われたというが、この第一段階での伝達手段としては、口頭で伝達したものを記憶し、さらに口頭で別の者に伝えるという方法が主であった。

その後、イスラーム勢力が中東各地を征服し、旧支配者たちの統治の技術を受け継いでゆくと、行政文書をはじめとする各種の記録が作成されていった。これらは当初、ビザンツ(東ローマ)帝国やサーサーン朝において行政言語とされたギリシア語やペルシア語で記されていたが、ウマイヤ朝第五代カリフであるアブドゥルマリクの行政改革を主な転換点として、七世紀末頃からアラビア語へと切り替えられていった。現存する貨幣やパピルス文書、碑文といった実物史料からも、おそらくは正統カリフ時代、遅くともウマイヤ朝前期には作成され始めていたことがわかる。

一方で過去の出来事に関わる情報が、それらに書き留められていたことを直接的に証明する史料はみられず、口頭

による伝承に多くを拠っていたと考えられる。

② 第二段階　七三〇―八三〇年(ウマイヤ朝の末期からアッバース朝初期)

第二段階は、歴史叙述がその形を現し始めた時代であり、口頭による伝承に加えて、書写による記録という形でも歴史情報の伝達が行われるようになったとされる。ウマイヤ朝末期に活躍したズフリーは、一般にムハンマドの伝承をまとまった形で伝えた最初期の人物として認識されているが、彼自身の「著作」としては作品が現存していない。この段階においてもっとも重要な著作を著したのはイブン・イスハーク(七六七年没)である。彼はアッバース朝カリフの庇護のもとに『戦記 al-Maghāzī』というムハンマドの生涯(とムハンマド以前の預言者)に関わる情報を集めた書物を編纂した。この書物は後に再編集され、ムハンマドの伝記として常に参照される最重要文献となった。また、彼に続いて、アブー・ミフナフ、サイフ・イブン・ウマルや、やや世代は下るがマダーイニーなどが、様々な歴史情報をまとめたとされる。これらの歴史家たちは、ひとまとまりの伝承を指す「ハバル」khabar の複数形を基とする「アフバーリー」Akhbārī というカテゴリでまとめられている。彼らは、ムハンマドの生涯のみならず、アラブの諸部族に関わる出来事、アラブ・ムスリムによる征服活動、イスラーム共同体内部の事件なども含めて様々なテーマについての伝承を収集した。彼らの著作そのものはほとんど現存せず、書名が知られるのみであるが、彼らの伝えたとされる情報は、次の段階で編纂される様々な歴史書の中に採録された断片的な情報として残っている。

アッバース朝初期にこうした歴史叙述に関して大きな進展が見られた背景として、この時代に学術活動が総体的に活発化したことが挙げられる。その要因の第一は、アッバース朝カリフたちが自らの正当性の確保を第一の目的として、様々な学術を後援したことである。イブン・イスハークのムハンマドの伝記についても、アッバース朝カリフが「ムハンマドの後継者」としてイスラーム共同体の指導者たることを強調したことと密接に結びついた活動であったと考えられる(Lassner 1986)。

もう一つの要因は、中国を起源とする紙の製法が中央アジアでの改良を経て中東へと伝わり、大量に生産できる媒体として使用可能になったことである。それ以前には、羊皮紙あるいはパピルス紙という一長一短のある媒体が主であったが、紙の使用の効果は、行政だけではなく学術にも大きく波及してゆくことになった(清水 二〇一四)。

なお、この第二段階の終わり頃にはすでに大部のハディース集(ムハンマドの言行を中心にムスリムが従うべき法規範の元となる伝承を集めたもの)が編纂され、アブドゥッラッザークやイブン・アビー・シャイバによる、テーマ別に伝承を配列したものが現存している。これらのブハーリー以前の初期のハディース集は、ハディースという形式が大きな意味を持つようになるその形成期の歴史情報を保存しているという意味で高い価値があり、第一段階におけるハディース伝承の状況について解明しようとする研究の主な史料となっている。

③ 第三段階　八三〇—九二五年(アッバース朝中期以降)

アッバース朝は、第七代マアムーンの時代にその政治的な最盛期が過ぎることになるが、現在まで写本の形で伝存し、イスラーム史学の「古典」としてイスラーム誕生からこの時代までの研究に関して最も豊富な歴史情報をあたえてくれる書物は、この時代より後に編纂されることになる。

ムハンマドに関しては、イブン・イスハークの伝承をもとに編纂・補注が加えられたイブン・ヒシャームの『預言者伝』が、現在までムハンマドの生涯に関して最も重要な著作と認識されている。イブン・サアドは、ムハンマドの伝記一巻を含む、イスラームの勃興から彼の時代にいたる人物の伝記を都市別、世代別に配列してまとめた大部の書物を残している。ムスリムによる征服については、バラーズリーの『諸国征服史』が、ムスリムが征服した領域に関する情報をまとめあげている。また、年代記としては「天地創造」から「現代」までをまとめた大部の書物としてタバリーの『諸使徒と諸王の歴史』が、この時代に関してまず挙げられる最重要の書物となっている。このように、各ジャンルで情報を総まとめしたマスターピースが生まれたことによってか、より小さなテーマで編纂された第二段階の作品は徐々に用いられなくなり、時を経て散逸したものと考えられる。

また、これらの大部の書物の中には、ハディース集と同様に伝達経路を示す人名が列挙された「イスナード」が付されているものが少なくない。しかし、それらがイスナードの中で示されている人物から忠実に情報が引用されていることを意味するわけではない。第三段階の著者たちは、それ以前の様々な伝承を利用しながら、自らの解釈に合わせてそれらを縮約・修正しながら叙述を進めているため、この第三段階の著作を単純に各伝承に分解することで、より古い伝承が復元できるとは限らないのである。

以上、ムスリムの間でどのように歴史叙述が発展したかについてごく簡単に確認したが、こうした諸段階を経て展開していったムスリムによるアラビア語歴史叙述を、どのように初期イスラーム時代の歴史の再構築に使用することができるかについては、未だ研究者の間でも見解が定まっているとは言えない。というよりも、最も楽観的な見解――すべてのムスリム史料は原則として信頼できる――と、最も懐疑的な見方――初期イスラーム時代に関するすべてのムスリム史料は原則として信頼できない――を除いて、その中間に位置する多くの研究者が、どの時代に関するどの史料は信頼でき、どの史料は信頼できないかについて、共通の見解を持っていることは極めて稀であり、それぞれの研究者の判断に拠っているというのが現状である。

二、史料の信頼性と初期イスラーム時代史研究

本節では、前節で概観したムスリムによる史料の生成状況を踏まえつつ、ムハンマド時代からアッバース朝初期のそれぞれの時代について、その時代について言及するどのような史料が信頼性のある史料として利用可能かについて、これまでの研究を整理しながら提示しよう。

ムハンマド時代

ムハンマド時代に関しては、彼の活躍した場所がアラビア半島であったことから、同時代の記録がほとんど利用できないという点が大きなネックとなっている。またアラビア半島、特にムハンマドによる宣教の前半の舞台であるメッカと、後半の舞台であるメディナについては、現在までイスラームの聖地とされていることもあり、考古学による発掘が進展していないことも状況を難しくしている。

イブン・ヒシャーム『預言者伝』やその他のムハンマドに関する伝記的著作、また、ハディース集、人名録や年代記等に含まれるムハンマド関連情報の量は膨大と言ってよい。しかし、イスナードの記述をもとにそれらの情報が目撃談にまで遡りうるとして信頼性を担保できるという考え方については、二〇世紀半ば以降の欧米の東洋学者の研究によって、重大な疑問が突きつけられてきた。この点をどのように考えるかによって、ムハンマド時代の理解は大きく異なってしまう。

歴史学に基づくムハンマド像として現時点で最も影響力のあるものは、ワットが提示した「世俗的な」ムハンマドであろう(Watt 1953; Watt 1956)。ワットはイブン・ヒシャーム『預言者伝』やその他のアラビア語の伝承史料を駆使しつつも、ムハンマドの活動の中の終末論的傾向を重視せず、彼を「社会改革者」として描きだした。このようなムハンマド像は、西欧のキリスト教徒による、ムハンマドを熱狂的な異端者のような異質なものとする理解を変えるためにも都合が良いものであったため、二〇世紀後半を通じて広く受け入れられた。

これに対して、まったく異なる観点からムハンマド時代について分析したのが、クローネとクックによって著された『ハガリズム』である(Crone & Cook 1977)。クローネとクックは、伝承史料の信頼性という問題を真っ向から受け止め、ムハンマドの生涯を再検討するために、ムスリムによる歴史叙述を一切用いず、非ムスリム史料によってそれを再構築するというやり方に挑戦した。『ハガリズム』が著された時代には、利用可能な非ムスリム史料の数は十分ではなく、二人の出した結論が妥当であるとは言えないが、以降、初期イスラーム時代研究者が非ムスリム史料を検討するのが当然のこととなった。これを発展させたのがホイランドの『他者が見たようにイスラームを見る』である(Hoyland 1997)。これはムハンマド時代からウマイヤ朝中期までについて、非ムスリム史料に見られるイスラーム勢力に関わる記述を網羅的に調査したもので、現在まで最も基礎的な研究の一つとなっている。それによると、イスラーム史の大きな流れはムスリム史料に書かれたものと大きな違いはない、と結論されている。一方、近年の研究でクローネとクックの問題設定を直接に受け継いだのはシューメーカーの『預言者の死』であろう。これはムハンマドがいつ死亡したのかについてのムスリム史料と非ムスリム史料の齟齬(そご)を起点として、ムハンマドの時代にすでにパレスチナへの征服活動が行われており、ムスリムによる伝承史料ではそれが操作され、消去されているという結論に達している(Shoemaker 2010)。

一方で二〇〇〇年代以降には、イスナードを根拠として遡ることができる年代を広げてゆくという方向での研究も行われた。その中心であるモツキは、九世紀初頭に編纂された初期のハディース集の中から共通する内容を持つ伝承を分析し、そのイスナードが八世紀初頭まで信頼をもって遡ることができると論じた(Motzki 2002)。さらにそれをムハンマドの伝記史料にも適用したギョルケとシェーラーは、それらの伝承が、ウマイヤ朝後期、七世紀後半にまで遡りうると主張している(Görke & Schoeler 2008)。このように伝承史料の信頼性を、史料が編纂されたアッバース朝期からムハンマドの時代により近い、古い時代へと押し上げていく研究が見られ、これらの結論に依拠して伝承史料を批判的に検討することなく用いる研究もあるが、依然として懐疑的な立場を堅持する研究者も少なくない。また、近年ではムハンマド伝を古代末期の非ムスリムの伝承と比較して分析する研究も進展している(Anthony 2020)。

さて、こうした『預言者伝』や伝承史料の真正性は、『クルアーン』を史料としてどのように扱うかにも波及する。『クルアーン』は、ムハンマドが神から伝えられた啓示を人々に伝えたものが、ムハンマドの死後も弟子たちによって記憶、記録され、第三代正統カリフのウスマーンの時代に、現在伝わっている一冊の本の形にまとめられた、というのが一般に受容されている経緯である。しかし『クルアーン』の本文を読むとよくわかるが、『クルアーン』自体は『旧約聖書』の「モーセ五書」等や『新約聖書』の「福音書」のように、ある程度時系列に沿って編集されたものとはなっておらず、どの啓示がどのような状況でなされたもので、どのような意味を持っているのかということについては、『預言者伝』やハディース集、クルアーン注釈書などの伝承史料を参照しなければ推定は困難である。そのため、伝承史料を積極的に用いる立場の場合は、『クルアーン』の記述のみに基づいた解釈ではなく、それを解説する伝承の読みに従ってその記述の意味が導き出されるということになる。

ただし、伝承史料の利用に疑問を持つ立場の研究者であっても、『クルアーン』が比較的早くに成立した、つまり伝承が語るようにウスマーンの時代からそれほど離れない時代には成立していただろうという前提を受け入れている場合が多い。これは『クルアーン』の写本間の異同の少なさや、碑文などの実物史料にもその文言が頻繁に利用されていることがその根拠となっている。そのため、『クルアーン』はムハンマドの生涯の詳細を再構成するための中心的史料とするのは難しいとしても、少なくとも初期のムスリム集団の思想や彼らの置かれた状況を知るための最重要史料であると位置付けられる。例えば、近年ではドナーが、『クルアーン』での用法を根拠に、初期の信徒集団が「ムウミン」(信仰者)という語で表されるような、境界がまだ鮮明ではない一神教徒であって、「ムスリム」というアイデンティティはウマイヤ朝後期に形成されたという説を提示している(ドナー 二〇一六)。

『クルアーン』の成立時期については、従来の伝承で示されているものとはまったく異なるという説もある。現行の『クルアーン』の成立をアッバース朝期と主張するワンズボロの所説が最も有名であるが(Wansbrough 1977)、現存する『クルアーン』はウマイヤ朝第五代カリフのアブドゥルマリクの時代に改訂されたという伝承を重視する立場の研究者もいる。それとは逆に、『クルアーン』がイスラーム以前のキリスト教のストロペー形式の詩歌に基づくと考える説や(Lüling 1974)、『クルアーン』はもともとシリア語の聖書伝承が無理矢理にアラビア語として読まれたものだという説もある(Luxenberg 2000)。一方で、近年の『クルアーン』研究の進展からは、その成立の時期はともかく、それが古代末期の文脈を大いに読み込んだテクストであることが示されている(Neuwirth 2019)。

正統カリフ期

ムハンマドの死後、ムスリムはカリフと呼ばれる指導者に率いられ、中東各地へと遠征の手を広げていった。特にアブー・バクルからアリーに至る四代のカリフの時代は、後に理想化されて正統カリフ時代と呼ばれるようになるが、その時代の動きを語る上で最も重要な、「イスラームの征服」と「カリフ位の継承」という二つの要素をどのように描くかについても、伝承の信頼性に関わる問題が立ちはだかっている。

まずはイスラームの征服に関わる問題を見てゆこう。ムスリムによる西アジア・北アフリカの征服についても、かなり多くの史料が残されていると言っていいだろう。その中で最も充実した内容を伝えているのは、それぞれの地域の征服とその前後の顚末を伝える征服記史料であって、その代表的なものはバラーズリーの『諸国征服史』である。そのほかにも各『年代記』や地理書、あるいは後世に編纂された地方史人名伝的史料の中にも、これに類する情報が伝えられている。

しかしこれらの情報にも多くの史料的問題が指摘されている。その根本にあるのは、これらの征服記史料の間に矛盾があり、その征服が行われた年代や順序が正確に再構築できないということである(Donner 1998)。また、征服に関する伝承が、ある種の定型に沿って構築されたものであることも指摘されている(Noth 1994)。これらの原因として、その地域の征服の様相が武力によってなされた征服(アンワ)であるか降伏を受け入れた和解(スルフ)であるかによって、当該地域の税制が異なるという理論上の要請から、アッバース朝期にこれらの史料がまとめられるに際して、相当の操作が行われたことが挙げられる。

また、正統カリフ期には、のちに続く内乱と宗派対立の源流がある。ウスマーンの殺害によって始まった第一次内乱以降、どの人物がカリフにふさわしいかというイスラーム共同体の宗教と政治が密着した点をめぐって、後に宗派として分けられる集団が形成され始めた。アリーとその子孫こそイスラーム共同体の指導者となるべきと考える人々は、後にシーア派と呼ばれるようになる思潮を成長させていくことになる。シーア派の形成とその内部での分裂は極めて複雑な過程をたどっているが(菊地 二〇〇九)、ここで重要なことはそのような人々の間でも歴史情報が生成され、伝承されていったことである。そうした歴史情報は、いわゆるアッバース朝革命に際してシーア派が重要な役割を果たしたこと、また、明確にシーア派を標榜せずともアッバース朝期の知識人がこれらの立場に親和的だったことなどから、現存する伝承史料にもその影響があると考えられる。その一方で、アッバース朝側の歴史観と適合しない伝承は、シーア派独自の伝承として、その内部で継承されていった。研究者によっては、アッバース朝期に形成されていった、多数派であるスンナ派の学者たちが伝える歴史情報よりも、これらのシーア派の伝承こそが歴史的事実により近い情報を伝えるものと見なしていることもある(Haider 2019)。しかし、例えばその核となるアリーがムハンマドの生前に後継者に指名されたという伝承それ自体を歴史的事実として検証することは困難であり、それ以降の様々な状況との整合性によって判断することが必要となる。

ウマイヤ朝期・アッバース朝初期

ウマイヤ朝については同時代にムスリムが書き残した歴史叙述は現存しておらず、まとまった形で歴史書を記すという慣行は未発達であったと考えられる。そのため、ウマイヤ朝期、特にその政治史については、アッバース朝期以降に成立した史料に依拠することが多くなる。アッバース朝がウマイヤ朝に対して、その正当性を否定するプロパガンダを行っていたことは間違いないが、それがどの程度まで個々の叙述に影響しているかについては十分に明らかになっているとは言えず、そうした傾向をもたらしている要因についても検証の途上である(松本 二〇一三)。

初期イスラーム時代史おいて、現存するものとして同時代の歴史叙述と言える最初の史料は、九世紀の前半に編纂されたハリーファ・イブン・ハイヤートの『歴史』であろう。これはムハンマド時代から始まる簡略な年代記史料であるが、同時代と言えるのは八世紀後半以降の記事である。この間にはカリフ位をめぐる内乱、特にアミーンとマアムーンの間で争われた内乱があり、このことが歴史叙述に影響を与えていたことを示す研究もなされている(亀谷 二〇一二)。また一方でマアムーン期からしばらくの間、「クルアーン被造物説」を唱えるムウタズィラ派の思想を背景として、後にスンナ派となってゆく伝承者集団がカリフ政権によって抑圧された時期があった。しかし第一〇代カリフ・ムタワッキルによってその政策が撤廃されると、伝承者集団はイスラーム諸学の中核を占めてゆくことになり、歴史伝承やそれを伝えた伝承者の評価にも影響を及ぼすようになるのである。すなわち、アッバース朝初期一〇〇年ほどの間にも、支配的な考え方が変化し、歴史叙述にも影響を与えたと言える。伝承の核となる歴史的な出来事それ自体をどの立場から見たかに加えて、政権であるアッバース朝の主張、情報伝達の担い手である伝承者集団の見解が歴史伝承の生成や変容に影響したと考えられる。これらの思潮は各時代において様々に変遷したわけであり、歴史伝承はそうした影響を受けて層のように積み重なってゆき、さらにそれがある時点で取捨選択されて、現存する各種の歴史史料としてまとめられたのであろう。

このような状況を踏まえて、近年では非ムスリム史料や、貨幣・パピルス文書・碑文などの実物として残されている史料を用いた研究が盛んに行われるようになった。ムハンマド時代に関しても、これらの史料を用いた研究に触れたが、ウマイヤ朝期以降には使用可能な史料の量が格段に増える。貨幣については、まず旧サーサーン朝領域においてサーサーン朝貨幣を模倣しつつそれにアラビア語の文言を加えたり、発行年・発行所とともにパフラヴィー文字でアラブ・ムスリムである統治者の名を刻むなどしたアラブ・サーサーン銀貨が発行された。これらを分析することで、アラブ・ムスリムの軍事的行政的支配の広がりを検証することも可能となる(亀谷 二〇〇六)。一方旧ビザンツ領域であるシリアやエジプトについては、ビザンツ帝国の金貨や銅貨を模倣したアラブ・ビザンティン貨幣が発行された。しかし、貨幣自体に発行年が記されていないことが多く、貨幣発行の年代が確定されているとは言えない(Goodwin 2005)。こうした模倣貨幣は六八〇年代から六九〇年代にかけて起こった第二次内乱期まで発行され続けたが、内乱を収束させたウマイヤ朝第五代カリフであるアブドゥルマリクによって、両帝国の貨幣の様式を捨て、アラビア文字のみを記した独自の様式の貨幣が発行された。

パピルス文書については現存する文書の大多数がエジプトで作成された文書である。当初、ほとんどの行政文書が、同地の行政言語として用いられていたギリシア語で記されていたが、アラビア語で記された文書も早くから残されている。その後、アブドゥルマリクの時代に行政文書の言語のアラビア語への移行が行われたが、即座にすべての文書がアラビア語に切り替えられたわけではなく、その移行はウマイヤ朝後期を通じて緩やかに進んでゆくことになる。一方でエジプトの在地のキリスト教徒であるコプトが使用するコプト語を用いたコプト語文書も在地社会の中で作成され続ける。しかし、パレスチナのネッサナの文書やホラーサーンの文書などの例外を除いて、現在我々が利用できる文書史料のほとんどはエジプトに由来するものであり、その分析によって得られた像がすべての地域に妥当するものかどうか、という点には留保が必要となる。

ウマイヤ朝期からアッバース朝初期に、ムスリム政権は支配の体制を整えていったが、これがどのような影響を在地社会に与えたかについては、非ムスリム史料が大きな力となる。例えば現在のイラク北部とシリア東北部にまたがるジャズィーラ地方の状況を伝える史料として、八世紀のキリスト教徒によって著された『ズクニーン年代記』がある。『ズクニーン年代記』では著者が生きたアッバース朝初期のムスリムによる統治が詳細に描かれ、ムスリム支配の苛烈さが示されている(太田 一九九八)。またエジプトでは『アレクサンドリア総主教座年代記』、イラクでは『セールト年代記』が残っており、それぞれコプト語やシリア語によって書き継がれ、後にアラビア語に翻訳された形で伝わっている。シリアについては、現存する同時代の史料には簡略なものが多いが、それ自体は散逸してしまったテオフィルスの年代記を後世の引用から再構成する試みが行われている(Hoyland 2011)。

三、実物史料・非ムスリム史料から見た初期イスラーム社会

前節までに示したような史料・研究状況のもとで、二一世紀に入ってからの初期イスラーム時代史研究では実物史料や非ムスリム史料を中心的な史料とする研究が進展している。当然ながら、こうした史料は量的には少なく、社会全体を叙述するには足りない。しかし、大量に残るムスリム史料を有効に用いるためにも、まずはこれらの史料を基盤とする研究が必要とされるのである。本節では、これらの史料を用いた研究を紹介しつつ、それによる新展開とその限界について検討しよう。

アラブ・ムスリムの征服の実相

ムハンマド死後に行われた中東一帯へのアラブ・ムスリムの征服については、「剣かコーランか」に象徴される、

西欧のムスリム像を投影した強権的な改宗を伴うという言説と、征服記などのムスリム史料に「正しい征服」の方法として語られる、武力征服(アンワ)と和平による降伏(スルフ)の二区分に基づく言説とが存在していた。しかし前述した征服に関する史料の分析により、後者の言説も一つの定型であり、征服の実相を正確に伝えるものではないと見なされるようになった。

ムスリムによる征服についてよりよく同時代の状況を伝えていると考えられるものとしては、非ムスリム史料と考古学の成果による史料がある。ドナーは『イスラームの誕生』において双方を参照しつつ考察を進めているが、この二つの史料類型から得られる「実相」は異なるものである。非ムスリム史料については、イスラームの征服活動について伝える最も早い史料である、六四〇年頃にシリア語で書かれた司祭トマスの記述に「パレスチナの地の四〇〇〇ほどの哀れな村人がそこで殺された。それらは、キリスト教徒、ユダヤ教徒、サマリア教徒であった。アラブはその地域全体を荒らし回った」とあり、征服の暴力性を強調している。その一方で、考古学の成果から窺える像は、より穏やかなものであり、ほとんどの都市に激しい攻撃や破壊の跡は見出せず、ムスリム征服後にキリスト教の教会が建設された事例も見られる。ドナーは、前者のようなインパクトが、特に征服の初期には生じたことを認めつつ、大枠としては後者に沿う形で、イスラームの征服活動は基本的にその支配者をビザンツ帝国やサーサーン朝からアラブ・ムスリムへ変えるものでしかなかったという結論に至っている(ドナー 二〇一六)。

征服直後の統治については、都市の征服に当たって結ばれた文書とされるものが年代記等の中に採録されており、その記述が当時の状況を示しているとされる。ただし、そこに記されている条件のみが課せられていたわけではないようだ。例えば、アルメニアでは、同地の有力者層の子弟がムスリムに人質として差し出されており、アルメニアで反乱が起きた際にはしかるべき処置が行われたことも示唆されている(Vacca 2017)。また、エジプトのパピルス文書からは、建設事業などに労働者が必要な際には、在地の人々の中から徴発されたことを示す文書も残っている(Bell

1911)。こうした事例は、征服者と被征服者の関係が、ムスリム史料からの視点だけで再構築可能な、単純なものではなかったことを示していると言えよう。

称号から見たカリフ統治の位置付け

ムハンマド死後のイスラーム共同体の指導者であるカリフが、どのような存在として自らを認識していたかという問題も、初期イスラーム時代の枠組みを考える上で非常に重要な問題である。カリフという語はアラビア語のハリーファが西欧語に入って転訛した言葉であるが、本来は「後ろに立つ者」を指し、ある者が不在となった時に後継者や代理人としてそのかわりとなる人物を意味する。伝統的な見方では、これはハリーファト・ラスール・アッラーフ、すなわち「神の使徒の後継者」を表しており、ムハンマドの後継者としてその政治的権威を受け継ぐものとされる。しかし早くも一九世紀末のゴルドツィーハーによって、史料中にハリーファト・アッラーフ、すなわち「神の代理人」という用例があることが指摘され(Goldziher 1897)、それを網羅的に調査したクローネとハインズは、カリフという称号は「神の代理人」を意味しており、カリフは地上における神の代理人としてムハンマドと同等の宗教的権威を有していたと主張した(Crone & Hinds 1986)。

クローネらの所論は大きな議論を巻き起こしたが、彼女らの議論においては、貨幣や碑文などにおけるカリフの称号と、年代記や詩に用いられるカリフの称号が同様の重みを持つ証拠として扱われる一方、その他の称号との関係は顧みられていなかった。そのような問題点を解消するため、一旦後世に編纂された伝世史料を脇に置き、貨幣・碑文・パピルス文書等の同時代史料に現れるカリフの称号を整理してみると、イスラーム共同体の長にとって欠かせない第一の称号はアミール・アルムミニーン、「信徒の長」であるということが明らかとなった(亀谷 二〇〇八)。この称号はこれまで副次的なものであると考えられてきたが、同時代史料の分析からは、むしろこの称号こそが主要な称号であるとみなすべきであることが示されたのである。そして「神の代理人」については、ウマイヤ朝ではアブドゥルマリク期の短期間、またアッバース朝ではマアムーン期の短期間に限定して使用されていたことが明らかになった。これらは通常「信徒の長」と並んで用いられるアブド・アッラーフ「神の僕」にかわって用いられたもので、内乱などの危機の時期に、より強い神との直接接続性を示すために採用されたと見なすことができる。

また、同時代史料において「ハリーファ」という単語がカリフの称号として恒常的に用いられるようになるのは、アッバース朝初期の貨幣からとなる。そこでは、ハリーファはアッバース朝カリフのラカブ(カリフとしての尊称)と組み合わせて用いられる。ハリーファ・マフディー、ハリーファ・ラシードといった形である。これはラカブがハリーファに対する形容詞として用いられたものと考えられ、アッバース朝カリフが最初期に称していた「マフディー」、すなわち「導かれし者」(=救世主)という終末論的称号とムハンマドの後継者としてのカリフを重ね合せるものとして採用されたと考えられる(亀谷 二〇一二)。

このように同時代史料を基本とすることによって、カリフの称号とその性質に関わる問題に新たな展望を提示することができるのである。

ムスリムによる統治の変容と在地社会

行政制度や社会のより具体的な様相もまた、同時代史料であるパピルス文書を検討することによって明らかにされている。例えばカリフ政権下の税制については、イスラーム法の中でその大枠は示されているものの、具体的な運用を知るためには、実際に作成された文書の分析が必要となる。森本公誠はウマイヤ朝期からアッバース朝期にかけての税に関連するパピルス文書を、ギリシア語文書とアラビア語文書の双方にわたって調査し、その制度の詳細を明らかにした(森本 一九七五)。

地方社会については、近年サイペスタインによって、八世紀前半のエジプトの一地方であるファイユームに関するパピルス文書の分析を通じて、征服当初の行政のほとんどが在地有力者に任されていた状態から、アッバース朝初期に国家による行政の把握が強化されていくまでの間の過渡期に当たるウマイヤ朝末期の状況が描き出された(Sijpesteijn 2013)。以下ではその研究に依拠して、この変化の時期にどのように行政構造が変化していったかを見てゆこう。

イスラーム共同体の指導者であるカリフは、各地域を治めるアミール(総督)を任命した。エジプトにおいては、アミールはアラブ戦士が集住する軍営都市フスタートに居を構え、そこからエジプトの各地域を統治した。征服当初、アミールはエジプトの各地域に「パガルク」と呼ばれる知事を置いたが、これは原則としてキリスト教徒の在地有力者であった。彼らは征服以前からの制度やコネクションを利用して人々から税を徴収し、それをフスタートのアミールへと送っていた。

しかしサイペスタインが主に調査した七三〇—七五〇年代のパピルス文書からは、このころのファイユームを統治していたパガルクはナージド・イブン・ムスリムというイスラーム教徒であったことがわかる。さらに、このナージドの統治するファイユームのさらに下位の行政区分(ハイイズ)についても、その担当者がアブドゥッラー・イブン・アスアドという名のムスリムに替わっている。この人物はナージドの下でファイユーム北部のガラク湖に近いナルムーダを中心とする地域を担当していた。彼らの間で取り交わされた文書の多くは徴税に関するものである。そこには貨幣での支払いと現物での支払いの双方を求める記述があるが、具体的な数量への言及は見当たらず、行政文書というよりは、命令・指示の伝達という意味合いが強いものと思われる。またナージドやアブドゥッラーは、彼ら自身が商売を行っていたことも文書から窺える。例えばナージドは金貨一五枚分の小麦の購入を指示する文書や、別の人物からアブドゥッラーへと金貨一枚分のラディッシュ油の購入を申し出る文書も残されている。また、アブドゥッラーにアレクサンドリアから羊の値段に関する情報が送られてもいる。こうした地方官たちが、ファイユームという一地方にとどまらない商業活動を行っていたことも見て取れるのである。

パガルクやハイイズの担当者の下には書記たちが活動しており、この書記にはムスリムもいたが、依然としてキリスト教徒も多数存在していた。実際の徴税や納税証明文書の発行に従事したのは彼らであろう。このような役人層に加えて、この時代にも、マーズート(ギリシア語のmeixonesの転訛)と呼ばれる在地有力者が、徴税の単位となるカルヤ(行政村)の実務を取り仕切っていたと思われる。彼らは貨幣や現物での税の徴収・運搬に携わっていたが、現物と貨幣の間に生ずる利鞘を稼ぐ一方、個々の納税者の税の肩代わりを求められることもあった。納税が遅れた場合には、ハイイズの中心拠点などに備え付けられた牢獄に留置されたことも、パピルス文書の記述から明らかになっている。個々の納税者たちは、こうした村の有力者のもとで、主に農業に従事していた。ただし、在地有力者は時に横暴に振る舞ったようで、アミールやパガルクが、これらの在地有力者に対して人々に不当な行為をしないように要請した文書も見られる。一方で、在地有力者はムスリムの支配に不満を持つ人々を束ねてパガルクやアミールのもとへ訴えにいったり、反抗する時のリーダーともなっていた。

このような地方における社会関係の詳細は、ムスリムの書き残した年代記等には記述が薄く、当時の人々が交わした文書の分析によってこそ明らかにすることができるのである。

四、おわりに

本稿では初期イスラーム時代研究において不可欠なものとなっている史料論がどのように議論されてきたか、また、どのようにしてその状況を克服しようとする研究が行われてきたかについて論じた。

このような非ムスリム史料や実物史料からのアプローチは、ムスリム史料の信頼性に深刻な疑問が提示されている状況の中では有効であると考えられるが、その限界もあることは指摘しておきたい。当然ながら非ムスリム史料や実物史料はムスリム史料に比べて種類も量も圧倒的に少ないことである。それは、これらの史料を用いて検証できる対象も限定されることを示している。とりわけパピルス文書史料のように、エジプト以外からは例外的にしか発見されていない史料に基づいた研究は、それをイスラーム社会一般に適用して考えてよいかについては、十分な注意が必要である。さらにもう一点留意しなくてはいけないことは、非ムスリム史料や実物史料もまた一定のバイアスを持っていることである。それが時として相矛盾する像を与えることは、第三節の征服に関する非ムスリム史料と考古学に基づく見解についての検討でも見られた。

これらの研究はムスリム史料に拠って構築された研究全てを否定するものではない。当然ながらムスリム史料からしか扱いえない研究課題も無数に存在し、それらはムスリム史料に依拠して行わざるをえない。しかしそれらの研究を行うに際しても、そこで用いられる史料が持つ性格を考慮して分析を進めるために、非ムスリム史料や実物史料との比較研究を前提とすることは不可欠であろう。両者が参照しあい、検証しあいながら初期イスラーム時代研究の新展開は今後も続いていくのである。

参考文献

太田敬子（一九九八）「アッバース朝初期の地方行政と徴税制度――ズクニーン修道院年代記を中心として」『オリエント』四一号二巻。

亀谷学（二〇〇六）「七世紀中葉におけるアラブ・サーサーン銀貨の発行」『史学雑誌』一一五巻九号。

亀谷学（二〇〇八）「ウマイヤ朝期におけるカリフの称号――銘文・碑文・パピルス文書からの再検討」『日本中東学会年報』二四巻一号。

亀谷学（二〇一一）「アミーンとマフルーア――アッバース朝カリフの称号と歴史叙述の一局面」『史朋』四四号。

亀谷学（二〇一二）「初期イスラーム時代におけるカリフ概念の形成――同時代史料に見られるカリフの称号からの再検討」『歴史と地理』六五九号。
菊地達也（二〇〇九）『イスラーム教「異端」と「正統」の思想史』講談社選書メチエ。
清水和裕（二〇一四）「製紙法の伝播とバグダード紙市場の繁栄」『イスラーム書物の歴史』小杉泰・林佳世子編、名古屋大学出版会。
ドナー、フレッド・マグロウ（二〇一四）『イスラームの誕生――信仰者からムスリムへ』後藤明監訳、亀谷学・橋爪烈・松本隆志・横内吾郎訳、慶應義塾大学出版会。
松本隆志（二〇一三）「『歴史』と『征服』におけるハーリド・アルカスリーと第三次内乱」『人文研紀要』（中央大学）七五号。
森本公誠（一九七五）『初期イスラム時代　エジプト税制史の研究』岩波書店。
Anthony, S. W. (2020), *Muhammad and the Empires of Faith: The Making of the Prophet of Islam*, Oakland, University of California Press.
Bell, H. I. (1911), "Translations of the Greek Aphrodito Papyri in the British Museum", *Der Islam*, 2-1.
Crone, P. & M. Cook (1977), *Hagarism: The Making of the Islamic World*, Cambridge, Cambridge University Press.
Crone, P. & M. Hinds (1986), *God's Caliph: Religious Authority in the First Centuries of Islam*, Cambridge, Cambridge University Press.
Donner, F. M. (1998), *Narratives of Islamic Origins: The Beginnings of Islamic Historical Writing*, Princeton, The Darwin Press.
Goldziher, I. (1889-1890), *Muhammadanische Studien*, 2 vols., Halle. (English tr., *Muslim Studies*, London, 1967-1971.)
Goldziher, I. (1897), "Du sens propre des expressions Ombre de Dieu, Khalife de Dieu pour désigner les chefs dans l'Islam", *Revue de l'Histoire des Religions*, 35.
Goodwin, T. (2005), *Arab-Byzantine Coinage*, London, The Nour Foundation.
Görke, A. & G. Schoeler (2008), *Die ältesten Berichte über das Leben Muhammads: Das Korpus 'Urwa ibn az-Zubair*, Princeton,The Darwin Press.
Haider, N. (2019), *The Rebel and the Imām in Early Islam: Explorations in Muslim Historiography*, Cambridge, Cambridge University Press.
El-Hibri, T. (2010), *Parable and Politics in Early Islamic History: The Rashidun Caliphs*, New York, Columbia University Press.
Hoyland, R. (1997), *Seeing Islam as Others Saw it: A Survey and Evaluation of Christian, Jewish, and Zoroastrian Writings on Early Islam*, Princeton, The Darwin Press.
Hoyland, R. (2011), *Theophilus of Edessa's Chronicle and the Circulation of Historical Knowledge in Late Antiquity and Early Islam*, Liverpool, Liv-

erpool University Press.

Lassner, J. (1986), *Islamic Revolution And Historical Memory: An Inquiry into the Art of 'Abbāsid Apologetics*, New Haven, American Oriental Society.

Lüling, G. (1974), *Über den Ur-Qur'ān: Ansätze zur Rekonstruktion vorislamischer christlicher Strophenlieder im Qur'ān*, Erlangen, Lüling.

Luxenberg, Ch. (2000), *Die syro-aramäische Lesart des Koran: ein Beitrag zur Entschlüsselung der Koransprache*, Berlin, Das Arabische Buch.

Motzki, H. (2002), *The Origins of Islamic Jurisprudence: Meccan Fiqh before the Classical Schools*, Marion H. Katz (tr.), Leiden, E. J. Brill.

Neuwirth, A. (2019), *The Qur'an and Late Antiquity: A Shared Heritage*, Samuel Wilder (tr.), Oxford, Oxford University Press.

Noth, A. (1994), *The Early Arabic Historical Tradition: A Source-Critical Study*, M. Bonner (tr.), Princeton, The Darwin Press.

Robinson, Ch. F. (2002), *Islamic Historiography*, Cambridge, Cambridge University Press.

Shoemaker, St. J. (2012), *The Death of a Prophet: The End of Muhammad's Life and the Beginnings of Islam*, Philadelphia, University of Pennsylvania Press.

Sijpesteijn, P. (2014), *Shaping a Muslim State: The World of a Mid-Eighth-Century Egyptian Official*, Oxford, Oxford University Press.

Vacca, A. (2017), *Non-Muslim Provinces under Early Islam: Islamic Rule and Iranian Legitimacy in Armenia and Caucasian Albania*, Cambridge, Cambridge University Press.

Wansbrough, J. (1977), *Quranic Studies: Sources and Methods of Scriptural Interpretation*, Oxford, Oxford University Press.

Watt, W. M. (1953), *Muhammad at Mecca*, Oxford, Oxford University Press.

Watt, W. M. (1956), *Muhammad at Medina*, Oxford, Oxford University Press.

アンダルスの形成

佐藤健太郎

一、はじめに

アンダルス(イスラーム期のイベリア半島)[1]は、西アジア・北アフリカのイスラーム社会とは違う特異な存在と見なされることがある。かつてのスペイン学界ではアンダルスの本質は「スペイン的」「西洋的」であると論じられることすらあった。しかし、イスラーム教徒征服者の到来、独自の文化を持つ在来の被征服者の存在、そして両者の相互関係の中から徐々にイスラーム期の新たな社会が形成されていくという点では、アンダルスも西アジア・北アフリカの諸地域も同様である。アンダルスに独自の地域性があることは確かだが、それはエジプト、シリア、イラク、イランなどがそれぞれ有する地域性と同じレベルで理解されなければならないであろう。

本稿では、イスラーム教徒のイベリア半島征服とそれに対する在来社会の対応の結果、アンダルスという新たな社会が八―九世紀にかけて徐々に形成されていく過程を論じる。

二、イスラーム教徒のイベリア半島征服

征服活動と被征服者

七一一年、ターリク・イブン・ズィヤード率いるイスラーム教徒軍がイベリア半島に上陸し、西ゴート王ロデリック(在位七一〇―七一一年)を破って王国を滅ぼした。翌年、ターリクの上役にあたる北アフリカのカイラワーン総督ムーサー・イブン・ヌサイルも到来し、七一四年までには半島の大部分がイスラーム教徒の支配下に入った。このような征服活動が半島の住民に大きな衝撃を与えたことは疑いない。同時代のアラビア語史料はほとんど残っていないが、[2]八世紀半ばという比較的近い時期に書かれたラテン語年代記がある。そこでは、殺戮と破壊に襲われたヒスパニアが、トロイアなどのいにしえの都市と対比されながら嘆きと共に描写されている(Wolf 1999: 133)。また、半島北東部カタルーニャ地方のボバラル遺跡では八世紀の厚い灰の層に埋もれた遺物を最後に集落が放棄されており、征服活動による破壊の跡と解釈されている(Ortega Ortega 2018: 77-78)。

とはいえ、半島の在来社会が全て断絶してしまったわけではない。むしろ近年の考古学の成果は、征服前後の連続性を示唆するものが多い。その代表例が、半島南東部に位置するトルモ・デ・ミナテーダ遺跡である。西ゴート期の司教座都市エイオに比定されるこの遺跡では、八世紀前後に著しい断絶を見出せないのである。一方、後世のアラビア語文献史料には、この地域の西ゴート系有力者テオデミル(アラビア語ではトゥドミール)が征服軍との間に結んだ七一三年付の和平協定が残されている。服従・納税と引き替えにズィンミー(庇護民)としての安全保障と信仰保持が約束されたこの協定には、テオデミルによる地域支配の継続を認める文言が含まれている。また、協定が適用される七つの都市の名も列挙されており、その一つĪyuhはエイオ、すなわちトルモ・デ・ミナテーダ遺跡に相当する可能性

が高い。このように征服軍との間に和平協定が結ばれた場所では、西ゴート期の在来社会は大きな打撃を受けることなく存続したのである(Gutiérrez Lloret 2014)。

一方、最初から征服軍に積極的に協力した勢力もあった。例えば、西ゴート王ウィティザ(在位七〇二―七一〇年)の縁者の中には、王の死後に別家系のロデリックが即位したため、イスラーム教徒征服者に支援を求めた者がいたようである。一〇世紀の歴史家イブン・クーティーヤによれば、ウィティザの遺児三人は会戦前夜にロデリック陣営から出奔し、イスラーム陣営に協力してこれに勝利をもたらした。さらにこの三人はダマスクスにまでおもむいてウマイヤ朝カリフ・ワリード一世に会見し、三〇〇〇カ所にも及ぶ父王の所領を安堵するとの書き付けを得たという。より同時代に近い八世紀のラテン語年代記も、ロデリックから離反した勢力があったことを示唆している(Ibn al-Qūṭīya 1982: 29-30; Wolf 1999: 131)。三〇〇〇カ所もの所領安堵は誇張としても、これら協力者たちの勢力圏においてはテオデミルの勢力圏と同様に旧来の社会に大きな変化は生じなかったであろう。

征服者の入植

征服後のイベリア半島には半島外からイスラーム教徒征服者が入植してきた。これには大きく分けて二つの波がある。一つめは七一〇年代のターリクとムーサーによる征服活動に参加した将兵であり、二つめは七四〇年代に到来したシリア軍(ジュンド)将兵である。後者は、マグリブ(北西アフリカ)のベルベル人反乱鎮圧のために派遣されたものの、敗北してアンダルスに逃れた者たちである。西アジア・北アフリカと比べはるか西方に位置するアンダルスでは、これら入植者のうちアラビア半島にルーツを持つ生粋のアラブ人の数は非常に少ない。最初に半島に上陸した征服軍の主力はマグリブ出身のベルベル人であり、指揮官ターリク自身もその一人だった。ターリクはカイラワーン総督ムーサーの手引きで改宗したマウラー(擬制の系譜関係を有する従属者)である。西ゴート王国を滅ぼしたのは、イスラームに改宗したばかりの兵士からなる軍勢だったのである。

一方、ターリクに続いて上陸したムーサーはアラブ諸部族の兵士を率いていた。しかし、この段階ですでにアラブ人の中東征服から約七〇年が経過しており、兵士たちの大部分はシリアやエジプトの軍営都市で生まれ育った世代となっていた。また、彼らの中には少なからぬ数のマウラーも含まれている。そもそもムーサー自身についてもウマイヤ家のマウラーであって、父はイラク征服の際の捕虜だったという伝承がある。また、七四〇年代に入植したシリア軍の中にも二割から三割のマウラーが含まれていたという。おそらくこれらマウラーの多くは、アラブ人に征服された中東諸地域の先住民出身で、解放や改宗などを通じて征服者のうちに保護者を見出した者たちであろう。

とはいえ、これら中東出身のマウラーの中にシリアやエジプト在来の文化的要素を見出すことは難しい。多様な文化的背景を持つ彼らの共通語は結局のところアラビア語であったろうし、イベリア半島の在来住民にとっても彼らは皆はるか遠くの東方出身者でしかなかったようである。八世紀のラテン語年代記では、征服者はムーア人とサラセン人(あるいはアラブ人)の二種類の呼称のみで認識されている。マグリブ出身のベルベル人が前者で呼ばれるのに対して、中東出身者はマウラーも含め等しく後者で呼ばれているのである。

彼ら外来の入植者はイベリア半島の新たな支配層を形成した。彼らは様々な場面で半島の在来社会と接触を持ち、やがてそれを通じて半島社会の変容とアンダルス社会の形成が進むことになる。

三、イベリア半島社会の変容

在来有力家系の衰退

征服者との和平協定や協力関係により旧来の影響力を保持していた半島在来の有力者たちだったが、一世代あまりが経過した八世紀半ばになると、その状況に変化があらわれる。一つの契機は、七四〇年代に後発の入植者として到来したシリア軍である。シリア軍には、先発の入植者の既得権益を損なわぬようにこれまで征服者の入植が少なかった地域が割り当てられた。その中に半島南東部のトゥドミール地方、すなわち先述の地域有力者テオデミルの勢力圏がある。テオデミルはシリア軍到来直後の七四四年に没し、息子と思われるアタナギルドが後継者となっていた。彼はアンダルス総督から巨額の罰金を不当に科されるが、シリア軍の軍事力を恐れて支払いに応じたという(Wolf 1999: 151-152)。

アタナギルドのその後については情報がなく分からない。しかし、テオデミルの娘については、アンダルス各地の地域的な伝承を情報源とする一一世紀のウズリーの地誌に記述がある。それによれば、シリア軍の一員であるアブドゥルジャッバールという人物がトゥドミール地方に移り住み、彼女と婚姻関係を結んだという。このときテオデミルは娘に二つの村を与え、やがてそのうち一つはアブドゥルジャッバールの息子(母親はテオデミルの娘か)の名にちなんで、「ハッターブの丘」と呼ばれることになった。テオデミルの所領の一部は娘を通じてシリア軍入植者の手に渡ったのである。これ以後、アブドゥルジャッバールの子孫はトゥドミール地方に大きな勢力を有することになる。テオデミルとシリア軍の婚姻関係は、一面では両者の同盟関係でもあったろうし、この婚姻関係を通じてテオデミルの生物学的な血統は保たれたとも言える。しかし、その末裔が征服者である男系祖先にちなんでアブドゥルジャッバール家と呼ばれたことは無視できない。アタナギルドの子孫についての情報が伝わっていないことも考えあわせれば、社会的にはテオデミルの家系は東方から到来したシリア軍征服者の家系に吸収されたというべきであろう(al-ʻUdhrī 1965: 15; Gutiérrez Lloret 2014)。

同じ頃、西ゴート王ウィティザの一族にも同様の転機が訪れていた。イブン・クーティーヤによれば、七五〇年のウマイヤ朝滅亡によりシリア帰還の見込みがなくなったシリア軍の領袖一〇名が、ウィティザの遺児三人のうち末弟アルダバストに強要して一〇カ所ずつ計一〇〇カ所の私領地をせしめたという。また、シリアから亡命して後ウマイヤ朝をたてたアブドゥッラフマーン一世(在位七五六－七八八年)もアルダバストから多くの私領地を没収したという。その後、彼は領地の一部を返還され、ズィンミーからの徴税を担う要職に任じられてはいるが、その末裔についての情報はきわめて少ない。八世紀初頭の征服活動に大きく貢献したこの一族も、半世紀後にはシリア軍の到来とそれに続く後ウマイヤ朝の建国により危機を迎えていたのである(Ibn al-Qūṭiya 1982: 31, 58-60)。

もちろん、西ゴート王ウィティザの血統そのものが途絶えてしまったわけではない。アルダバストの姪、すなわちウィティザ王の長男の娘サラには末裔がいることが知られている。イブン・クーティーヤによれば、父からの相続地を叔父アルダバストに横領されたサラは、シリアにまでおもむいてウマイヤ朝カリフ・ヒシャームから領地を安堵してもらったが、その際、カリフの手引きでウマイヤ家のマウラーの一人が彼女と結婚しアンダルスに同行している。彼女の後ろ盾となることを期待されたのだろうが、結果的にこの夫はサラの私領地を手にすることができたという(3)。彼と死別した後、サラはセビーリャ一帯に入植したシリア軍有力者と再婚するが、彼女の財産ゆえに再婚相手として名乗りを挙げる者は複数いたという。この再婚からはハッジャージュ家をはじめセビーリャの名族が数多く出ている(Ibn al-Qūṭiya 1982: 32)。サラを通じて西ゴート王家の血統はアンダルスの有力家系に伝えられたとは言えるだろうが、これらセビーリャの名族はいずれも再婚相手のアラブ部族ラフム族の系譜を名乗っている。ここでも、半島在来の有力家系はシリア軍征服者の家系に吸収されたのである。

アラビア語と東方文化

イベリア半島在来の住民は、外来の征服者やその子孫との接触を通じて、徐々にその言語や文化を変容させていった。彼らが征服者と意思疎通をはかるためには、共通の言語が必要である。イスラーム教徒征服者が半島社会にもたらした新たな共通語はアラビア語であった。アラビア語を習得することは、征服者と良好な関係を結びその引き立てによって社会的上昇を果たすために必要な条件であった。例えば後ウマイヤ朝君主ムハンマド一世(在位八五二―八八六年)に仕えた書記イブン・アントゥンヤーンは、「アントニウスの子」と解釈できるその名が示すようにキリスト教徒在来住民の出自であったが、アラビア語の修辞術と書記術にすぐれ、それゆえに後ウマイヤ朝宮廷で重用されたのである。

当時のキリスト教徒たちのアラビア語習得については、ラテン語で手紙を書けるキリスト教徒はもはや一〇〇〇人に一人だと語る、コルドバの俗人キリスト教徒アルバルスの嘆きの言葉がよく知られている。それによれば、弁舌に長け活気に満ちたキリスト教徒の若者たちはラテン語をおろそかにしてアラビア語を熱心に学び、アラブ人以上に洗練されたアラビア語韻文を作ることもできたという。また、この「アルバルスの嘆き」からは当時のキリスト教徒の若者たちが、単なる意思疎通の手段以上の文化的魅力をアラビア語の中に見出していたことも読み取れる。彼の嘆きの対象は、言語のみならず、自分たち被征服者が征服者に奉仕する中で富を蓄え、絹や香料、豪華な衣服や宝石に代表される奢侈に溺れていったことへも向けられている。若い世代にとっては征服者に由来する外来文化はある種の先進文化であり、アラビア語はその構成要素の一つだったのである。

半島在来の住民が外来文化を受容していったことは、考古学資料からも見て取れる。ピレネー山脈南西ナバーラ地方のパンプローナ市中心部では、近年、西ゴート期からイスラーム期にかけての墓地がいくつか発掘されている。そのうちの一つプラサ・デル・カスティーリョ遺跡からは、右脇腹を下にしたイスラーム式の埋葬方法による八世紀の墓地が発見されており、歯のエナメル質の同位体比分析などから被葬者はマグリブ出身の征服者たちだと考えられている。一方、近隣のカサ・デル・コンデスタブレ遺跡は埋葬方法から判断してキリスト教徒の墓地なのだが、それにもかかわらず副葬品としてアラビア文字を刻んだ指輪が複数出土している。すなわち八世紀のパンプローナでは外来の征服者と在来の被征服者とが隣接して居住しており、征服者がもたらした外来文化に被征服者も一定の魅力を感じていたと思われるのである(Larrea and Lorenzo 2012: 279-280)。

もっとも征服者の側も、これら在来住民を魅了した外来文化の全てを最初から身につけていたわけではない。八－九世紀の中東地域、とりわけアッバース朝期のバグダードでは、ギリシア語・シリア語・ペルシア語などによる古代の文化遺産を取り入れつつ、アラビア語による新たな文化が生まれつつあった。イベリア半島に入植した征服者やその子孫たち自身も、東方で同時代的に形成されていく新たな文化に憧れ、これを取り入れることに執心していたのである。例えば、後ウマイヤ朝君主ハカム一世(在位七九六－八二二年)は、王子アブドゥッラフマーン二世(在位八二二－八五二年)の教育のため、イラクに使者を派遣して天文学・音楽・医学・哲学など古代の書物を多数取り寄せるとともに、著名な音楽家ズィルヤーブをバグダードから招いた。ズィルヤーブは音楽のみならずガラス器のような先進的な食器や衣服・髪型・食材など様々な分野で東方流の文化をもたらし、人々はこぞって彼の真似をしたという。先の「アルバルスの嘆き」によれば、キリスト教徒の若者は「カルデア」の文化に憧れていたという。この「カルデア」がイラクを含意しているとすれば、九世紀半ばのコルドバでは在来キリスト教徒の若者もイスラーム教徒征服者の子孫も等しく、アッバース朝期バグダードのアラビア語文化や物質文化に魅かれていたということになろう。イベリア半島の文化変容の構図は、単に征服者が東方から先進文化をもたらしたというような単純なものではないのである。

イスラームの信仰と規範

言語や文化の変容と並行してイスラームへの改宗者も増加していった。宮廷のような征服者と被征服者とが接する場は、イスラームへの改宗の最前線だったと思われる。例えば、先述のアラビア語に長けたキリスト教徒書記イブン・アントゥンヤーンも、最終的にイスラームに改宗している。書記長職につくにあたって、ムハンマド一世が改宗を条件としたからだと伝えられている。

軍営もまたキリスト教徒がイスラーム信仰と出会う場であった。征服により捕虜や奴隷となった者たちが武装して征服者に奉仕する例は、西アジア・北アフリカと同様、アンダルスでも数多く見られる。例えば八世紀後半の将軍バズィーウは勇猛さを見込まれてアブドゥッラフマーン一世により解放され改宗した奴隷で、その出自は半島北部のアストゥリアス地方にあると考えられている。バズィーウの孫には著名なハディース(伝承)学者イブン・ワッダーフ(九〇〇年没)がいる。奴隷であった被征服者が軍営を経由してイスラームに改宗し、世代交代を経てウラマー(学者)家系となったのである(Molina 1994)。また、キリスト教徒の妻子を残したまま軍営に入った男がイスラームに改宗したという事例もファトワー(信徒からの質問に対するイスラーム法学者による回答)として残っており、自由民にとっても軍営は改宗の契機を提供していたようである。

個々人が改宗する動機は、社会的地位の向上から一神教教義への共感まで様々であろう。しかし、イスラーム教徒になるということは個々人の信仰選択のみで完結するわけではない。それは家族や近隣住民との関係の中で進行する社会的な過程でもある。例えば先のファトワーによれば、軍営で改宗した男の死後、残された娘が、子の信仰は父に従うというイスラーム法の原則に従ってイスラーム教徒であるべきだという告発を受けている。彼女本人は父の改宗は自分の成年後であり自分のキリスト教徒としての地位には影響しないと主張するが、近隣住民からは彼女は父の改宗時にまだ未成年であり自らの信仰を選択することはできなかったはずだという証言が寄せられた(佐藤 二〇〇一)。ことの真相はもはや知る由もないが、本人の意思とはかかわりなく法規範や社会関係の中でイスラーム教徒として振る舞うことが求められる状況があり得たのである。逆に、本人は改宗したつもりでも古参信徒からその信仰を疑われるような場合もあり得ただろう。ある個人がイスラーム教徒であるか否かは決して自明のことではなく、社会的な合意と世代交代を経る中で徐々にイスラーム教徒と自他共に認められるような人々が増えていったのである。

イスラーム化の進展は、社会生活の中にイスラーム的な規範が浸透していくことでもある。後世に編纂されたファトワー集には、早いもので九世紀コルドバの法学者による回答が収録されている。そこには、先の例のような信仰にかかわるものから、家族関係、あるいは農地の賃貸借のような経済関係に至るまで様々な案件が含まれており、必要に応じてイスラーム法学者の意見を参照しながら社会生活が営まれるようになっていたことがうかがえる。またコルドバの法学者イブン・アッタール(一〇〇九年没)が著した法文書例文集には、改宗証書、婚姻証書、売買証書、賃貸借証書など様々な種類の文書の例文が法学的な注釈つきで収録されている。収録されている例文は、「某が某日に購入した」のように該当箇所に当事者名や日付を記入することで証書を作成できるようになっており、きわめて実用的なものである。残念ながら当時の法文書の原本は伝存していないが、こうした例文集の存在はイスラーム法に則った契約が一〇世紀までには一定程度社会に浸透していたことを示している。

ただし、前節で述べた文化と同様、イスラーム信仰やイスラーム法も征服時点においてすでに完成された状態で半島にもたらされたわけではない。後にアンダルスで主流となるマーリク派法学は、メディナの法学者マーリク(七九五年没)を名祖として弟子たちによって八世紀から九世紀にかけて学説が整えられていったものであり、七一一年時点ではまだ存在していない。また、アンダルスの学者たちは九世紀以降さかんにチュニジアやエジプトなどに留学して形成途上のイスラーム諸学問を持ち帰るが、そこには東方の学問潮流との一定の連動を見て取ることができる。例えば、九世紀後半から法源としてハディースに重きを置く伝承主義が東方で盛んになると、留学生の中には帰国してこれを紹介する者たちが現れ、すでに紹介されていたマーリクやその弟子たちの学説を重んじる一派との間に軋轢(あつれき)が生じている。半島のイスラーム化は、東方における宗教諸学やイスラーム法の形成と同時進行的に展開していたのである。

数量的にイスラーム化の度合いを知ることは難しいが、在来住民の出自を持つ者がどれくらいの割合を占めていたかについては、ウラマーに限れば若干の手がかりはある。伝記集史料を用いて一〇〇〇人以上のウラマーの出自情報を分析した研究によれば、八―一〇世紀のアンダルスの学者のうち、部族名などアラブの出自情報を持つ者は約三割、マウラーは一割弱、そして明確な出自情報を持たない者は約半数を占めている[4](Fierro 2005)。このうちマウラーには東方出身の征服者もいるが、先に述べた解放奴隷の将軍バズィーウの孫イブン・ワッダーフのようにイベリア半島に出自を持つ者も少なくない。一方、約半数を占める出自情報のない者たちも、誇るべき出自を持たなかったとすれば征服者ではなく半島在来の被征服者出身である可能性が高い。中東におけるイスラーム諸学問の形成にイラン系をはじめとする非アラブの学者が大きく寄与していたことはよく知られているが、状況はアンダルスにおいても同様であった。アンダルスのイスラーム社会は、半島在来の出自を持つ者たちの参画により形成されていったのである。

後ウマイヤ朝国家による統治強化

国家と地域社会との関係もアンダルス社会の形成において重要な点である。アンダルス社会は国家が農村共同体からの租税徴収権を保持し続けた「貢納社会」であるとするのが二〇世紀末以降の通説となっている。地代として余剰生産物を手にする封建領主が介在する中世ヨーロッパ的な「封建社会」とは異なる社会形成のプロセスをたどったというのである(黒田 二〇〇九)。国家による直接的な徴税を可能にする後ウマイヤ朝の統治強化は、八世紀後半から九世紀半ばにかけてイベリア半島各地の地域社会で進展していった。

当初、農村からの徴税業務は、征服者との間に和平協定を結んだ地域有力者や司教たちが担うことが多かったと思われる。しかし、先にも述べたように八世紀半ば以降彼らは衰退していく。一方、九世紀に入ると半島各地で新旧都市の交代現象が確認できる。例えば、エブロ川上流域には古代末期からの司教座都市タラソーナが統治の拠点として存在していたが、ハカム一世が八〇二年に新都市トゥデーラの建設を命じるとその重要性は低下していく。同様の交代現象はグラナダ地方のイルビーラや半島南東部のムルシアの建設でも見られた。ウズリーによると、八二五年、アブドゥッラフマーン二世は役人(アーミル)と将軍(カーイド)の居所として都市ムルシアの建設を命じ、その後間もなくして近隣の都市Īyuhの破壊も命じた。先にも述べたように、この都市はテオデミルの和平協定に言及があり、西ゴート期の司教座都市エイオに比定されている。ムルシアの事例に見られるように、九世紀の後ウマイヤ朝国家は司教座都市のような旧来の都市に利用価値を認めず、徴税や軍事の拠点として新たな都市を建設したのである(al-ʿUdhrī 1965: 6; Acién Almansa and Manzano Moreno 2009; Lorenzo Jiménez 2010: 156-169)。

都市Īyuhと考えられているトルモ・デ・ミナテーダ遺跡は、征服前後の層位では著しい断絶を認めることができないことは先に述べた。しかし、八世紀後半から九世紀初めの層位になると変化の跡が現れ始める。教会は宗教的な機能を失って居住用の建物に改造され、住居は中庭を中心に居室が取り囲むような形態へと移行していく。また、キリスト教徒の墓地と並んでイスラーム式の埋葬法による墓地も出現し始める。土器など出土品の形式にも変化が認められている。これらは、征服後二世代から三世代を経て社会変容の影響が顕著になり始めたこと、そして社会変容とともにかつての司教の影響力が大きく減じたことを示すと解釈されている。発掘調査によれば、この都市はウズリーが述べるように九世紀に完全に破壊されたわけではないものの、徐々に衰退していき一〇世紀には放棄されている。先に述べたテオデミル一族の衰退も考慮にいれれば、和平協定に依拠して半島在来の有力者を介した形でこの地域を統治していくことは、後ウマイヤ朝国家にとってもはや現実的ではなかったのであろう。新たなアンダルス社会の形成とともに、それに適合的な形の統治を後ウマイヤ朝国家は追求していたのである(Gutiérrez Lloret 2014)。

社会の変容と軋轢

九世紀以降顕著になった文化と社会の変容は、時に軋轢を生むことにもなった。先に紹介した「アルバルスの嘆き」は、ラテン語や伝統文化がすたれアラビア語や外来文化がもてはやされていく状況に不満を募らせる在来住民がいたことを雄弁に物語っている。また、文化と社会の変容は必ずしも在来住民の自発的な意志によるものとは限らない。ズィンミー制度は旧来の信仰の保持を約束してはいたが、書記イブン・アントゥンヤーンの例が示すように、現実の社会にはイスラームへの改宗を促す有形無形の圧力があった。

イスラーム教徒支配の及ばない半島北部のアストゥリアス王国では、九世紀末に自分たちは西ゴート王国の継承者であるという理念が成立するが、その背景には半島南部からのキリスト教徒移住者の影響が想定されている。新たに形成されたアンダルス社会を忌避してキリスト教的・西ゴート的な社会を望む半島在来の住民は確かに存在したのである。

変わりゆく半島の社会や文化に対する不安や憤りが最も先鋭的な形で現れたのが、いわゆる「コルドバの殉教」事件である。八五〇年代のコルドバでは、公然と預言者ムハンマドに対する非難の言葉を口にして後ウマイヤ朝国家によって処刑されるキリスト教徒が相次いで出現した。その出自はさまざまであるが、その中にはイスラーム教徒の父とキリスト教徒の母から生まれた子が何人も存在する。先に述べた軍営で改宗した男性の娘と同様、イスラーム法や社会的通念ではイスラーム教徒であることを期待される彼ら彼女らは、変容していく社会の中にあって二つの信仰のはざまでゆらぐ存在である。そうした中であえてキリスト教徒であることを選択しアイデンティティを先鋭化させた時、最も極端な手段としてとられたのが「殉教」だったのであろう(Coope 1995; 佐藤 二〇〇一)。

一方、征服者の側でも、在来住民の文化変容を常に肯定的に受け止めたわけではない。例えば、八六四/八六五年、マウラー出自として初めて、アムル・イブン・アブドゥッラーという人物がコルドバの大カーディー(裁判官)に任命された。彼の祖先はイベリア半島でウマイヤ家との縁を結んだ在来住民だと思われる。当時、カーディーは礼拝指導者の職を兼任するのが慣例だったが、マウラーの後ろで礼拝はできないという不平がアラブ人たちから寄せられ、結局礼拝指導者の職は分離されてアラブのヌマイル族出身の人物に委ねられた。また、アラブとしての党派意識の強さとマウラー嫌いで知られるアラブのフシャイン族出身の法学者ムハンマド・イブン・アブドゥッサラーム(八九九年没)は、ハディース学者イブン・ワッダーフの弟子のアラビア語発音をオビエド(アストゥリアス王国の都)訛りだと揶揄したという。おそらくイブン・ワッダーフの祖父が奴隷出身の将軍バズィーウであることを当てこすったのであろう。東方留学の経験を持つ著名な学者イブン・ワッダーフですら、その出自ゆえに征服者出自の学者から侮りの対象となり得たのである(5)(Molina 1994)。アラビア語や東方由来の文化を身につけたイスラーム教徒だというだけでは、被征服者である在来住民は征服者たちと同格とはなかなか認められなかったのである。

九世紀後半の内乱

半島社会の変容にともなって生じた様々な軋轢は、九世紀後半から一〇世紀初頭のアンダルスを約半世紀におよぶ内乱(アラビア語史料ではフィトナと呼ばれる)に陥れた。半島各地で後ウマイヤ朝に対する地域有力者の反乱が頻発すると同時に、これら有力者同士も互いに武力抗争を繰り広げたのである。アラビア語史料では、この内乱はアラブ、ベルベル、ムワッラド(イベリア半島在来の出自を持つイスラーム教徒というのが一般的な説明だが、詳しくは後述)といった出自を異にする集団間の対立として描かれることが多い。例えばこの時期の代表的な反乱者でマラガ北方の山岳城砦ボバストロに拠ったイブン・ハフスーン(九一八年没)については、彼のもとにムワッラドとキリスト教徒が結集してアラブに対抗したとされる。それゆえ伝統的な解釈では、これらムワッラドの反乱は、アラブ征服者に対する半島住民の民族的な抵抗運動と見なされることもあった。

しかし、ムワッラドという語はイスラーム教徒の半島在来住民と完全に同義ではない。先に述べたように学者の伝記集には半島に出自を持つマウラーが少なからず見られるが、彼らがムワッラドと呼ばれることは稀である。元来ムワッラドという語は「アラブの子と共に育てられた者」すなわちアラブ以外の出自を持ちながらもアラブの言語や習慣を身につけた者を意味するが、フィエーロによれば、アンダルスにおいてこの語は、文化的にアラブ化しながらもマウラーとして征服者の系譜集団の中に位置を占めることができなかった者のことを含意するという。イブン・ハフスーンを含むムワッラドの反乱者たちは、時に後ウマイヤ朝国家に服従し軍の一員として登録されているが、多くの場合は以前から王朝に仕えるシリア軍将兵などマウラーたちと軋轢を生じて再び反乱状態へと戻っている。ムワッラドの反乱とは、本人たちはアラブ化・イスラーム化しながらも、征服者集団との系譜関係や主従関係を持つことができずに、アラブ人やマウラーたちから疎外されていた者たちの反抗だったというのである(Fierro 1995; Fierro 2005)。

一方、アシエン・アルマンサやマンサーノ・モレーノらは内乱を社会経済的に解釈する。彼らによれば、イブン・ハフスーンのようなムワッラドの反乱者たちは西ゴート貴族の末裔であり、地代収入に基盤を置く「プロト封建的」な性格を有していた。それゆえに九世紀の後ウマイヤ朝国家の統治強化は彼らの存立を脅かすものであった。余剰生産物が租税として国庫に納められる「貢納社会」とは相いれなかったというのである。もっとも、国家による統治強化を嫌ったのは被征服者の出自を持つムワッラドだけではない。広大な私領地を手にした征服者の子孫も同様に集権化を嫌った。それゆえこの時期には、アラブ人やベルベル人の反乱者も出現したのである。一方、農民や都市住民の中には、こうした有力者たちの恣意的な地域支配に反発を示して後ウマイヤ朝国家に協力の姿勢を示す例も多く、これが一〇世紀初頭の最終的な内乱平定と後ウマイヤ朝カリフ制の樹立につながるのだという(Acién Almansa 1994; Acién Almansa and Manzano Moreno 2009)。

このように内乱の解釈には二つの立場があるが、両者は必ずしも矛盾するものではないように思われる。イブン・ハフスーンらの社会経済的基盤が西ゴート期に由来することに懐疑的なフィエーロも、国家と地域有力者との間の余剰生産物をめぐる対立関係という構図自体は認めている。いずれにせよ、九世紀にイベリア半島の文化や社会が大きく変容する中で、それにともなう様々なひずみが一気に表面化したのがこの内乱であった。内乱はアブドゥッラフマーン三世のもと九三〇年代には収束する。一〇世紀のイベリア半島は、イスラームやアラビア語に代表される東方由来の価値観や文化の優勢が確立し、また社会経済的には「封建的」な所領貴族の存在し得ない社会となっていた。

変容する社会と連続性

ここまで見てきたように、イベリア半島の社会は征服から約二世紀のうちに大きな変容を経験した。とはいえ、征服以前の要素が全く消え去ってしまったわけではない。二〇世紀スペインのアラブ学は、一見するとアラブ・イスラーム的なアンダルス社会の各所に、征服以前から受け継がれてきたローマ的・西ゴート的・キリスト教的な側面を見出してきた。しかし、こうした前代との連続性も、新たに形成されたアンダルス社会の文脈の中で理解しなければならない。

例えばキリスト教信仰は、少なくとも一二世紀までは存続していたことが文献史料の記述やキリスト教徒の墓地遺跡から確認できる。しかし前述のようにキリスト教徒もアラビア語や征服者の文化に親しむようになっていた。その結果、聖書をアラビア語に翻訳する試みがなされている。その一つが、ハフス・イブン・アルバル・クーティーという名の西ゴート系キリスト教徒による『旧約聖書』「詩篇」のアラビア語訳である。九世紀末にコルドバ司教の依頼でラテン語訳(ウルガタ)からアラビア語に翻訳されたものであり、この頃までにはアラビア語による聖書がキリスト教徒の間でも求められていたことがうかがえる。また、この翻訳は「詩篇」の特性を踏まえてラジャズ調のアラビア語韻文でつづられている。さらに、同じラジャズ調の韻文による翻訳者ハフスの序文も冒頭に付されていて、この韻律を選択した理由や聖典を翻訳することの正当性が述べられている。アルバルスが嘆いたはずのキリスト教徒によるアラビア語韻文への習熟が、ここでは変容していく社会の中でキリスト教信仰の実践を刷新する試みに貢献しているのである。確かに現存するアンダルス由来のアラビア語訳聖書は部分的であり、典礼用語もラテン語であり続けた。しかし、アンダルスのキリスト教徒たちが、単に西ゴート期の伝統を守るだけの静的な存在ではなく、社会の変容に柔軟に対応する動的な活力を有していたことも確かである。その点では、シリアやエジプトのキリスト教徒たちとの比較の視点から彼らを理解することも必要であろう(Aillet 2010)。

四、おわりに――アンダルスの境域

本稿では、八―九世紀に生じたイベリア半島の社会的・文化的変容により、アンダルスという新たな社会が形成されていく過程を見てきた。しかし、このような社会が半島の全域を覆いつくしたわけではない。最後に、アンダルス社会とそうでない社会との境域についてごく簡単に触れて本稿を閉じたい。

エブロ川上流域にカスィー家という地域有力者の家系がある。ラテン語人名カッシウスに由来する家名が示すように半島在来の被征服者出自であるが、八世紀の征服の段階でいち早くイスラームに改宗している。一方、近隣のパンプローナには、バスク系のイニゴ・アリスタ(在位八二〇頃―八五一年)が建国したナバーラ王家がある。彼らはキリスト教徒ではあるが、パンプローナにも征服者たちの外来文化が及んでいたことは先に述べた。ほぼ同規模の勢力を有するこの二つの家系は姻戚関係にあり、時に協力し時に対抗しながら、強大な後ウマイヤ朝国家からの自律を可能な限り維持しようとしていた。イスラーム教徒か否かにかかわらず、地域有力者としての両者の社会的な振る舞いに大きな差はない。しかし、九世紀後半の内乱を経て状況は一変する。カスィー家が他の地域有力者との抗争により衰亡する一方、ナバーラ王国では九〇五年に王統の交代が生じ、新王家ヒメーノ家はキリスト教徒君主としての振る舞いを強めていく。アラビア語年代記における彼らの呼称が、アストゥリアス王と同じターギヤ(原義は「暴君」)という異教徒君主を指す呼称へと変化するように、イスラーム的なアンダルスの外側にあるナバーラという位置づけが明確化していくのである(Larrea and Lorenzo 2012)。

もしアンダルスに西アジアや北アフリカのイスラーム社会と比べて特異な点があるとすれば、それは同じイベリア半島内に異なる特徴を持った社会が隣接して形成されたことであろう。この点は本稿が扱う範囲を超えるが、二つの社会の複雑な関係はその後のアンダルスの歴史を大きく左右し、やがて一五世紀末のアンダルスの終焉をもたらすことになる。

注

(1) アンダルスというアラビア語地名の初出は、征服直後の七一六年発行のアラビア語・ラテン語の二言語貨幣である。そこでは、ラテン語の「ヒスパニア」に対応する地名として現れており、元来はイベリア半島全体を指す地名だった。その語源については諸説あるものの、結論は出ていない(García Sanjuán 2017)。

(2) 近年注目されている史料として、財物の運搬に用いられたアラビア語文言入りの鉛の封印がある。これらには戦利品や租税を示す語のほか、都市名や八世紀前半の総督の名が残されていることがあり、征服者たちの半島支配の直接の痕跡と考えられている(Sénac and Ibrahim 2017; Ortega Ortega 2018: 100-102)。

(3) この話を伝える歴史家イブン・クーティーヤは、この二人の末裔である。

(4) ベルベルの出自情報を明示的に持つ者は一―二%であるが、アンダルス住民全体に占める彼らの比率の少なさをそのまま示すとは限らない。本稿では十分に論じることができなかったが、アンダルス社会におけるベルベル人口の重要性は無視できない。

(5) もっとも、伝承主義をめぐる学派抗争においては、イブン・ワッダーフとムハンマド・イブン・アブドゥッサラームはいずれも伝承主義の側に与して在来住民出自の知識人バキー・イブン・マフラドを擁護している。出自のみがアンダルスの社会関係全てを規定するわけではないことには注意したい(Molina 1994)。

参考文献

黒田祐我(二〇〇九)「アンダルス社会から封建社会へ——農村社会構造研究とレコンキスタの新解釈」『史学雑誌』一一八巻一〇号。

佐藤健太郎(二〇〇一)「九世紀コルドバのイスラム化——家族の視点から」『アジア遊学』三〇号。

関哲行・立石博高・中塚次郎編(二〇〇八)『世界歴史大系 スペイン史』第一巻、山川出版社。

Acién Almansa, Manuel (1994), *Entre el feudalismo y el Islam: 'Umar Ibn Ḥafṣūn en los historiadores, en las fuentes y en la historia*, Jaén, Universidad de Jaén.

Acién Almansa, Manuel and Eduardo Manzano Moreno (2009), "Organización social y administración política en Al-Ándalus bajo el emirato", *Territorio, Sociedad y Poder*, Anejo 2.

Aillet, Cyrille (2010), *Les mozarabes : Christianisme, islamisation et arabisation en péninsule ibérique (IXe–XIIe siècle)*, Madrid, Casa de Velázquez.

Coope, Jessica A. (1995), *The Martyrs of Córdoba: Community and Family Conflict in an Age of Mass Conversion*, Lincoln, University of Nebraska Press.

Fierro, Maribel (1995), "Cuatro preguntas en torno a Ibn Ḥafṣūn", *al-Qanṭara*, 16.

Fierro, Maribel (2005), "Mawālī and Muwalladūn in al-Andalus (Second/Eighth-Fourth/Tenth Centuries)", M. Bernards and J. Nawas (eds.), *Patronate and Patronage in Early and Classical Islam*, Leiden, Brill.

Fierro, Maribel (ed.) (2020), *The Routledge Handbook of Muslim Iberia*, London, Routledge.

García Sanjuán, Alejandro (2017), "al-Andalus, etymology and name", *Encyclopaedia of Islam, Three*, 2017-5, Leiden, Brill.

Gutiérrez Lloret, Sonia (2014), "La materialidad del Pacto de Teodomiro a la luz de la arqueología", *eHumanista/IVITRA*, 5.

Ibn al-Qūṭīya (1982), *Ta'rīkh Iftitāḥ al-Andalus*, Ibrāhīm al-Abyārī (ed.), Cairo.

Larrea, Juan José and Jesús Lorenzo (2012), "Barbarians of Dâr al-Islâm: The Upper March of al-Andalus and the Western Pyrenees in the Eighth and Ninth Centuries", Guido Vannini and Michele Nucciotti (eds.), *La Transgiordania nei secoli XII-XIII e le 'frontiere' del Mediterraneo medievale*, Oxford, Archaeopress.

Lorenzo Jiménez, Jesús (2010), *La dawla de los Banū Qasī: Origen, auge y caída de una dinastía muladí en la frontera superior de al-Andalus*, Madrid, CSIC.

Manzano Moreno, Eduardo (2006), *Conquistadores, emires y califas: Los Omeyas y la formación de al-Andalus*, Barcelona, Crítica.

Molina, Luis (1994), "Un árabe entre muladíes: Muḥammad b. ʻAbd al-Salām al-Jušanī", Manuela Marin (ed.), *Estudios Onomástico-Biográficos de al-Andalus* VI, Madrid, CSIC.

Ortega Ortega, Julián M. (2018), *La conquista islámica de la Península Ibérica: Una perspectiva arqueológica*, Madrid, La Ergástula.

Sénac, Philippe and Tawfiq Ibrahim (2017), *Los precintos de la conquista omeya y la formación de al-Andalus (711-756)*, Granada, Universidad de Granada.

al-ʻUdhrī (1965), *Nuṣūs ʻan al-Andalus min Kitāb Tarṣīʻ al-Akhbār wa Tanwīʻ al-Āthār wa al-Bustān fī Gharā'ib al-Buldān wa al-Masālik ilā Jamīʻ al-Mamālik*, ʻAbd al-ʻAzīz al-Ahwānī (ed.), Madrid, Instituto de Estudios Islámicos.

Wolf, Kenneth Baxter (tr.) (1999), *Conquerors and Chroniclers of Early Medieval Spain*, Second Edition, Liverpool, Liverpool University Press.

コラム｜*Column*

アラブ・ペルシア古典詩における チェスの表象

杉田英明

アラビア語・ペルシア語で「シトランジュ」shiṭranj または「シャトランジュ」shaṭranj と呼ばれるチェスは、サンスクリットで「四つの部分（象・戦車・騎兵・歩兵）から成る」軍隊を意味する形容詞「チャトゥランガ」caturaṅga に由来し、インドからサーサーン朝ペルシアを経て、イスラーム初期に中東世界に移入されたと考えられている。

アラブ詩におけるチェスへの最も早く確実な言及は、ウマイヤ朝の詩人ファラズダク al-Farazdaq（七二八年歿）の作品中「歩兵」baydhaq（ポーン）の語に見出され、とくにアッバース朝以降、多くの詩人がチェスを題材とするようになる。マスウーディー al-Masʿūdī（九五六年頃歿）が歴史書『黄金の牧場』のなかで引用する佚名の詩人の作品は次のごとくである。

　寛大さで知られる二人の友人のあいだに置かれた
　　皮革製の赤く四角い土地
両者は互いに戦争を思い起こし、血を流す努力もなしに
　その類似品を作り上げた
こちらはこちらを攻撃し、あちらはこちらに
　攻撃を加え、戦いの眼は眠ることもない
太鼓も軍旗もない二つの軍隊のなかで
　知略によって興奮した騎士の姿を見るがいい

ʾarḍun murabbaʿatun ḥamrāʾu min adamin
　mā bayna ʾilfayni mawṣūfayni bi-l-karamī
tadhākara-l-ḥarba fa-ḥtālā la-hā shabahan
　min ghayri ʾan yasʿayā fī-hā bi-safki damī
hādhā yughīru ʿalā hādhā wa dhālika ʿalā
　hādhā yughīru wa-ʿaynu-l-ḥarbi lam tanamī
fa-nẓur ʾila-l-khayli qad jāshat bi-maʿrifatin
　fī ʿaskarayni bi-lā ṭablin wa-lā ʿalamī

ここでは、チェス盤が赤い皮革製で、「騎士」khayl がナイトの駒を示すことが判る。チェスの試合を現実の戦争に見立てる描写は、以後のアラブ詩の定型表現になってゆく。

シリアの詩人サリー al-Sarī al-Raffāʾ（九七二年頃歿）は、自宅の庭園や部屋やそのなかにある書籍、日常什器類を描写するなかでチェスにも触れて友人を勧誘する。黒い駒と白い駒の両陣営から成るチェスは、「ザンジュ」zanj（黒人）と「ルーム」rūm（ギリシア人）の二つの軍隊のあいだで「知性が剣を抜く」戦闘だが、「両者がそこで血を流すことはない」。「一旦勃発すれば男たちの徳性を刺戟する、埃を撒き上げることのない戦い」の何と素晴らしいことかと、盤上の知性の凌ぎ合いを称讃する。

このサリーの表現を受け継ぎ、さらに発展させたのが、ブ

ジャーミー（1492年歿）の叙事詩『黄金の鎖』への挿絵（マシュハド，1556-65年，部分）

ワイフ朝の君主アドゥド・アッ＝ダウラ 'Aḍud al-Dawla（九八三年歿）の友人ザアファラーニー Abū Qāsim al-Za'farānī である。二十二対句に及ぶ作品中で、詩人はチェス盤を「ザンジュとルームがそのなかで一心に駆けまわる／広い空間」に見立て、「二つの軍隊は埃まみれの戦いのなかで相対し／獅子が獅子に襲いかかる」と表現する。

　　それからわがシャーが二つのルッフに「攻撃せよ
　　　静止のあとには突進あるのみ」と呼びかけた
　　私が自分の象で彼を悩ませると
　　　相手は卑怯者が逃げるようにみじめな姿で逃走した

　　thumma nādā shāh-ī bi-rukhkhay-hi kurrā
　　　laysa ba'da-l-wuqūfi 'illa-l-hujūmū
　　thumma 'az'ajtu-hū bi-fīl-ī fa-wallā
　　　mustakīnan ka-mā yuwalli-l-la'īmū

「シャー」shāh（王）はキング、「ルッフ」rukhkh はルーク、「象」fīl はビショップに相当し、「賢者」firzān（クイーン）や「騎士」khayl（ナイト）の働きで相手に王手をかけるまでを実戦さながらに描いている。

　ペルシア詩でも多くの言及がなされ、写本絵画（図版）の素材にもなった。しかし一般には、アラブ詩とは逆に、実人生や運命をチェスの試合に譬える比喩が好まれた。宮廷詩人アスジャディー 'Asjadī（一〇四二年頃歿）がガズナ朝の君主マフムード Maḥmūd（一〇三〇年歿）に捧げた頌詩で、

　　王は王国のチェスを一千もの王たちと行ない
　　すべての王を異なる方法で王手詰みにした

　　shaṭranj-e molk bākht malek bā hazār shāh
　　　har shāh-rā be-la'b-e degar shāhmāt kard

と讃えたのはその好例である。ここでは、英語の「チェックメイト」checkmate の語源となった単語「シャーマート」shāh-māt（「王は死んだ」）が使われている。また、神秘主義詩人アッタール 'Aṭṭār（一二二一年歿）も王位の空しさを説き、現世を放棄して神への献身により真の「確実性」を得よと忠告する。「王手詰み」とは、現世の財産が貧者の脅威に晒されることと、王が殺されて精神世界で甦ることとの両義を持つのだろう。

　　仮にお前が王になればあらゆる乞食に王手詰みされる
　　確実性の革布（チェス盤）の王は王手詰みで死に至る

　　agar che shāh shavī māt har gedāy shavī
　　　ke shāh-e naṭ'-e yaqīn ān bovad ke shāhmāt-ast

集点 | *Focus*

イスラーム科学とギリシア文明

三村太郎

一、アッバース朝とギリシア科学

アッバース朝七代目カリフ・マアムーン(在位八一三―八三三年)の頃から、宮廷に関係のある学者たちによるギリシア科学書のアラビア語翻訳が活発化した。その翻訳活動が大規模で網羅的だったことは、アポロニオス『円錐曲線論』第五―七巻など現在ギリシア語原典では失われてしまった作品のいくつかがアラビア語訳で残っていることからも裏付けられる。この翻訳活動の結果、九〇〇年頃には主要なギリシア語科学書のアラビア語への翻訳が完了し、それ以降イスラーム文化圏ではギリシア語の知識がなくともギリシア科学書のアラビア語訳を読めばギリシア科学を体系的に学べる土壌が出来上がった。さらにこのイスラーム文化圏におけるギリシア科学研究の伝統が一二世紀頃ヨーロッパの注目を引き、ギリシア科学書のアラビア語訳やギリシア科学に関するアラビア語著作が大量にラテン語へと翻訳された。これがルネサンスに先駆けてヨーロッパがギリシア文化の再発見を行った一二世紀ルネサンスである(Burnett 2013)。

たしかにヨーロッパでの動きを中心に科学史を見ると、イスラーム文化圏はヨーロッパへギリシア科学を伝えた媒介者としてしか認識されないかもしれない。しかしイスラーム文化圏でのギリシア科学研究活動はギリシア科学を権威化しその成果を翻訳の形でただ受け入れただけのものではなかった。実際ギリシア科学導入の最初期であるマアムーン期から、科学の担い手たちはギリシア科学での研究法を習得し、独自の科学研究を始めていた。その代表例が、マアムーンの命で行われた地球の大きさを正確に決定するための測定旅行である(King 2000)。数多くの証言が伝えるには、マアムーンと配下の学者たちはギリシア天文学書の値に満足せず、実測するため天文観測器具を準備しシンジャール砂漠に赴き、北極周りの恒星群を観測しながら地球の周の一度分を歩いて測定したという。この測定法自体はギリシア科学に由来するもので、マアムーン期において科学の担い手たちはすでにギリシア科学の研究法をよく理解し、その内容の更新を目指していたことを印象付ける。

イスラーム文化圏がギリシア科学を受容する最初期の段階においてギリシア科学を権威化しなかったのは注目に値する。その態度はギリシア科学を大々的に受容し始めた一二世紀ルネサンス期のヨーロッパとは明らかに異なる。その頃のヨーロッパはローマ文化を自らの祖先の文化と位置付け、自らの文化をローマ化(ラテン語化)する過程でローマ文化の基礎だったギリシア文化に興味を持ち、ギリシア科学にまでその関心を広げた。一二世紀のヨーロッパではギリシア性こそがギリシア科学の重要性の源泉だった。他方、アッバース朝にとってギリシア科学は異文化の一つにすぎず、最初期から権威化されることはなかった。

そもそも科学知はギリシア文化圏の独占物ではなかった。ある地域が科学知に興味を持ち始めた際、非ギリシア文化圏の科学知を受容しようとすることも十分ありうる。実際、アッバース朝二代目カリフ・マンスール(在位七五四—七七五年)の活動に目を向けると、彼はサーサーン朝ペルシアの伝統の一部を引き継ぐため、そこで行われていた占星術を利用した政治運営を継承しようと、その宮廷に数多くの占星術師たちを抱えた最初のカリフとして知られる(グタス 二〇〇二：三五—三六頁)。その際、彼は占星術に必要な天文計算に関する知識を得るためにインド天文学知の獲得に尽力したという(その詳細は後述)。マアムーン期のギリシア語科学文献翻訳活動が高まる以前、マンスールはペルシア文化という異文化との関係性を模索する中で、むしろインド天文学という非ギリシア系の科学知に注目していた。

なぜマアムーン期にギリシア科学への関心が高まり、その研究法を身につけてギリシア科学の成果の更新を目指そうとする学者たちが出てきたのだろうか。本稿ではマンスール期からマアムーン期にかけての科学知への関心の持ち方の変遷を見ることで、イスラーム文化圏にとってギリシア科学はどのような意味を持っていたのかを考えたい。その際アッバース朝最初期から導入が盛んだった天文知の動向に注目することになるだろう。そのうえでイスラーム文明圏の育んだイスラーム科学とはどのようなものだったのかを描きたい。

二、マンスール期からマアムーン期にかけての天文知の受容

マンスール宮廷においてサーサーン朝ペルシアの伝統を引き継いで占星術に基づく決定が重視されていたことは、マンスールがバグダードへ遷都する日取りを宮廷占星術師たちにホロスコープを作成させて決めたことから裏付けられる(Pingree 1970: 104)。招かれた占星術師たちに目を向けると、ペルシア文化受容という目的で占星術が求められたため、その占星術師たちの多くはペルシア系のバックグラウンドを持っていた(van Bladel 2012)。

さらに、マンスールは占星術の活動に必要な天文知を異文化圏から積極的に受容した最初のカリフで、彼がとりわけインド天文学に注目したことが知られている。どのようにしてマンスールがインド天文学の知識を入手しアラビア語化したのかの経緯については、ほぼ同じ内容を複数の史料が伝えており(Haddad et al. 1981: 216-217)、例えばキフティー(一一七二―一二四八年)の『諸学者列伝』には次のような記録が見られる。

〔ヒジュラ暦〕一五六年〔西暦七七二／七七三年〕、カリフ・マンスールの元に、あるインド人がやってきた。彼は二分の一度ごとに計算されたカルダジャ〔＝正弦〕による補正法や、二つの食〔日食と月食〕、黄道十二宮の上昇度数などの天球に関することがらや、数多くの章からなる書物に載っているようなことどもに関する、「シンドヒンド」の名で知られている諸星の運動にかかわる計算に精通していた。彼はそれ〔シンドヒンド〕を、フィヤグラという名のインドの王の中の王に帰せられた、分の値に対して計算されたカルダジャから簡約化したのだという。マンスールは、この本〔『シンドヒンド』〕をアラビア語に翻訳し、アラブ人が諸星の運動を決定する際の基礎とするような書物を、そこから編むように命じた。その任務に当たったのがファザーリーで、彼は、それ〔本〕から、占星術師たちが『大シンドヒンド』と呼ぶ書物を編んだ。

(Müller 1903: 270)

この記録から、まず、インドから招聘された学者を通じて「シンドヒンド」がマンスール宮廷に伝わったことが分かる。「シンドヒンド」(sindhind)はサンスクリット「シッダーンタ」(siddhānta)の音写語で、「シッダーンタ」はインド天文学書のタイトルに多く見られた(Plofker 2008: 66)。それゆえ、この記録は「シッダーンタ」というタイトルのインド天文学書がマンスール宮廷にやってきたことを示す。とはいえ、前半「シンドヒンド」が計算法の名前として登場する一方で後半は書名として触れられていることから、その記述に混乱があるように見える。だが、この混乱はインド天文学の特徴を知ることで解消する。

インドにギリシア占星術が伝来し、占星術を支える天文計算法を模索した結果、五世紀頃ギリシア天文学に特徴的な周転円と離心円に基づいた惑星理論など、それまでなかったギリシア由来の天球概念に基づいた天文計算法が登場した(Plofker 2008: 61-120)。そこで編まれたのが『シッダーンタ』と呼ばれる天文学書である。

『シッダーンタ』は天文に関わる問題の解法を述べたもので、個別の問題に対して韻文で解法を記述している。なぜ韻文で記述されたのかというと、その内容を覚えさせるためだった。インドにおける学問の伝承は暗記すべき内容を師が口で唱え弟子に復唱させて暗記させることで始まるため、暗記内容は覚えやすい簡潔な散文か韻文でできていた。暗記が完了すると、師は暗記した内容を解説して聞かせた(Yano 2006)。天文学もこのシステムで教授されていたため、『シッダーンタ』の解法記述は記憶を助けるために解法手順の提示に絞った極度に圧縮されたものとなり、問題を解くときは覚えた解法を思い出しながら計算すれば自ずと問題が解けるように組み立てられていた(三村 二〇一〇：四三−四七頁)。

またその解法内容には独自の工夫がみられた。特筆すべきはインドにおいて初めて「正弦」が考案され利用されたことである。ギリシア天文学では弧と弦の関係が用いられていた一方、それがインドへと伝わると半分の弦(すなわち正弦)と弧の関係をもとに三角法が組み立てられ、天文学で最も必要な弧の計算の簡便化に成功した(Plofker 2008: 49-52)。さらに『シッダーンタ』を簡約化した『カラナ』では、各問題で必要な一定の度数ごとの正弦の量を列挙し暗唱することで、弧弦の変換計算を簡略化した(Plofker 2008: 105-106)。加えて、こういった膨大な数値計算を行う際に、インドに端を発する、インド数字を用いた十進法位取りに基づくインド式計算法を駆使したことも忘れてはならない。

インド天文学は占星術に必要な天文計算法を改良する方向で展開した結果、当時の最先端の天文計算技術を獲得し、その計算力の高さはギリシア天文学を超えるものとしてインド以外にも知られるようになった(三村 二〇一〇：三七−三九頁)。占星術のための天文計算法を求めていたマンスールにとって、インド天文学の持つ高い天文計算技術は魅力的だっただろうことは想像に難くない。さらにインド天文学の伝授は口承ベースだったことを考え合わせると、彼がインド天文学を取り入れる際、インド天文学書を入手して翻訳させるのではなく、その知識を持っている人物を招来するという手段をとったのは十分理解できる。

招聘されたインド系学者の伝授した内容に目を向けると、彼は「分の値に対して計算されたカルダジャから簡約化した」シンドヒンドを教えたとあるのは注目に値する。「カルダジャ」(kardaja)はサンスクリット「クラマジュヤー」(kramajyā、正弦)の音写語で、彼は三角法計算を簡便化するために、分ごとではなく、より大きな値ごとの弧に対する正弦の値で組み立て、それに基づく解法を伝えたということになる。すなわち、彼はある特定のインド天文学書の内容を忠実に伝えたというよりも、暗唱で身につけた様々なインド天文学書の知識を駆使して、彼なりに改良した計算法を口頭で伝えたのだった。その結果、キフティーの記録では、シンドヒンドは計算法であり書名であるようなものとして扱われたといえる。

以上の考察を踏まえると、キフティーの記録が最後に触れている宮廷占星術師ファザーリーによるアラビア語化は、ある言語で書かれた文書を別の言語に移し替えるものではなかったことは明らかで、口頭で述べられた解法群をアラビア語で書きとり文書化するというものだったと考えられる。その結果『シンドヒンド』は書物として普及し、その内容を複数の宮廷学者たちが改良を加え、その成果を「ズィージュ」というタイトルを持つ天文書で披露するようになった(King et al. 2001: 32)。当時のズィージュはわずかな断片でしか現存していないが、ファザーリーのズィージュからの引用は『シッダーンタ』のように個別の問題に対して解法を述べるものなので(Pingree 1970: 111-112)、『シンドヒンド』の影響下で編まれたズィージュ文献はインド天文学の解法群の持つ特徴を引き継ぎ文書化したものだったといえる。加えて、インドでは口頭で行われていた解法の解説もマンスール宮廷の占星術師たちによって「ズィージュの諸根拠」('ilal)の書」というタイトルで文書化された(Pingree 1968: 120-123)。インドでは口承されてきた天文知がアッバース朝という異文化圏に伝来することを契機にその伝達方法が変化し、その全容が文書化されたのだった。

ここで注意すべきは、「ズィージュ」(パフラヴィー語でzīk)というタイトルを持つ天文書がサーサーン朝ペルシア下ですでに編まれていたことである。それはアラビア語で『王のズィージュ』と呼ばれるもので、そのパフラヴィー語原典は失われているが、アラビア語で残存しているいくつかの証言や断片から、その編集過程や内容をわずかながら知ることができる(Panaino 1998: 19-42)。それによると、四五〇年頃にはそれは存在し、五五六年にホスロー一世はその改訂版を作成し、後にヤズデギルド三世によって再改訂されたという。

その改訂内容についてはマンスール宮廷の占星術師マーシャーアッラーが簡潔ながら証言しており、五五六年の改訂の際、ホスロー一世はインド天文学書『アルカンド』とギリシア天文学の立役者プトレマイオスの著作を比較して『アルカンド』の方が優れていると判断し、その内容に依拠して『王のズィージュ』を改訂したという(Haddad et al. 1981: 95-96)。この証言は、ホスロー一世の頃、占星術を遂行するための計算道具としてインド天文学の提供する解法がギリシア天文学のものよりも便利だと判断され採用されたことを示唆する。実際アラビア語文献で引用されている『王のズィージュ』収録の解法を見る限り、その解法提示法は『シッダーンタ』のものを踏襲しており(Kennedy 1958)、インド天文学の強い影響下で『王のズィージュ』が編集されたことは確実である。

さらにヤズデギルド三世による改訂では、カルダジャの度数の取り方の変更が行われたという。この改訂作業は、マンスール宮廷にやってきたインド系学者が計算の簡便化を狙って何度ごとの正弦を列挙するのかを変更したのとほぼ同じようなものだったと推測できる。すなわち、サーサーン朝ペルシアの二君主による『王のズィージュ』の改訂は、インド天文学の知識を利用して占星術に必要な天文計算技術を高めることに焦点を当てたもので、サーサーン朝ペルシアにおいても天文学は占星術を遂行するための計算技術の側面が強かった。

『王のズィージュ』はペルシア系のルーツを持つものが多かったマンスールの宮廷占星術師たちも利用していたと考えられる。実際、先に触れたマーシャーアッラーは、後代の証言や彼の残したホロスコープ群を分析することで『王のズィージュ』を用いて計算していたことが裏付けられている(Kennedy and Pingree 1971)。マンスール宮廷での『王のズィージュ』の継続使用を考え合わせると、宮廷占星術師たちを通じてマンスールが『王のズィージュ』の存在を知っていたことは十分ありうる。また、サーサーン朝ペルシアが当時最高の計算力を持つインド天文学に注目して口承ベースで伝授されていたインド天文学の解法群を『王のズィージュ』という形で文書化し改訂を続けたことは、マンスール宮廷での『シンドヒンド』編集とそれを改訂した「ズィージュ」文献群の作成に類似する。それゆえ、マンスールによる『シンドヒンド』アラビア語版の作成は、サーサーン朝ペルシアの君主たちにならって自らの改訂版『王のズィージュ』の作成を目指したものと考えられるのではないだろうか。その際、彼は『王のズィージュ』の基礎にあるインド天文学の解法群のアップデートを目指したため、インド系の学者を招聘して彼の口から当時の最新のインド天文学の成果による解法群とその解説を入手し、その内容をアラビア語で記録させたのだろう。やはりマンスールの文化受容の方向性はサーサーン朝ペルシアの強い影響下で決定されていたといえる。(1)

文書化された『シンドヒンド』はマンスールの宮廷占星術師たちによって改訂され、「ズィージュ」のタイトルをもつ天文書がいくつも編まれた。さらにマンスール期以降も「ズィージュ」というタイトルを持つ天文書は数多く生み出された結果、ズィージュはイスラーム文化圏で最もポピュラーな天文書のジャンルとなった(King et al. 2001)。これらズィージュの大半には『シッダーンタ』由来の問題解法提示法に則した解法群が収録されているので、ズィージュというジャンルの成立は、インド天文学の影響がイスラーム文化圏で消え去ることなく長きにわたって継続したことを裏付ける。

しかしマアムーン期以降、ズィージュ文献群においてギリシア天文学の影響が顕著となってくる。実際、その全体がアラビア語で現存している最古のズィージュのひとつである、マアムーンの頃から活躍していた占星術師ハバシュによるズィージュは、『シッダーンタ』に特徴的な解法記述法を継承する一方、プトレマイオス『アルマゲスト』に倣って天文データ表を含むようになった。表の使用はインド天文学には存在しなかったもので(Plofker 2008: 274-277)、ハバシュの頃になるとプトレマイオスの成果が本格的にズィージュに採用されるようになったことが見て取れる。さらにマアムーン期以降のズィージュにおいて天文表の収録は一般的となり、ズィージュはインド天文学とギリシア天文学の成果を兼ね備えたイスラーム科学に独自の天文書のジャンルへと成長していった。

興味深いことにハバシュのズィージュには序文が付いており(Sayılı 1955)、そこで彼はプトレマイオスの天文学研究法を採用し、その解法を組み立てたと明言している。その採用のきっかけとなったのが、マアムーン宮廷における次の出来事だという。

序文によると、マアムーンは主要な天文学書の内容の違いに気づき、宮廷学者たちにプトレマイオス『アルマゲスト』、インド天文学書『シンドヒンド』『アルカンド』、およびペルシア天文学書『王のズィージュ』を比較させたところ、彼らは、観測と幾何学的証明に基づくプトレマイオス『アルマゲスト』が最も正確だという見解を得たという。その結果、宮廷学者たちはプトレマイオスの天文学研究をモデルとして自ら観測を続け、幾何学的証明による吟味を行うことでプトレマイオス天文学の改訂作業を続けるようになったという。これが契機となり、ハバシュもプトレマイオスの天文学研究法を踏襲し、観測と幾何学的証明で他の学者たちの研究を吟味し、このズィージュを編むことにしたと述べている。

ハバシュのズィージュ序文から、マアムーン期の学者たちのギリシア天文学に対する姿勢を知ることができる。マンスールの頃は占星術に必要な天文計算技術の強化を目指し、サーサーン朝ペルシアでの『王のズィージュ』編集作業に倣って、計算能力において当時最先端のインド天文学を『シンドヒンド』の形で文書化し、ズィージュが複数編まれた。しかしマアムーンの頃になると、議論の正確さや厳密さに注目が集まり、観測と幾何学的証明に基づく研究法で組み立てられたプトレマイオス天文学への関心が宮廷学者たちの間で高まった。その際、彼らは『アルマゲスト』での厳密な議論を生み出す研究法を身につけ、プトレマイオスを含めた先人たちの成果を精査し適宜修正することで、独自の天文研究を遂行しようとしたのは注目すべきだろう。実際、本稿冒頭で触れたマアムーンの命による地球の周の測定でも、彼らはギリシア天文学の方法論を踏まえて独自の研究を行っていた。たしかにハバシュの証言を完全な史実を伝えるものとして扱うのは難しいが、その内容はマアムーン期の学者たちのプトレマイオス天文学への態度を十分に反映したものであることは疑い得ない。

他方、ではなぜマアムーン期になると議論の厳密性に関心が高まり、幾何学的証明に裏付けられたプトレマイオスの議論法に注目が集まるようになったのだろうか。そこで、マアムーンの宮廷占星術師キンディー(八〇一―八六六年)の活動を見ることで、宮廷において厳密な議論を行うことの意義を考察し、関心の変遷を跡付けたい。

三、論証を武器とした占星術師キンディー

マアムーンの頃からギリシア科学や哲学の紹介に大きな貢献を果たしたキンディーは、占星術の能力を買われてマアムーン宮廷占星術師となったとはいえ、彼は占星術以外にも哲学や数学、音楽、医学など多岐にわたる分野で数多くの著作を残した(Adamson 2007)。彼の著述活動で注目すべきは、その著作の大半が、ある人物の質問に対する答えを収録した書簡として編まれていることである。ではなぜ彼は質問者の要望を汲んで返信したのかというと、質問者は彼にとってのパトロンともいうべき存在だったからである。

アッバース朝では、多くの学者が、パトロンであるカリフなどの政治権力者たちの助言者として活動していた。彼らは政治権力者たちと一対一の主従関係を結び、様々な場面で助言を行うことで生活の糧を得ていた。そのため彼らにとって助言活動は自らの存在意義を発揮するもので、パトロンの要求する様々な課題にできる限り応えようとした。他方パトロンである政治権力者たちに目を向けると、その多くは複数の助言者を抱え、しばしば課題解決の際に配下の学者たちを集め討論させたので、助言者という数少ない席を巡って争っていた学者たちは他の参加者たちを圧倒するために強力な議論力を身につけようとしていた。

キンディーに目を向ければ、彼は助言者や討論者として活動するうちに、「神の一性や世界の有限性」といったイスラーム布教にかかわる話題にまで助言範囲を広げていた(Adamson 2007: 74-105)。なぜ当時、神の一性と世界の有限性が話題になっていたのかというと、ゾロアスター教徒を代表とする永遠なる善と悪の存在を信じる二元論者たちが唯一神の存在を否定し世界の無限性を主張していたからで、イスラーム布教によって拡大を進めていたアッバース朝にとって二元論者たちの主張を論駁することは喫緊の課題だった。それゆえ、キンディーは二元論者論駁につながる神の一性と世界の有限性を示すことを様々なパトロンから求められた結果、この話題を扱う書簡を複数残すことになった。その一つが『事物の有限性についてのアフマド・イブン・ムハンマド・フラサーニーへの書簡』で、興味深いことに本書簡においてキンディーは「世界の有限性」を論証の形式に則って証明している(Adamson and Pormann 2021: 68-72)。

ギリシアの学問に起源をもつ論証は、エウクレイデス『原論』に見られるような幾何学的証明をモデルとした議論法で、誰も疑い得ない公理から出発しているため、その議論は誰も否定できないほど強力なものだった。この書簡での論証の使用は、ギリシア数学や天文学の知識を武器に占星術師として宮廷に参与したキンディーが、その知識の基盤にある論証という強力な議論形式をモデルに、二元論者論駁を含めた様々な論題で議論していたことを示唆する。すなわち、彼は宗教的なものも含めた多種多様な話題を巡る討論で打ち勝つために議論能力を向上させようと強力な議論法を求めた結果、論証を見出したのだった。

特筆すべきは、キンディーのもとに様々なパトロンから質問が殺到し、彼が幅広い分野にわたる助言内容を記した数多くの書簡を残したということである。この事実は、宮廷関係者たちがキンディーの論証的議論の強力さに感銘を受け、彼が助言者としての地位を確固たるものにしていたことを示す。さらに、その書簡群にギリシア数学や天文学の内容を紹介するようなものも多く含まれているので、宮廷で論証に注目が集まるのと並行して、その議論形式で組み立てられたギリシア数学や天文学自身への関心も高まっていたことが分かる。

宮廷における論証に関する動きを踏まえると、ハバシュが述べていたように、論証に基礎づけられていたからこそプトレマイオス『アルマゲスト』が最良の天文学書としてマアムーン宮廷で認識され、学者たちが論証科学としてのプトレマイオス天文学の研究法を身に付けてプトレマイオスの成果の更新を目指したのも頷ける。彼らにとって、あくまで論証という厳密な議論法で組み立てられているからこそ、ギリシア数学や天文学は重要だった。

ここで忘れてはならないのは、アッバース朝宮廷において占星術師以外でギリシア科学の素養を持っていた一大勢力として医学者たちが存在したということである。アッバース朝最初期からキリスト教徒医学者たちはギリシア医学の知識で宮廷において台頭していたが、彼らも他の学者たちと同様、助言者として医学にとどまらず様々な話題での助言を求められていた。実際、キンディーの同時代人の医学者クスター・イブン・ルーカー(八二〇-九一二年)は、キンディーに匹敵するくらい、医学から数学や哲学にわたる広範な分野で書簡を残している(Gabrieli 1912-1913)。それゆえ、医学者たちも、他の学者たちとともに助言者や討論者として活動するうちに強力な議論法を探し求めただろうことは想像に難くない。

そこでマアムーン期の宮廷医学者たちの活動を見てみると、彼らがギリシア医学体系化の立役者ガレノスの医学書を自分たちの母語であるシリア語に翻訳できる人材を求め、短期間のうちに大量のガレノス医学書をシリア語に翻訳させていたことに気づく。その翻訳規模がいかに大きかったのかは、翻訳依頼の多くを引き受けていたフナイン・イブン・イスハーク(八〇八-八七三年)の『翻訳されたガレノスの書物と翻訳されていない(ガレノスの書物)についての書簡』から知ることができる(Lamoreaux 2016)。この書簡でフナインはガレノスの各著作に対してどのパトロンの依頼でシリア語やアラビア語に翻訳したのかを詳細に記録しており、彼が数多くの宮廷医学者たちからガレノス医学書のシリア語訳作成の依頼を受け、膨大なガレノス医学書群のほとんどすべてを一人でシリア語に翻訳し終えたことが見て取れる。逆に、大規模なガレノス医学書シリア語翻訳プロジェクトにフナインを向かわせるほど、宮廷医学者たちはガレノス医学書を読む必要に迫られ、そのシリア語訳を膨大な資金を投入して入手しようとしていたといえる。ではなぜ彼らはガレノスの医学書を読もうと思い立ったのかというと、ガレノス医学書に論証的議論法の模範を見出したからだと考えられる。

ガレノスの活躍していた当時、さまざまな医学派が存在し数多くの論争が繰り返されていた(von Staden 1997)。そのため彼は論理整合性の高い強力な議論を求めて医学の論証科学化を目指し、彼の残した医学書群は論証的な議論で占められることになった。マアムーン宮廷関係者内で論証に注目が集まる中、宮廷医学者たちも強力な議論法を探索するうちに、その専門にゆかりのあるガレノス医学書にたどり着き、それを読むことで論証法を身につけて様々な議論の場で成功をおさめることを目指したのではないだろうか。彼らが論証的議論を組み立てることに意識的だったことは、ガレノス医学書のみならず、論理学を体系化して論証という枠組みを明確化したアリストテレスの著作にまでその関心を広げ、アリストテレスの哲学書群の受容も進めるようになったことからも裏付けられる(Peters 1968)。

以上、マアムーン期以降の宮廷学者たちの動向から、当時ギリシア科学への関心が高まった経緯を考察した。政治権力者たちの助言者として活動していた学者たちは、その議論能力を磨こうと強力な議論法を求めており、ギリシアの学問と関わりのある学者たちが見いだしたのが論証という議論形態だった。実際、占星術師といったギリシア数学や天文学の素養を持っていた学者たちはプトレマイオス『アルマゲスト』やエウクレイデス『原論』を通じて論証的な議論法を身につける一方、医学者たちはガレノスの医学書を通じて論証的な議論法を身につけようとした。加えて、その論証への関心は、論証の理論化に貢献したアリストテレスの哲学書にまで広がっていった。彼らが論証を駆使して助言者として成功を収めることで、宮廷において論証が強力な議論法として注目を集め、プトレマイオスやガレノス、アリストテレスの著作といった論証科学に関する著作群への関心が政治権力者たちも含めた宮廷関係者たちの間で共有されるようになった。その結果、アッバース朝宮廷は論証科学研究の受け皿となり、ギリシア科学研究が活発化していった。

さらに、本稿の冒頭で触れた大規模で網羅的なギリシア科学書のアラビア語翻訳がギリシア科学研究の活発化とほぼ同時に進行したのは興味深い。そこでなぜマアムーンの頃からギリシア科学書のアラビア語翻訳活動が大規模になったのかを考えたい。

四、新たなギリシア科学知獲得競争からイスラーム科学へ

マアムーン宮廷内で論証科学自体への注目が高まるにつれて、論証科学の知識で助言者としての立場を確固たるものにした学者たちの中には、新たなギリシア科学書を入手して知識量を増やし、その権威としての地位を維持しようとする者たちもいた。その代表がバヌー・ムーサー三兄弟(ムハンマド(八七三年没)、アフマド、ハサン)とキンディーである。

若年期のマアムーンと親しい関係にあった占星術師ムーサー・イブン・シャーキルを父に持つバヌー・ムーサー三兄弟は、父の死後マアムーン宮廷にやってきてギリシア数学と天文学の知識を武器に宮廷学者として高い地位を得た(Hill 1979: 3-6)。彼らが宮廷での地位を維持することにとても熱心だったことは、イブン・アビー・ウサイビア(一二七〇年没)が『医学者階級についての情報源』で伝えるキンディーとの逸話から知ることができる。それによると、彼らは、キンディーを陥れて一〇代目カリフ・ムタワッキル(在位八四七—八六一年)の信頼を失わせ、キンディーの蔵書を没収しようと計画したという(Adamson and Pormann 2012: lxv-lxviii)。この逸話から、彼らがキンディーなどの周りの学者たちに対して攻撃的で、時には策略を交えて宮廷での地位を守ろうとしていたことが分かる。加えて、この

逸話が示唆するように、蔵書が彼らの権威の源だったのも興味深い。ギリシア数学や天文学の豊富な知識でその地位を確固たるものにしたキンディーやバヌー・ムーサー三兄弟にとって、どれだけ多くの関連書物を保持しているのかは重要だった。それゆえ、この権力闘争で打ち勝つために、彼らは他の誰もまだ持っていない新たなギリシア科学書を入手し、その内容を身につけようとしたのは十分理解できる。

とはいえ、彼らはほとんどギリシア語を読解できなかったため、ギリシア語読解能力を持つ翻訳助手を抱えることで新たなギリシア科学書のアラビア語訳作成に乗り出した。実際、キンディーはギリシア語の読めるキリスト教徒たちに下訳を作らせ、それを彼は修正し翻訳を完成させた(Adamson 2007: 25-29)。他方、バヌー・ムーサー三兄弟はサービト・イブン・クッラ(九〇一年没)を翻訳助手として養育することで、ギリシア科学に関する知識を増大させた(Mimura 2020: 191-196)。また、バヌー・ムーサー三兄弟は、サービトのみならず数多くの翻訳助手に多額の報酬を支払い、翻訳を行わせたことでも知られている。その助手の一人が、前にも触れたフナイン・イブン・イスハークである。

キリスト教徒のフナインは若年期にバグダードにやってきて、バヌー・ムーサー三兄弟の翻訳助手などを経てギリシア医学書翻訳の権威となった結果、多くの宮廷関係者たちから翻訳依頼を受け、膨大な量のギリシア医学書をアラビア語およびシリア語に翻訳した。さらには、息子のイスハーク(九一〇年没)などとともにギリシア科学書および哲学書のアラビア語翻訳グループを結成し、幅広い翻訳依頼に応えた(Lamoreaux 2016: xii-xviii)。

他方、バヌー・ムーサー三兄弟の専属助手だったサービトも、その助手業を経てギリシア科学の権威として大成した。特筆すべきは、彼を始祖とするサービト家はギリシアの学問に関する名門として君臨するようになったことで、何代にもわたってアッバース朝やブワイフ朝の宮廷に関与した(Roberts 2017)。

既に名を成していたギリシア科学の担い手たちがギリシア科学の権威の座を巡って競争する中、ギリシア科学の知識を増やそうと、見込みのある若者を助手として従えて各々チームを組んでギリシア科学書のアラビア語訳の作成に取り組んだことで、膨大なギリシア科学書のアラビア語訳が短期間で生産されたのだった。この動きはキンディーやバヌー・ムーサー三兄弟だけにとどまらず、宮廷全体に波及した結果、フナインの息子イスハークが活躍する頃には主要なギリシア科学書はアラビア語に翻訳されつくされた。加えて、サービトのように、翻訳助手として参加した者たちの中からギリシア科学の権威として一本立ちし、一家をなすような者たちも登場することで、ギリシア科学の担い手の層も急速に広がった。

また、ギリシア科学知を巡る権力闘争で注目すべきは、ギリシア科学の担い手たちは新たに入手したギリシア科学の知識を周りの学者たちに披露し、新分野における自らの権威性を主張しようとしたということである。ここでバヌー・ムーサー三兄弟によるアポロニオス『円錐曲線論』アラビア語訳を取り上げよう。このアラビア語版には序文が付いており、そこで彼らは円錐曲線論がいかに難解で翻訳作成に苦労したのかを切々と述べる一方、最終的に円錐曲線論を理解して読者のためにその理解を容易にする有用な事柄を本アラビア語版に付け加えたと誇っている(Toomer 1990: 620-629)。たしかにその内容を見ると、ギリシア語原典にはない追加説明が散見され、彼らは本文を理解するのに不足していると判断した情報を追加することで読者の便を図ったことが分かる(Mimura 2020: 193-195)。ではなぜ読者の便宜を図ったのかというと、アラビア語版『円錐曲線論』を完成させることでバヌー・ムーサー三兄弟は円錐曲線論というギリシア数学最高峰の理論を熟知していることを周りの学者たちに誇示し、翻訳を提供してその難解な理論を啓蒙することで、円錐曲線論という新理論の権威として君臨しようとしたからだと考えられる。

この『円錐曲線論』アラビア語訳が示すように、ギリシア科学の担い手たちは自身の科学知における先取性を示すために最新理論を啓蒙する道具としてアラビア語訳を用いていた。それゆえ彼らが多大なリソースを費やして作成したギリシア科学書アラビア語翻訳文献群を決して秘匿することなく公開したため、アッバース朝以後のイスラーム文化圏ではアラビア語のみでギリシア科学を学ぶことが可能となった。この類まれなる土壌で育まれたのがイスラーム科学だったといえる。

アラビア語のみでギリシア科学を学べるほど網羅的なギリシア科学書のアラビア語訳が完了した結果、イスラーム科学者たちはギリシア科学知の先取性で他者と差別化を図ることはなくなった。しかし彼らはギリシア科学の研究法である論証的な議論を組み立てる方法を身につけ、論証科学の権威あるギリシア科学書の内容を論理整合性の側面から再検討し、論理不整合な個所を「疑問」として洗い出す作業を開始する(三村 二〇一六)。その疑問点を列挙したのがいわゆる『疑問の書』文献で、ラーズィー(八五四頃―九二五/九三五年)の『ガレノスへの疑問』やイブン・ハイサム(九六五―一〇四〇年頃)の『プトレマイオスへの疑問』がその代表である。イスラーム科学者たちは、発見した疑問群を代々継承し、その解消を長期間にわたって目指した。実際、イブン・ハイサムが『プトレマイオスへの疑問』で提示したプトレマイオス惑星モデルに対する疑問を最終的に解消したのがナスィール・ディーン・トゥースィー(一二〇一―七四年)だった(Ragep 1993: vol.1, 48-53)。

この疑問の列挙と解消という行為がイスラーム科学の主要な研究スタイルとなった。イスラーム科学はギリシア科学を絶対的な権威として追従することで育まれたのではなく、本稿で述べてきたように論証への関心から形成されたため、権威を乗り越えて独自の論証科学の形成を目指すものになったといえる。

注

(1) van Bladelは、インド天文学に基づく暦を採用した唐との接触によってマンスールはインド天文学の受容に向かったという説を提出している(van Bladel 2014)。しかし、本稿で考察してきたように、占星術や天文学に関してはサーサーン朝ペルシアの伝統下でマンスールはその行動を決定していたと考えた方が合理的だろう。むしろ唐でのインド天文学の隆盛は、インド天文学の持つ天文計算能力がユーラシア世界全体にとどろいていたと考えた方がいいだろう。

参考文献

グタス、ディミトリ（二〇〇二）『ギリシア思想とアラビア文化——初期アッバース朝の翻訳運動』山本啓二訳、勁草書房。

三村太郎（二〇一〇）『天文学の誕生——イスラーム文化の役割』岩波科学ライブラリー。

三村太郎（二〇一六）「伝統と改良の狭間で——アヴィセンナ以後のギリシャの学問教授の展開」『中世における制度と知』知泉書館。

Adamson, Peter (2007), *Al-Kindi*, New York, Oxford University Press.

Adamson, Peter and Peter Pormann (2012), *The Philosophical Works of al-Kindi*, Karachi, Oxford University Press.

van Bladel, Kevin (2012), "The Arabic History of Science of Abū Sahl ibn Nawbakht (fl. ca 770-809) and Its Middle Persian Sources", *Islamic Philosophy, Science, Culture, and Religion: Studies in Honor of Dimitri Gutas*, Leiden, Brill.

van Bladel, Kevin (2014), "Eighth-Century Indian Astronomy in the Two Cities of Peace", *Islamic Cultures, Islamic Contexts: Essays in Honor of Patricia Crone*, Leiden, Brill.

Burnett, Charles (2013), "The Twelfth-Century Renaissance", *The Cambridge History of Science, Volume 2: Medieval Science*, Cambridge, Cambridge University Press.

Gabrieli, G. (1912-1913), "Nota biobibliografica su Qusta ibn Luqa", *Rendiconti della Reale Accademia dei Lincei*, Serie 5, 21.

Kennedy, E. S. (1958), "The Sasanian Astronomical Handbook Zij-I Shāh and the Astrological Doctrine of 'Transit' (Mamarr)", *Journal of the American Oriental Society*, 78-4.

Kennedy, E. S. and David Pingree (1971), *The Astrological History of Māshā'allāh*, Cambridge (Mass.), Harvard University Press.

Haddad, F. I. and E. S. Kennedy and D. Pingree (1981), *The Book of the Reasons behind Astronomical Tables*, Delmar (N.Y.), Scholars' Facsimiles & Reprints.

Hill, Donald R. (1979), *The Book of Ingenious Devices (Kitāb al-Ḥiyal) by the Banū (sons of) Mūsà bin Shākir*, Dordrecht (Boston), D. Reidel Pub. Co.

King, David (2000), "Too Many Cooks ... A New Account of the Earliest Muslim Geodetic Measurements", *Suhayl*, 1.

King, D. A. and J. Samsó and B. R. Goldstein (2001), "Astronomical Handbooks and Tables from the Islamic World (750-1900): an Interim Report", *Suhayl*, 2.

Lamoreaux, John C. (2016), *Ḥunayn ibn Isḥāq on His Galen Translations*, Provo, Brigham Young University Press.

Mimura, Taro (2020), "Ghulāms (Slave Boys) and Scientific Research in the Abbasid Period: The Example of the Amājūr Family", *Historia Scientiarum*, 29.

Müller, A. (1903), *Ibn al-Qifṭī's Taʾrīḫ al-ḥukamāʾ*, Leipzig, Dieterich'sche Verlagsbuchhandlung.

Panaino, Antonio (1998), *Tessere il cielo: Considerazioni sulle tavole astronomiche, gli oroscopi e la dottrina dei legamenti tra Induismo, Zoroastrismo e Mandeismo*, Roma, ISIAO.

Peters, F. E. (1968), *Aristoteles Arabus: the Oriental Translations and Commentaries of the Aristotelian Corpus*, Leiden, Brill.

Pingree, David (1968), "The Fragments of the Works of Yaʿqūb Ibn Ṭāriq", *Journal of Near Eastern Studies*, 27-2.

Pingree, David (1970), "The Fragments of the Works of Al-Fazārī", *Journal of Near Eastern Studies*, 29-2.

Plofker, Kim (2008), *Mathematics in India*, Princeton, Princeton University Press.

Ragep, F. Jamil (1993), *Naṣīr al-Dīn al-Ṭūsī's Memoir on Astronomy*, 2 vols., New York, Springer-Verlag.

Roberts, Alexandre (2017), "Being a Sabian at Court in Tenth-Century Baghdad", *Journal of the American Oriental Society*, 137-2.

Sayılı, Aydın (1955), "The Introductory Section of Ḥabash's Astronomical Tables known as the 'Damascene' Zīj", *Dil ve Tarih-Coğrafya Fakültesi Dergisi*, 13.

von Staden, H. (1997), "Galen and the 'Second Sophistic'", *Aristotle and After*, London, Institute of Classical Studies, School of Advanced Study, University of London.

Toomer, Gerald J. (1990), *Apollonius: Conics Books V to VII: The Arabic Translation of the Lost Greek Original in the Version of the Banū Mūsā*, New York, Springer-Verlag.

Yano, Michio (2006), "Oral and Written Transmission of the Exact Sciences in Sanskrit", *Journal of Indian Philosophy*, 34.

初期イスラーム時代のカリフをめぐる女性たち

高野太輔

一、はじめに

広く知られている通り、イスラーム史上には女性のカリフが存在しなかった。後代のイスラーム諸王朝で君主となった女性は幾人もおり、イエメン・スライフ朝のアルワー、インド・奴隷王朝のラズィーヤ、エジプト・マムルーク朝のシャジャルッドゥッル、イラン・イルハーン朝のサティ・ベクなどのほか、東南アジアのパタニ王国やアチェ王国においても複数の女王が即位している。また、古代オリエント時代に遡れば、エジプトのハトシェプストやクレオパトラ七世、古代イスラエルのサロメ・アレクサンドラやパルミラのゼノビア、さらには伝説上のセミラミスやシバの女王など、西アジアにも少なからぬ女性君主の存在が確認される。それにもかかわらず、「預言者の代理人」であるカリフの役職には、一度たりとも女性が就任することはなかった。なぜ、イスラーム世界には女性のカリフがいなかったのか。この単純でありながら難解な問題を解き明かすためには、イスラームの内的な論理に立ち入るのはもちろんのこと、それを取り巻く西アジアの歴史的環境にまで目を配る必要があり、限られた紙数の内に論じ尽くすことは難しい。この方面の議論に関しては、F・メルニーシーが一連の先駆的な研究を発表しているので、そちらを参照されたい(Mernissi 1993)。

イスラーム世界のカリフ位をめぐるもう一つの特徴として、ウマイヤ朝やアッバース朝のカリフには、母系(女系)の血筋によって即位した者が一人もいないことが挙げられる。カリフになるためには父親からウマイヤ家やアッバース家の血を引いていなければならず、「カリフの娘」から生まれた息子には、カリフの実の孫ではあっても、即位する資格が認められていなかったのである。では、カリフの一族たる女性に「カリフの母」となる資格が無かったとすれば、カリフとの間に「カリフの息子」を産んだ母親とは、どこから来た何者であったのだろうか。権力の相続において父方の素性だけが問題であったとすれば、その母親はどのような基準によって選ばれたのであろうか。さらにまた、女性であるがゆえに自らは即位できず、息子を即位させることもできなかった「カリフの娘」たちは、誰と結婚し、どのような人生を歩んだのであろうか。本稿では、西アジアにおける女性と政治権力の関係を考える一助として、初期イスラーム時代のカリフを取り巻く女性たち――カリフの母、妻、そして娘たちに観察の焦点を絞り、その具体的な姿を明らかにしていくことにしたい。対象とするのは、ウマイヤ朝の初代カリフであるムアーウィヤから、セルジューク朝のバグダード入城時に在位していたアッバース朝の第二六代カーイムまでの四〇代(六六一―一〇七五年)とし、後ウマイヤ朝については専門家の論攷に譲るものとする。

二、正統カリフとムハンマド――姻戚関係がつくりだした権威

本題に入る前に、カリフ位の世襲体制が確立する以前の正統カリフ時代(六三二―六六一年)について触れておきたい。預言者ムハンマドは公に後継者を指名しないまま死去したため、新しい教団国家の指導者として「カリフ」の役職が設立され、クライシュ族出身の有力な信徒が順番に即位するという合意が形成された。初代のアブー・バクル(タイ

ム家、在位六三二―六三四年)はムハンマドの古くからの盟友であり、ウマル(アディー家、在位六三四―六四四年)は指導力豊かな硬骨漢、ウスマーン(アブド・シャムス家、在位六四四―六五六年)は名門ウマイヤ家の出身で最古参の信徒のひとり、アリー(ハーシム家、在位六五六―六六一年)は言うまでもなくムハンマドの実の従兄弟で、養子同然に育てられた人物であった。

年齢も、家柄も、ウンマ(共同体)に対する貢献の仕方も様々な四人であり、一見すると時々の状況に応じて相応しいと考えられた人物が偏りなく選出されたようにも思えるが、これらの人物には、預言者ムハンマドとの繋がりにおいて、一つの大きな共通点があった。アブー・バクルは預言者最愛の妻であったアーイシャの父親であり、ウマルも同じく預言者の妻ハフサの父親、三代目のウスマーンはムハンマドの娘であるルカイヤならびにウンム・クルスームの夫、四代目のアリーはムハンマドの娘ファーティマの夫でもあった。結果的に、四人の正統カリフはいずれもムハンマドと姻戚関係にあった人物ばかりということになる。ついでに言えば、アリーからカリフ位を簒奪する形で即位したウマイヤ朝初代カリフのムアーウィヤ(在位六六一―六八〇年)も、預言者の妻ウンム・ハビーバの兄弟であった。逆に、カリフの候補に挙がりながら即位することのなかったタイム家のタルハ、預言者の父方の従兄弟ズバイル、預言者の母方の一族であるアブドゥッラフマーン・イブン・アウフとサアド・イブン・アビー・ワッカースは、いずれもムハンマドと親族関係にはあったが、直接の姻戚関係を結んでいない。

当時のアラビア半島において、個人と個人の社会的距離をはかる基準は、第一に父系の血縁であった。アラブ社会には伝統的に苗字というものがなく、個人の名前の後に父の名前、父方の祖父の名前、曽祖父の名前……という順番で父方の先祖名(系譜)を記憶する限り並べ、人名を表現する。その際、名前と名前の間には、「某の息子」を意味する「イブン」の語を挟み、ムハンマド・イブン・アブドゥッラー・イブン・アブドゥルムッタリブ・イブン・ハーシムのように表記する(この場合、本人の固有名がムハンマド、父の名前がアブドゥッラー、祖父の名前がアブドゥルムッタリブ、曽祖父の名前がハーシムであることを表している)。本人が女性の場合も、後に続くのは父方の先祖名であり、母親の名前が人名の中に登場することはない。

彼らの社会には、こうした直線的な系譜意識をもとにして、特定の先祖を共有する人々を「同族」として括る習慣が存在した。例えば、ファザーラという人物から分かれた人々はファザーラ族、スライムという人物から分かれた人物はスライム族を形成したのであり、これを一般にアラブの「部族」(カビーラ)と呼びならわしている。気をつけなければならないのは、「ファザーラという人物から分かれた」といっても、生物学的な意味でファザーラの血を受け継ぐ全子孫が同族として括られたわけではなく、「系譜の中にファザーラの名前が現れる者」、すなわち父系の血筋によってファザーラの血を引く者だけが、ファザーラ族として扱われたことである。つまり、「一族の男子から生まれた男子」および「男子から生まれた女子」のみが同族を構成し、「女子から生まれた男子」「女子から生まれた女子」は、母親の帰属する部族ではなく、父方の部族の成員と見なされたのであった。

このような集団化論理をもつ社会では、個人と個人、集団と集団の親疎関係が生まれつきの血縁にもとづいて自動的に決定されてしまうため、都合に応じて他人との社会的関係を自由に変更することが難しい。そこで活用されたのが、疎遠な集団同士を横につなぐ橋渡しとしての姻戚関係であった。そもそも、アラブの女性は結婚後も自身の兄弟や従兄弟と縁が切れるわけではなく、必要に応じて相互扶助の関係にあったことが分かっている(預言者ムハンマドの母アーミナが急病で亡くなったのは、母方の親族が住むメディナへ里帰りした際の帰り道であった)。夫婦の間に生まれた子供は父方の系譜を名乗ることになるが、母方の叔父・叔母や従兄弟と親密な関係を保つ者も多く、母方の親族(バヌー・ハール)は父方の親族(バヌー・アンム)と同じように名誉をかけて守るべき相手と考えられていたのである。

四人の正統カリフがいずれもムハンマドと直接の姻戚関係をもつ人物であったことは、娘の婚姻を通じて彼らが「預言者に近い人物」と認められていた可能性を示唆しており、預言者の権威が姻戚関係を通じて別の家系の男性に及んでいた様子がうかがえる。最初期のイスラーム共同体におけるカリフの在り方が、当時のアラブ社会の慣習から強い影響を受けていた状況の一端が垣間見えて、興味深い事象である。

三、カリフの母君

ムハンマドとの姻戚関係を重視してカリフが選出されていた時代が終わり、ウマイヤ朝時代(六六一―七五〇年)が始まると、カリフの位は父系相続――つまり、前任者の息子や父方の兄弟が世襲していく体制に変更された。これは、ムアーウィヤが一族で権力を独占しようとしたことに端を発する変更であったが、結果的に、その後のアッバース朝時代(七五〇―一二五八年)を含め、父方の血筋においてカリフの血を引いていることが、カリフとして即位する絶対条件と考えられるようになった。逆に、母系(女系)の血筋を引く人物、つまりカリフの娘や姉妹の産んだ息子は、前節で見た論理により父方の系譜を継承するため、カリフ位の相続権を持たないと見なされ、後継者に指名されることはなかったのである。例外として、ウマイヤ朝ヤズィード一世(在位六八〇―六八三年)の娘アーティカから生まれたヤズィード二世(在位七二〇―七二四年)と、アッバース朝マンスールの孫娘ズバイダから生まれたアミーン(在位八〇九―八一三年)の名を挙げることはできるが、前者はアブドゥルマリク(在位六八五―七〇五年)の息子、後者はハールーン・ラシード(在位七八六―八〇九年)の息子であるため、いずれも父親からカリフの血を引いており、母系の血のみを引く人物がカリフになったとは言えず、父系相続の原則は一貫して遵守されたと見るべきであろう。

しかし、父系相続が徹底されたとはいえ、母親の存在が全く無意味であったわけではない。例えば、ムアーウィヤの妻でヤズィード一世の母となったマイスーン・ビント・バフダルはヤマン系カルブ族の出身であるが、これは征服前からシリアに居住していたヤマン系のアラブ諸族から妻を得ることにより、征服者として到来したウマイヤ家やカイス系諸族との融和を目指したものだと考えられている。また、ムアーウィヤの血筋が絶えたあと、ウマイヤ朝のカリフ位はスフヤーン家からマルワーン家に移ったが、マルワーン一世(在位六八三―六八五年)はヤズィード一世の寡婦であるウンム・ハーシム(ウンム・ハーリドとも呼ばれる)と再婚することにより、スフヤーン家との縁を保とうとしたと言われている。姻戚関係を通じて集団間の協力関係を結ぶ前イスラーム期の慣習が、この時点では残っていたのである。

ウマイヤ朝時代のもう一つの特徴は、初代ムアーウィヤから第一一代ワリード二世(在位七四三―七四四年)に至るまで、すべてのカリフの母親がアラブ人女性だということである[表]。ウマイヤ家と同じアブド・シャムス家の出身者が四人、クライシュ族の他家の出身者が二人、クライシュ族と繫がりの深かったキナーナ族から一人、あとはカイス系の諸族から二人、ヤマン系の諸族から一人である。この時代には、戦争捕虜として異民族出身の女奴隷が数多く獲得されており、カリフとの間に子どもをもうけた者もいたが、少なくとも七四四年のウマイヤ朝末期までは、そうした女性の息子がカリフとして即位することはなかった。

当時のアラビア語詩には、誰かの出自を讃えるときに「父方も母方も高貴な家系」というフレーズがよく出てくる。アラブ至上主義の風潮が色濃く残っていたウマイヤ朝時代には、父方のみならず、母方でも高貴なアラブの血を引いていることが指導者として認められるための条件の一つであり、異民族の女奴隷から生まれた者は「混血」(ハジーン)と呼ばれ、周囲から侮られる傾向が強かったのである。

この状況が大きく変わるのは、ウマイヤ朝第一二代ヤズィード三世(在位七四四年)の時代からである。彼の母親はサーサーン朝王家の血を引くシャーヘ・アーフリード(ヤズデギルド三世の孫娘と言われる)であったため、非アラブ人の母から生まれた最初のカリフとなった。さらに、彼の後を継いだ第一三代イブラーヒーム(在位七四四年)も出自不詳の女奴隷から生まれており、最後の第一四代マルワーン二世(在位七四四―七五〇年)に至っては、母親がクルド系の

表　ウマイヤ朝とアッバース朝のカリフの母親

カリフ		母	母の出自
1	ムアーウィヤ	ヒンド・ビント・ウトバ	アラブ(クライシュ族アブド・シャムス家)
2	ヤズィード1世	マイスーン・ビント・バフダル	アラブ(ヤマン系カルブ族)
3	ムアーウィヤ2世	ウンム・ハーシム	アラブ(クライシュ族アブド・シャムス家)
4	マルワーン1世	アーミナ・ビント・アルカマ	アラブ(キナーナ族)
5	アブドゥルマリク	アーイシャ・ビント・ムアーウィヤ	アラブ(クライシュ族アブド・シャムス家)
6	ワリード1世	ワッラーダ・ビント・アッバース	アラブ(カイス系アブス族)
7	スライマーン		
8	ウマル2世	ウンム・アースィム	アラブ(クライシュ族アディー家)
9	ヤズィード2世	アーティカ・ビント・ヤズィード	アラブ(クライシュ族アブド・シャムス家)
10	ヒシャーム	ファーティマ・ビント・ヒシャーム	アラブ(クライシュ族マフズーム家)
11	ワリード2世	ウンム・ハッジャージュ	アラブ(カイス系サキーフ族)
12	ヤズィード3世	シャーヘ・アーフリード	イラン系
13	イブラーヒーム	不詳	不詳
14	マルワーン2世	不詳	クルド系
1	サッファーフ	ライタ・ビント・ウバイドゥッラー	アラブ(ヤマン系マズヒジュ族)
2	マンスール	サッラーマ	ベルベル系
3	マフディー	ウンム・ムーサー・アルワー	アラブ(ヤマン系ヒムヤル族)
4	ハーディー	ハイズラーン	アラブ系(イエメンのジュラシュ出身だが，遊牧民に誘拐されて奴隷として売られる)
5	ハールーン・ラシード		
6	アミーン	ズバイダ・ビント・ジャアファル	アラブ(クライシュ族ハーシム家)
7	マアムーン	マラージル	イラン系
8	ムウタスィム	マーリダ	不詳，一説に父親がソグディアナ出身
9	ワースィク	カラーティース	ギリシア系
10	ムタワッキル	シュジャー	トルコ系
11	ムンタスィル	フブシーヤ	ギリシア系
12	ムスタイーン	マハーリク	スラヴ系，一説に父親がモスル出身
13	ムウタッズ	カビーハ	不詳，シチリア島出身
14	ムフタディー	クルブ	ギリシア系
15	ムウタミド	フィトヤーン	ギリシア系，一説にクーファ出身
16	ムウタディド	ディラールまたはサワーブまたはヒルズ	ギリシア系
17	ムクタフィー	ジージャクまたはザルーム	トルコ系
18	ムクタディル	シャガブまたはガリーブ	ギリシア系またはトルコ系
19	カーヒル	フィトナ	不詳
20	ラーディー	ザルーム	ギリシア系
21	ムッタキー	ハルーブまたはズフラ	不詳
22	ムスタクフィー	グスンまたはアムラフンナース	ギリシア系
23	ムティーウ	シャガラまたはマシュガラ	スラヴ系
24	ターイウ	ハザールまたはアトブ	不詳
25	カーディル	ディムナまたはタマンニー	不詳
26	カーイム	バドルッドゥジャー	アルメニア系

女奴隷、父方の祖母も異民族の女奴隷であったと伝えられている(父親のムハンマド・イブン・マルワーンはアブドゥルマリクの兄弟であったが、カリフとして即位していない)。

ヤズィード三世は、放蕩三昧だった従兄弟のワリード二世に対してクーデタを起こす形で即位しており、これまでのように前任者の指名によって選ばれたわけではなかった。従って、異民族の女性から生まれた息子が即位することになった直接の契機としては、血筋への配慮など関係なく、実力者が権力の座を奪い取ったという偶発的な事件によるところが大きい。しかし、このあと堰を切ったように女奴隷の母から生まれたカリフが輩出されるようになったことの背後には、アラブ至上主義の形骸化という大きな社会的変化の進行があったと見て間違いないであろう。

アッバース朝時代に入ると、この傾向はさらに顕著になる。自由身分のアラブ人の母から生まれたカリフは、初代サッファーフ(在位七四九―七五四年)、第三代マフディー(在位七七五―七八五年)、第六代アミーンの三人のみであり、それ以外のカリフは第二六代カーイム(在位一〇三一―七五年)に至るまで、全員が女奴隷を母にもつ人物ばかりである。初代サッファーフが兄のマンスール(在位七五四―七七五年)よりも先に即位したり、第六代アミーンの継承順位が兄のマアムーン(在位八一三―八三三年)よりも高く設定されていたのは、九世紀初頭までアラブの血の優位性が意識されていたことの表れであろうが、その後は完全に女奴隷から生まれたカリフばかりになるため、即位の継承順位に母親の素性が問題とされることはなくなっていく。

カリフの母となった女奴隷の出自は、イラン系、ギリシア系、トルコ系など様々であった。しかし、第一二代ムスタイーン(在位八六二―八六六年)以降になると、彼女たちの民族的な出自が徐々に記録に現れなくなり、第一六代ムウタディド(在位八九二―九〇二年)以降になると、母親の名前すら曖昧になってくる。これは、アッバース朝カリフの権威失墜にともなって、そうした宮廷の内部情報がニュース・バリューをもたなくなったという可能性もあるが、カリフの後宮にいる女性が徐々に「人格」を剝奪されていく歴史的プロセスが完成したと見ることもできるであろう。

四、カリフの妻と女奴隷

前節で見たのは母后となった女性についてだが、多くのカリフは彼女ら以外にも複数の妻や女奴隷を所有していた。クルアーンの規定では、正式な妻とできる女性は同時に四人までであるが、「汝らの右手が所有するもの」(四章三節)すなわち女奴隷は制限なく性的な対象とすることができたので、権力者の後宮にはさまざまな出自の女性が入ったのである。なお、日本語ではイスラーム世界の後宮をハーレムと呼んでいるが、これはトルコ語のハレムから入った語で、アラビア語のハラム(手を出すことが禁じられたもの)から派生した言葉である。アラビア語のハラムは、敵から守るべき自分の妻や一族の女性などを指す一般的な言葉であり、権力者が女性を集めて住まわせる場所を意味していたわけではない。

そもそも、前イスラーム時代のアラブ社会における婚姻は、基本的に男性が女性の家に入る通い婚が多かったと考えられている。イブン・イスハーク(七六七年没)の『預言者ムハンマド伝』によると、預言者の父アブドゥッラーはアーミナとの婚姻契約が成立したあと、彼女の部屋に入ってムハンマドをもうけているし、その後でアサド家の女の家にも入ろうとしている。また、アブー・バクルはムハンマドが亡くなる日に、「今日はビント・ハーリジャのところに行く日なので行ってもよいでしょうか」と許可を求めて二キロメートルほど離れた妻の家に行ってしまい、預言者の死に目に会えなかったという話も伝わっている。

これに対し、ムハンマド自身はメディナの自宅に複数の妻の居室をもうけて集住させており、女性の家を転々とすることはしなかった。カリフの宮廷に同じシステムが導入された時期は判然としないが、アッバース朝時代にはバグダードの居城に後宮が置かれ、カリフの妻や女奴隷のほか、彼女たちに仕える侍女や宦官(かんがん)が多くいたことが分かっている。

史料に名前が記録されているカリフの妻や女奴隷は子どもを産んだ女性だけであり、それ以外にどれくらいの人数がいたのかはよく分からない。ウマイヤ朝第六代ワリード一世(在位七〇五−七一五年)は六三人の女性と結婚・離婚を繰り返したと言われているが、この数字が異常だからこそ史料に記録されたと仮定すると、普通はこれよりもずっと少なかったと推測することができる。アッバース朝第一〇代ムタワッキル(在位八四七−八六一年)は四〇〇〇人の女奴隷を所有していてその全員と関係を持ったという事例が持ち出されることもあるが、この話を伝えているマスウーディーの筆致は明らかに懐疑的な態度を示しており、こちらは単なる法螺話の類に過ぎないようである。

逆のケースとしては、アッバース朝の初代サッファーフが妻をひとりしか持たなかったカリフとして知られている。彼の妻ウンム・サラマはクライシュ族マフズーム家の出身で、夫婦の仲は睦まじく、サッファーフは二人目の妻はもちろんのこと、女奴隷を招き入れることすらしなかった。第二代マンスールも同じく、即位前に結婚したウンム・ムーサーという妃が存命中には、後宮をつくらなかった。ウンム・ムーサーは、南アラビアの王家を出したヒムヤル族の血を引く女性であり、気位も高かったらしく、マンスールに迫って他の妻や女奴隷を持たないという約束をさせ、確認の念書まで取り付けたと言われている。ただし、ウンム・ムーサーが亡くなったときには、一〇〇人の乙女が一斉にマンスールのもとへ贈られてきたと伝えられており、彼女らとの間にも多くの子どもが生まれている。

前述の通り、ウマイヤ朝のカリフは七四四年に至るまで自由身分のアラブ女性との間に跡継ぎをもうけているが、その間のカリフが女奴隷を所有していなかったというわけではない。さきほどのワリード一世はもちろん、第二代ヤズィード一世は一二人の息子のうち八人を様々な女奴隷に産ませたと言われているし、第五代アブドゥルマリク、第八代ウマル二世(在位七一七−七二〇年)なども複数の女奴隷と息子をもうけたことが記録されている。つまり、アラブ女性の他に異民族出身の女奴隷を所有する習慣はウマイヤ朝時代の当初からあったが、彼女らの産んだ息子がカリフ位を継承するようになるのは、同時代の末期になってから始まった現象ということになる。

アッバース朝の場合も、アラブ女性を母にもつマフディーやアミーンには、女奴隷から生まれた腹違いの兄弟が何人もいたことが分かっている。また、サッファーフとマンスールの父であるアッバース家のムハンマド・イブン・アリー(七四三年没)についても、フマイマ村で秘密地下運動をしていたとき、アラブ女性二人のほかに、少なくとも四人の女奴隷に息子を産ませている。

アッバース朝時代中期の九世紀後半以降については、史料中の関連記事が少なくなるために詳しいことは不明だが、即位したカリフの母が異民族の女奴隷で占められている様子を見る限り、アラブ系の妃はいなくなってしまったか、いたとしても少数であったと考えるべきであろう。この時代になると、アッバース朝の宮廷はイラン系の官僚やトルコ系の軍人が主役となり、カリフとアラブ諸族との繋がりが断たれていたこともその一因であろうが、アッバース家出身の女性とすら縁談の機会が消失したように見える理由はよく分からない。自由身分だが異民族出身の女性としては、トゥールーン朝の王女カトルンナダーが第一六代ムウタディドの妻になった例などを挙げることができる。[1] 宗教的な権威を持たない軍人政権にとってカリフと姻戚関係を結ぶことは悲願と言っても過言ではなく、次節で見る通り、九三六年の大アミール職の創設後から、こうした事例が増えていくようになった。

五、カリフの姫君

中国の王朝には同姓不婚の原則があるため、皇帝の娘である公主は皇族以外の男性と結婚するのが普通であり、ごく稀に周辺異民族の王家に降嫁することもあったという。しかし、イスラーム法では信者の女性が異教徒の男性と結婚することはできない決まりになっているため、カリフの娘がイスラーム圏(ダール・アル＝イスラーム)の外部――例えば、キリスト教徒である東ローマ皇帝の一族など――に降嫁することは、理論的にも現実的にもありえなかった。
それでは、歴代のカリフの娘たちは、どのような相手と結婚しているのであろうか。

アッバース朝時代中期に活躍したイブン・ハビーブ（八六〇年没）の『ムハッバル』という書物には、「カリフの娘婿（アスハール）の一覧」という興味深い章があり、アブー・バクルからアッバース朝第九代ワースィク（在位八四二―八四七年）まで、カリフの娘が誰と結婚したのか分かるようになっている。これを見ると、カリフの娘たちが極めて狭い範囲の中でしか結婚していないことに驚かされる。

イブン・ハビーブは、ウマイヤ朝の姫君二四人、アッバース朝の姫君一六人の名を挙げているが、前者のうち二一人はウマイヤ家の男性と、後者のうち一五人はアッバース家の男性と結婚している。例外は、ウマイヤ朝初代ムアーウィヤの娘サフィーヤがバスラ総督ズィヤード・イブン・アビーヒの息子ムハンマドと、第二代ヤズィード一世の娘ウンム・アブドゥッラフマーンならびにラムラが同じくズィヤードの息子アッバードと、アッバース朝第七代マアムーンの娘ウンム・ファドルがアリー家のムハンマド・ジャワード（第九代イマーム）と結婚しているのみである。(2) つまり、ウマイヤ朝カリフの娘はウマイヤ家の男性と、アッバース朝カリフの娘はアッバース家の男性とのみ結婚していて、族外に出すことは基本的になかったということになる（正統カリフの四人については他の家系の者と結婚した娘もいるが、ほぼ全員がクライシュ族の男性であり、他の部族の出身者は見当たらない）。これは、カリフの母親がアラブの他族や異民族の女奴隷から多く出ていたのと対照的である。

もう少し彼女らの結婚相手を詳しく分析してみると、ウマイヤ朝では二一人のうち九人、アッバース朝では一五人のうち八人が、父であるカリフの甥――正確に言うと、父方の平行いとこと結婚していることが分かる（いとこの息子も含めると、さらに多くなる）。イスラーム圏では、古くからの慣習によって父方平行いとこ婚が好まれているが、初期イスラーム時代のカリフはこれを忠実に実行に移していた様子がうかがえる。

カリフの妻や女奴隷にくらべると、彼らの娘に関するエピソードは著しく少ない。有名な逸話としては、アッバース朝のハールーン・ラシードが「床入りしない」という条件で妹のアッバーサをバルマク家のジャアファルと再婚させたにもかかわらず、子どもが生まれてしまったためにジャアファルの破滅が早まったという伝説があるくらいである。しかし、断片的な情報をつなぎ合わせると、彼女らは宮殿の奥深くに隠されて人々の目に全く触れなかったわけではなく、市井の噂にのぼる姫君も存在したようである。

例えば、ヒシャーム(在位七二四―七四三年)の娘アーイシャはカリフ自慢の美しい娘で、パレードを行うときには彼女も一緒に参加させるのが常であったという。マフディーの娘バーヌーカも浅黒い肌の美少女で、父がバスラへ行幸したときには黒い軍服姿で馬にまたがり、警察長官の前を行進する茶目っ気を見せたと記録されている。アッバース朝初代サッファーフの娘ライタは兄のムハンマドと並んで剛力自慢の女性であったと言われているし、本稿が扱う範囲ではないものの、後ウマイヤ朝ムハンマド三世(在位一〇二四―二五年)の娘ワッラーダは高名な詩人としてアラブ世界中にその存在が知れ渡っている。娘が早世したために、カリフが何日も泣き暮らしたという記録もいくつか残っており、必ずしも男児にくらべて女児が差別されていたわけではなく、父親から深く愛された娘も存在したようである。

カリフの姫君をめぐってアッバース朝の宮廷に波風が立つのは、カリフが実質的な政治権力を軍人政権に明け渡した後の、一〇世紀後半からである。バグダードに入城して政権を獲得した異民族出身のアミールやスルターンは、イスラーム世界の覇者としての権威を高めるために、カリフの娘を妻に迎えたり、自らの娘をカリフに嫁がせたりすることを目指すようになった。その結果、第二六代カーイムの娘はセルジューク朝のトゥグリル・ベクと結婚しており、逆にトゥグリル・ベクの姪がカーイムと、マリク・シャーの娘が第二七代ムクタディー(在位一〇七五―九四年)と、さらにはブワイフ朝のアドゥドゥッダウラの娘も第二四代ターイウ(在位九七四―九九一年)と、それぞれ結婚している。これらの婚姻関係が、どの程度まで権威の向上や国家運営の安定化に結びついたのかについては他の議論に譲るが、少なくともカリフ位継承の順位や内容に大きな影響を与えることはなかったようである。

六、おわりに

話は少し遡るが、前イスラーム期からイスラーム勃興期にかけてのアラビア半島では、戦争や政争の場で活躍する女性はけっして少なくなかった。第一次内乱中の六五六年、預言者の妻だったアーイシャが軍勢を率いてアリーに対抗したのは有名な話であるが、これだけが稀有な例というわけではない。ムハンマドの叔母サフィーヤはファーリウの砦でユダヤ教徒のスパイを棍棒で殴り殺したし、ウンム・スライム・ビント・ミルハーン(のちに著名なハディース伝承家となるアナス・イブン・マーリクの母)は身重のまま短剣を握りしめてフナインの戦いに従軍した。戦闘には参加せずとも、多くの女性が戦場において兵士の食事や装備品の世話をしたり、負傷兵の看護や死体の運搬に走り回った。ナッジャール族のウンム・ウマーラなどは、ウフド山の戦いで全身に一二カ所の傷を負いながら負傷兵の手当てを続け、ヤマーマの戦いでは片腕を斬り落とされる重傷を負ったと伝えられている。これらの伝承の一部はイスラームを称揚するための作り話であったにせよ、そこに女性が戦いの主体として描かれていることは、アラビア半島の現実の社会状況と無縁であったとは思われない。

ムスリムの敵方においても、預言者の叔父ハムザの遺体の腹を切り裂いて肝臓に嚙み付いたヒンド・ビント・ウトバの話は有名だが、タグリブ族を率いてアラビア半島北部を制覇した女預言者サジャーフや、ファザーラ族を率いてザイド・イブン・ハーリサの軍勢と戦いラクダ裂きの刑になったウンム・キルファなど、女性が部族の指導者としてイスラーム教団に抵抗した例も散見される。アラブの大征服が終息した後、こうした女性の活躍は史料の中からほとんど消えてしまった。女性も社会の指導権を握ることがあるというアラビア半島時代の「常識」が、新しい時代状況の中で通用しなくなったのである。

本稿で明らかとなった通り、カリフの母親の出自がウマイヤ朝末期を境に大きく変化していることは、彼らの社会を律していたもう一つの「常識」――つまり、異民族の母親から生まれた者は社会的地位が低いという考え方が消失したことを示している。こうした一連の変化を引き起こした社会的・環境的な動因は、いったい何処にあるのだろうか。それは、大征服活動に伴う社会構造の変革によってもたらされたものなのであろうか、それとも、新たに力を得たイスラーム法の要請にもとづく行動様式の変化によって説明すべきものなのであろうか。ムスリム社会における女性の地位と立場の変遷を歴史学的に論じようとするとき、その入口となる初期イスラーム時代四〇〇年間の状況については、依然として解明すべき多くの問題が残されているようである。

注

(1) その他にも、ムウタディドのマウラーで武官をつとめたバドルの娘がムクタディルの妻となったことが、タヌーヒーの文学作品などに記録されている。
(2) イブン・ハビーブはマフディーの娘アッバーサの結婚相手としてアッバース家の男性二人の名前しか挙げていないが、後述する有名なエピソードが事実だとすれば、再婚相手となったバルマク家のジャアファルも例外ということになる。

参考文献

イブン・イスハーク/イブン・ヒシャーム編註(二〇一〇―二〇一二)『預言者ムハンマド伝』後藤明ほか訳、全四巻、岩波書店。

小笠原弘幸(二〇二二)『ハレム――女官と宦官たちの世界』新潮選書。

高野太輔(二〇〇八)『アラブ系譜体系の誕生と発展』山川出版社。

後藤明(二〇一二)『ムハンマド時代のアラブ社会』〈世界史リブレット〉、山川出版社。

清水和裕(二〇〇八)「ヤズデギルドの娘たち――シャフルバーヌー伝承の形成と初期イスラーム世界」『東洋史研究』六七(二)。

タヌーヒー（二〇一六―二〇一七）『イスラム帝国夜話』森本公誠訳、上下巻、岩波書店。

永積昭（一九五九）「パタニ國の王統について――17世紀のパタニ國Ⅰ」『南方史研究』一。

永積昭（一九六〇）「パタニ國の支配層について――17世紀のパタニ國Ⅱ」『南方史研究』二。

橋爪烈（二〇一六）『ブワイフ朝の政権構造――イスラーム王朝の支配の正当性と権力基盤』慶應義塾大学出版会。

前嶋信次（一九九一）『イスラムの蔭に』〈生活の世界歴史〉7、河出文庫。

al-Aṣbahānī (d. 967), *Kitāb al-Aghānī*, rep. of Būlāq ed., 20 vols., Beirut, 1970.
al-Balādhurī (d. ca. 892), *Ansāb al-Ashrāf*, 25 vols., Damascus, 1996–2004.
Ibn ʻAbd Rabbi-hi (d. 940), *al-ʻIqd al-Farīd*, 7 vols., Cairo, 1948–1953.
Ibn al-Athīr (d. 1233), *al-Kāmil fil-Taʼrīkh*, 10 vols., Beirut, 1987.
Ibn Ḥazm (d. 1064), *Jamharat Ansāb al-ʻArab*, Beirut, 1983.
Ibn Saʻd (d. 845), *al-Ṭabaqāt al-Kubrā*, 9 vols., Beirut, 1990–1991.
al-Masʻūdī (d. 956), *Murūj al-Dhahab wa-Maʻādin al-Jawhar*, 4 vols., Beirut, 1987.
Miskawayh (d. 1030), *Kitāb Tajārib al-Umam*, H. F. Amedroz (ed.), 3 vols., Oxford, 1920–1921.
Muḥammad b. Ḥabīb (d. 860), *Kitāb al-Muḥabbar*, Hyderabad, 1942.
al-Suyūṭī (d. 1505), *Taʼrīkh al-Khulafāʼ*, Muḥyī al-Dīn ʻAbd al-Ḥamīd (ed.), n. d., n. p.
al-Ṭabarī (d. 923), *Taʼrīkh al-Rusul wal-Mulūk*, M. J. de Goeje (ed.), 15 vols., Leiden, 1879–1901.

Abbott, Nabia (1986), *Two Queens of Baghdad: Mother and Wife of Hārūn al-Rashīd*, Al Saqi.
Ahmed, Leila (1992), *Women and Gender in Islam: Historical Roots of a Modern Debate*, Yale U. P.
Ali, Kecia (2010), *Marriage and Slavery in Early Islam*, Harvard U. P.
ʻAthamina, Khalil (2007), "How Did Islam Contribute to Change the Legal Status of Women: The Case of *Jawārī*, or the *Female Slaves*", *Al-Qanṭara*, 28, 2.

Ibn al-Sā'ī (2015), *Consorts of the Caliphs: Women and the Court of Baghdad*, Shawkat M. Toorawa (ed.), N.Y. U. Press.

Makdisi, George (1970), "The Marriage of Ṭughril Beg", *International Journal of Middle East Studies*, vol. 1, No. 3.

Mernissi, Fatima (1993), *The Forgotten Queens of Islam*, Mary Jo Lakeland (tr.), Polity Press.

Miskawayh, Abu 'Ali, H. F. Amedroz (ed.) (2015), *The Eclipse of the 'Abbasid Caliphate: Classical Writings of the Medieval Islamic World*, 3 vols., I. B. Tauris.

Smith, W. Robertson (1966), *Kinship & Marriage in Early Arabia*, rep. of 1907 ed., Anthropological Publications.

【執筆者一覧】

佐藤彰一(さとう しょういち)
1945年生．名古屋大学名誉教授・日本学士院会員．フランス初期中世史．

森山央朗(もりやま てるあき)
1973年生．同志社大学神学部教授．初期・古典イスラーム史．

森本一夫(もりもと かずお)
1970年生．東京大学東洋文化研究所教授．イスラーム史・イラン史．

三佐川亮宏(みさがわ あきひろ)
1961年生．東海大学文学部教授．ドイツ中世史．

中谷功治(なかたに こうじ)
1960年生．関西学院大学文学部教授．ビザンツ帝国史．

亀谷 学(かめや まなぶ)
1977年生．弘前大学人文社会科学部准教授．初期イスラーム史．

佐藤健太郎(さとう けんたろう)
1969年生．北海道大学大学院文学研究院教授．マグリブ・アンダルス史．

三村太郎(みむら たろう)
1976年生．東京大学大学院総合文化研究科准教授．イスラーム科学史・アラビア語文献学．

高野太輔(こうの たいすけ)
1968年生．大東文化大学国際関係学部教授．初期イスラーム史．

菊地重仁(きくち しげと)
1976年生．東京大学大学院人文社会系研究科准教授．ヨーロッパ初期中世史．

近藤真美(こんどう まなみ)
1966年生．龍谷大学文学部准教授．イスラーム時代西アジア史．

大貫俊夫(おおぬき としお)
1978年生．東京都立大学人文社会学部准教授．中世修道会史・ドイツ中世史．

杉田英明(すぎた ひであき)
1956年生．東京大学名誉教授．比較文学比較文化・中東地域文化研究．

【責任編集】

大黒俊二(おおぐろ しゅんじ)
1953年生．大阪市立大学名誉教授．イタリア中世史．『声と文字』〈ヨーロッパの中世〉(岩波書店，2010年)．

林 佳世子(はやし かよこ)
1958年生．東京外国語大学学長．西アジア社会史・オスマン朝史．『オスマン帝国500年の平和』〈興亡の世界史〉(講談社学術文庫，2016年)．

【編集協力】

大月康弘(おおつき やすひろ)
1962年生．一橋大学理事・副学長．経済史・西洋中世史・ビザンツ学．『帝国と慈善 ビザンツ』(創文社，2005年)．

清水和裕(しみず かずひろ)
1963年生．九州大学人文科学研究院教授．初期イスラーム史．『イスラーム史のなかの奴隷』(山川出版社，2015年)．

岩波講座 世界歴史 8　　第9回配本(全24巻)

西アジアとヨーロッパの形成 8〜10世紀

2022年6月28日 第1刷発行

発行者 坂本政謙

発行所 株式会社 岩波書店 〒101-8002 東京都千代田区一ツ橋2-5-5
電話案内 03-5210-4000 https://www.iwanami.co.jp/

印刷・法令印刷 カバー・半七印刷 製本・牧製本

ISBN 978-4-00-011418-9

岩波講座

世界歴史

A5 判上製・平均 320 頁（黒丸数字は既刊，＊は次回配本）

全㉔巻の構成

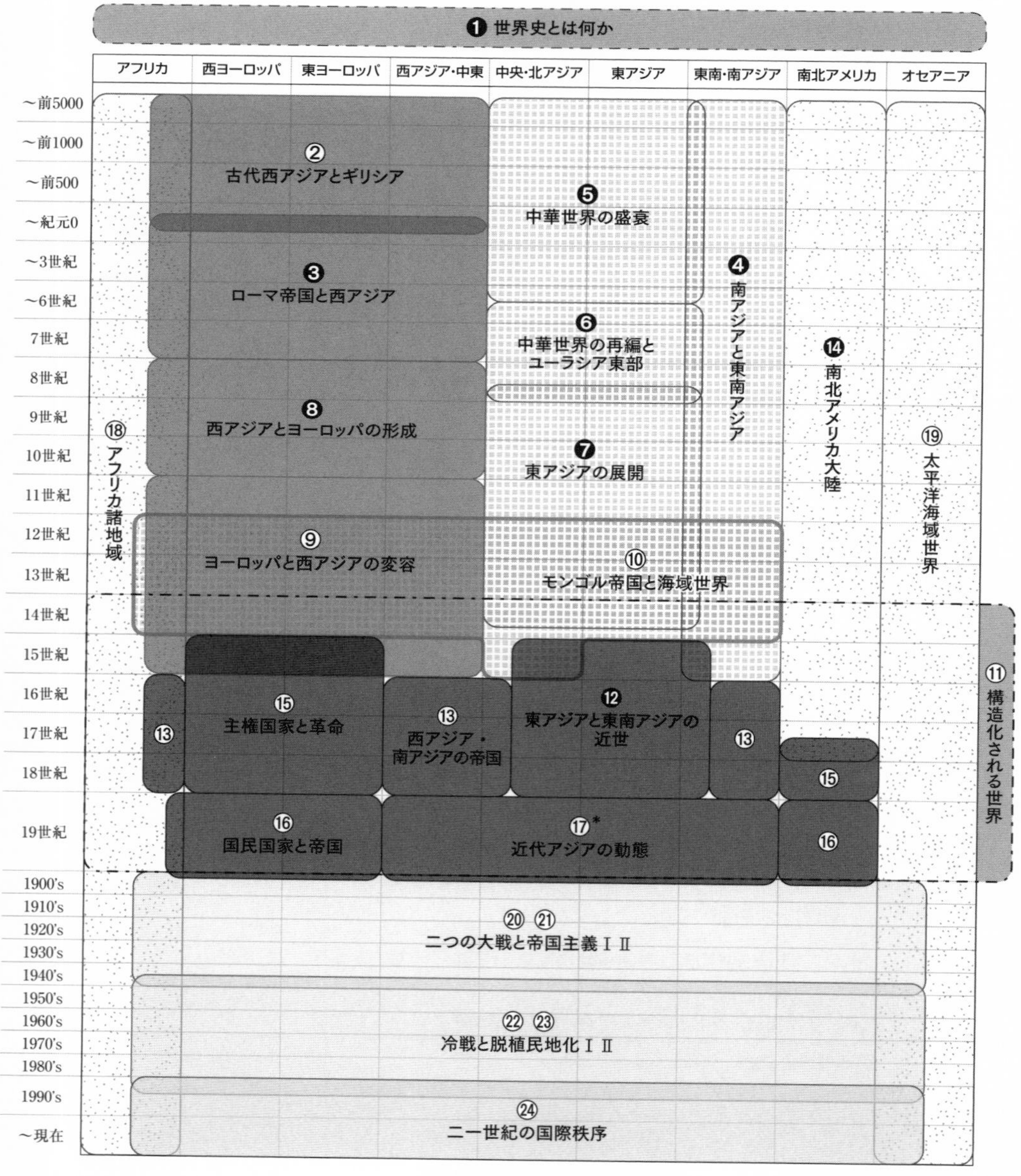

※本図は各巻の内容を厳密に反映したものではなく，便宜的に図示したものです．